ro
ro
ro

Von Cleo Cordell ist außerdem lieferbar:
«Juliets Begabung» (rororo 23963)

Cleo Cordell

Freibeuterin der Lüste

Erotischer Roman

Deutsch von Julia Peters

Rowohlt Taschenbuch Verlag

Die Originalausgabe erschien 1995 unter dem Titel
«The Crimson Buccaneer» bei Black Lace, London.

Deutsche Erstausgabe
Veröffentlicht im Rowohlt Taschenbuch Verlag,
Reinbek bei Hamburg, Februar 2008
Copyright © 2008 by Rowohlt Verlag GmbH,
Reinbek bei Hamburg
«The Crimson Buccaneer» © 1995 by Cleo Cordell
Published by Arrangement with Virgin Books, Ltd.
Umschlaggestaltung any.way, Cathrin Günther
(Foto: Anonymus c. 1920)
Satz Adobe Caslon PostScript (InDesign) bei
Pinkuin Satz und Datentechnik, Berlin
Druck und Bindung Clausen & Bosse, Leck
Printed in Germany
ISBN 978 3 499 24656 2

Kapitel eins

Carlotta Mendoza ließ sich in die bestickte Leinenbettwäsche zurücksinken und sah dem jungen Mann beim Anziehen zu. Die Morgensonne brachte die Wandvertäfelung aus Rosenholz zum Erglühen und funkelte in den bleigefassten Fensterscheiben.

Mit dem Rücken zu ihr zog sich Hernando das weite Hemd über und schnürte es am Hals zu. Hin und wieder warf er einen Blick über die Schulter, als erwarte er einen Kommentar bezüglich seiner herausragenden Fähigkeiten als Liebhaber.

Carlotta aber wollte ihm diese Genugtuung nicht gönnen. Er war auch so schon einigermaßen eingebildet und hatte bereits ausreichend Frauen um sich, die seiner Eitelkeit schmeichelten.

Sie gähnte und reckte sich und schob die Fülle ihres Haares vom Nacken weg, bis es wie ein dunkler Fächer auf dem Kissen ausgebreitet war. Eine angenehme Trägheit bemächtigte sich ihrer, wie sie so dalag und die Spannung langsam aus ihren Gliedern wich. Der Moschusduft ihres eigenen Körpers stieg ihr in die Nase, und doch beschloss sie, erst einmal nicht zu baden. Sie roch sie gerne, die Säfte leidenschaftlicher Begierde auf ihrer Haut.

Sie ließ den Blick über den Körper des jungen Mannes schweifen und bewunderte seine breiten Schultern und seine schmalen Hüften. Seine Beine waren lang und muskulös. Die wenigsten Männer wirkten sogar in einem nur knapp bis zu den Oberschenkeln reichenden sackartigen Hemd noch begehrenswert, doch Hernando war einer von ihnen.

«Stört es dich, wenn ich dich beobachte?», fragte sie ihn mit tiefer, rauer, ein klein wenig provozierender Stimme.

Sie kannte die Antwort bereits. Sie verriet sich in der Haltung seiner Schultern und in der Entschlossenheit, mit der er nun das Gesicht von ihr abgewandt hielt.

«Nein, ganz und gar nicht», log er.

Ein Lächeln spielte um Carlottas vollen roten Mund. Die meisten Männer verstörte ihre Direktheit. Doch im katholischen Spanien blieb einer Frau keine große Wahl. Sie konnte entweder zur Verkörperung der Heiligen Jungfrau werden, zu einer allseits respektierten gottesfürchtigen Witwe oder zu einer Hure. Carlotta war nichts dergleichen oder am ehesten eine Mischung aus allen dreien – eine Tatsache, die auf Männer ebenso anziehend wie abstoßend wirkte.

Carlotta war sich dessen sehr wohl bewusst und nahm es als unabänderlich hin. Sie lebte ohnehin nach ihren ganz persönlichen Moralvorstellungen. Als vermögende Witwe hatte sie die freie Wahl zwischen zahlreichen stattlichen jungen Männern, die sich allesamt Hoffnungen machten, ihr nächster Gemahl zu werden. Es amüsierte sie, wenn sie sie umtanzten wie Motten das Licht, wobei sie allerdings keinen Gedanken daran verschwendete, noch einmal in den heiligen Stand der Ehe zu treten. Eine arrangierte Ehe genügte ihr voll und ganz, und als Ignacio Mendoza – vierzig Jahre älter als sie und ebenso hartherzig wie habgierig – vor zwei Jahren an der roten Ruhr gestorben war und ihr seinen gesamten Besitz hinterlassen hatte, war das wahrhaftig kein Verlust für sie gewesen.

«Soll ich heute Nacht wiederkommen?», fragte Hernando, ein selbstgefälliges Lächeln auf den Lippen und mit einem Blick, der ihr sagen sollte: «Wie könntest du mich zurückweisen?»

«Ich lasse dich rechtzeitig wissen, wann du mir wieder zu Diensten sein darfst», erwiderte Carlotta kühl.

Sie hätte ihm natürlich auch erklären können, dass sie einem vielgerühmten, bei Hofe äußerst angesehenen Maler Modell sitzen musste, doch sie verzichtete darauf. Schließlich hätte sie mit einer Entschuldigung nur den Eindruck vermittelt, dass sie es bedauerte, die Nacht ohne ihn verbringen zu müssen. Dabei war Hernando ein durchaus angenehmer junger Mann, attraktiv und intelligent. Zudem erwies er sich als leidenschaftlicher, wenngleich etwas unerfahrener Liebhaber. Dennoch wollte sie sich nicht allzu sehr mit ihm einlassen, denn eine übergroße Nähe zwischen ihnen würde in ihm womöglich nur die Illusion nähren, dass er Ansprüche auf sie geltend machen könnte. Doch vier Jahre Ehe mit Ignacio hatten Carlotta gelehrt, ihre Freiheit über alles andere zu stellen.

Sie verschränkte die Arme hinter dem Kopf, hob das Kinn und betrachtete wieder eingehend den schönen Jüngling, der mit ihr das Bett geteilt hatte.

Hernandos scharfgeschnittenes, von der Morgensonne in ein silbriges Licht getauchtes Profil war so rein und unschuldig wie das eines Heiligen auf dem bunten Fenster einer Kathedrale. Als er sich ihr zuwandte, sah sie die Erregung in seinen Augen aufflammen, bevor er sie verbergen konnte.

Langsam schob sie die zerknitterten Laken bis zu ihrer Taille hinab, belustigt davon, dass er den Blick nicht von ihren hohen, vollen Brüsten und ihren großen, rosigen Brustwarzen lassen konnte. Trotz seiner Verärgerung über die Art und Weise, wie sie ihn davonschickte, reagierte Hernando unwillkürlich auf ihre Schönheit und die pure Sinnlichkeit, die sie ausstrahlte.

«Vielleicht könntest du mir doch noch einen Gefallen tun, falls dir danach zumute ist», hauchte sie. Beim Anblick seiner schmollenden Miene konnte sie sich nur mit Mühe ein Lächeln verkneifen.

Sie merkte, wie er mit der Versuchung kämpfte. Seine Augen waren schon ganz glasig vor Begierde, seine Hand aber vor Anspannung zur Faust geballt. Sie warf den Kopf in den Nacken und lachte ihr volles, an das Glucksen eines Baches erinnerndes ansteckendes Lachen. Es war immer dasselbe. Ihre Liebhaber wussten in solchen Augenblicken nie recht, ob sie sie mit Küssen überhäufen, um ihre Gunst werben oder voller Zorn aus ihrem Schlafgemach stürmen sollten.

Hernando aber war viel zu fasziniert und zu unerfahren, um Letzteres zu tun und zu riskieren, sie damit womöglich zu kränken.

«Na, was ist?», lockte sie. «Oder hast du dein Pulver schon verschossen?»

Hernandos Mund verzog sich zu einem schiefen Grinsen, als er sich geschlagen gab.

«Du Hexe», murmelte er. «Mit welcher schwarzen Kunst hast du es bloß geschafft, mich in deinen Bann zu schlagen?»

Er beugte sich zu ihr herab und bedeckte ihren nackten Leib mit seinem halbbekleideten Körper. Dann griff er mit den Fingern in ihr ungebändigtes schwarzes Haar und zog sie ganz nah an sein Gesicht heran. Er presste seine hungrigen Lippen auf die ihren und drang entschlossen in ihren Mund ein, bis ihre Zungen aufeinandertrafen. Carlotta ging wollüstig darauf ein, packte ihn an den breiten Schultern und sog begierig seinen frischen, animalischen Duft ein.

Ihre jähe Begierde verblüffte sie selbst. Eigentlich hatte es nur ein Spiel sein sollen; sie hatte ihn nur ein wenig necken wollen, doch mit einem Mal quälte sie das Verlangen, ihn in sich zu spüren. Manchmal glaubte sie, nur beim Liebesakt wirklich zu leben.

«Besorg es mir auf der Stelle», befahl sie, rutschte zur Seite und schob die zerwühlten Laken beiseite. Dann hob sie die Beine an und spreizte die Schenkel. «Ich bin bereit.»

Ihre Scheide war nass und angeschwollen nach der leidenschaftlichen Nacht, die prallen Schamlippen glitschig von seinem und ihrem eigenen Saft. Ihre Unverblümtheit erschreckte ihn, wie sie unschwer erkennen konnte, doch sein prächtiger junger Schwanz schoss machtvoll in die Höhe.

Vor ihr kauernd, starrte Hernando auf ihr sich ihm offen darbietendes Organ, das sich lustrot und glänzend gegen das seidig schwarze Haar auf ihrem Venushügel absetzte. Als er seine Finger über die Innenseite ihres festen weißen Schenkels gleiten ließ, erschauderte Carlotta. Behutsam näherte er sich ihrem pulsierenden Mittelpunkt, während sein Blick den Weg seiner Finger über ihre Haut verfolgte.

«Was ist los? Hast du noch nie eine nackte Frau vor dir liegen sehen?»

Er schüttelte den Kopf. «Nicht vor der gestrigen Nacht. Es ziemt sich nicht. Meine Gattin hat sich noch nie vor mir entblößt. Sie ist eine gottesfürchtige, tugendhafte Frau und lässt sogar zum Baden den Unterrock an.»

«Und was ist mit deinen Geliebten?»

«Die verlangen, die Kerze zu löschen, bevor sie auch nur den Rock heben. Keine von ihnen würde es je wagen, sich mir so darzubieten, selbst wenn ich sie darum bäte.»

Carlotta lachte leise in sich hinein. Ihr war sehr wohl bewusst, dass die meisten Frauen sich so verhielten. Schließlich predigte die Kirche, dass der weibliche Körper bedeckt bleiben müsse, um zu verhindern, dass die Begierden der Männer durch den freien Blick auf den Quell ihrer Lüsternheit auf ungehörige Weise entflammt würden. Doch die Vorstellung, der weibliche Körper sei von vornherein sündig, hatte sie noch nie zu überzeugen vermocht. Ihrer Ansicht nach lag das Problem eher in den Köpfen der Männer.

«Armer Hernando», sagte sie, ohne die Belustigung in ihrer Stimme zu verbergen, «deshalb bist du also von der Spalte zwischen meinen Beinen so fasziniert? Dann weide dich meinetwegen daran. Und schmeck mich ruhig noch einmal, wenn du möchtest. Du hast meine Fut gestern Nacht ja anscheinend sehr genossen.»

Er fluchte leise, und ein Hauch von Röte legte sich auf seine Wangen. «Ihr solltet so etwas nicht sagen. Das … das ist nicht richtig. Ich habe noch nie eine Frau wie Euch gekannt. Ihr seid so schön, so bezaubernd. Aber Ihr seid eine schlechte Frau.»

Carlotta zuckte mit den Achseln, und ihre Brüste bebten. «Ich habe ja versucht, gut zu sein, aber es ist so langweilig. Ich kann einfach nicht glauben, dass es schlecht sein soll, ein derartiges Vergnügen miteinander zu teilen. Ist es falsch, wenn ich nach dem verlange, wonach ich mich sehne? Nur weil ich eine Frau bin?»

Hernando schüttelte den Kopf. «Ich weiß es nicht. Ich denke eben, dass es falsch ist. Aber wenn ich mit Euch zusammen bin, scheint das keine Rolle mehr zu spielen. Ich weiß sehr wohl, dass Ihr mich nicht liebt, aber ich kann Euch einfach nicht widerstehen.»

«Dann versuch es doch gar nicht erst.»

Mit einem Stöhnen ließ er seine Hände unter ihre Hinterbacken gleiten und hob sie zu sich hinauf. In einer einzigen geschmeidigen Bewegung drang er tief in sie ein.

Carlotta wand sich unter ihm, berauscht davon, wie sehr sein dicker Schaft sie erfüllte und wie kräftig er sie stieß. Das pralle Fleisch rieb sich an ihrem und löste in ihr kleine Wellen der Lust aus. Sie umschlang ihn mit ihren inneren Muskeln, hob das Schambein an und presste ihre geschwollene, schmerzende Knospe gegen seinen Unterleib.

«Mein Gott, Jungfrau Maria», keuchte Hernando, während er sie nahm und seine strammen Hinterbacken sich bei jedem Stoß mehr anspannten.

Er brauchte lange, bis er kam, denn sie hatte ihn die Nacht über hart rangenommen. Carlotta umfasste ihre Brüste und rieb ihre Brustwarzen. Sie wusste, dass es ihn schier um den Verstand brachte, wenn er sah, wie sie sich selbst liebkoste. Als er zum ersten Mal gesehen hatte, wie sie ihre Brüste streichelte, hatte ihn das so erregt, dass es ihm auf der Stelle gekommen war und sein Samen sich in ihre hochgeschobenen Röcke ergossen hatte.

Hernando schob sich noch tiefer in sie, und seine Hoden schlugen sanft gegen den unteren Teil ihrer hochgereckten Hinterbacken. Carlotta stöhnte und packte seine schmalen Hüften, um Stärke und Tiefe seiner Stöße zu bestimmen.

«Du wunderbare Hure!», stöhnte er, als Carlotta den Rücken durchbog und auf seiner Rute vor und zurück glitt.

Die feuchten blonden Locken auf Hernandos Lenden kitzelten die pralle, rosige Perle im Zentrum ihrer Lust, und sie spürte das starke innere Pulsieren, als sie sich dem Höhepunkt näherte. Sie schrie auf, und ihre Nägel bohrten sich in seine muskulösen Backen und schrammten über seine warme goldene Haut. Er stöhnte, zog sich aus ihr zurück und verspritzte seinen Samen über ihren lilienweißen Bauch, bevor er erschöpft auf sie fiel.

Carlotta strich ihm das verschwitzte blonde Haar aus der hohen Stirn. Sie hielt ihn fest, bis sein Atem sich beruhigt hatte. Nach einer Weile wälzte sich Hernando von ihr herunter. Langsam setzte er sich auf.

Er streichelte über die feuchten Locken auf ihrer Scham und fuhr anschließend mit einer Fingerspitze über ihren glitschigen Spalt. Seine Berührung war voller Zärtlichkeit und Erstaunen.

«Ich könnte noch ein wenig bleiben», murmelte er.

Sie schüttelte den Kopf und schob ihn sanft beiseite.

«Besser nicht.»

Hernando sank auf die Knie und nahm die Hand, die sie ihm entgegenstreckte. Seine Finger wärmten ihre Haut, und sein Mund war weich, als er jeden ihrer langen blassen Finger küsste.

«Deine Nägel sind wie Mandeln», erklärte er. «Weißt du eigentlich, dass ich dich anbete?»

«Du schöner Jüngling», flüsterte sie. «Geh jetzt. Ich habe heute noch zu tun. Ich werde bald nach dir schicken lassen.»

Hätte sie nicht einen Besuch von Don Felipe Escada erwartet, sie wäre womöglich der Versuchung erlegen, den ganzen Vormittag mit Hernando zu verbringen. Er war so unersättlich und voller Energie – und so ergötzlich leicht zu schockieren.

Als er seine Hose anzog, musste sie ein Gähnen unterdrücken; die dunkle Glut ihres letzten Orgasmus kühlte bereits ab. Ihre Gedanken schweiften schon wieder zu anderen Dingen. In einer Stunde würde der französische Fechtmeister eintreffen, um ihr ihre tägliche Lektion zu erteilen. Dafür musste die Zeit noch reichen, bevor Don Felipe eintraf und sie ihr schönstes Kleid anlegte, um ihren Gast zu empfangen.

«Dann empfehle ich mich jetzt und erwarte mit Ungeduld Eure Botschaft», unterbrach Hernando ihre Gedanken. Er trug nun ein gestepptes ledernes Wams und Kniehosen. Als er sich verbeugte, zitterte sein einzelner Perlenohrring. «Möge Gott Euch einen guten Tag schenken, Doña Carlotta.»

Carlottas Mundwinkel zuckten angesichts seiner formellen Verabschiedung. «Auch dir einen guten Tag, Hernando.»

Sobald er das Schlafzimmer durch die getäfelte Tür verlassen hatte, ergriff sie eine Glocke und läutete nach Juanita. Im nächsten Augenblick war ihre Dienstmagd auch schon da, ein Tablett in der Hand.

«Ich bringe Euch Euren morgendlichen Hippokras, frisches Brot und Honig», erklärte Juanita. «Als ich hörte, dass Euer Gast im Gehen begriffen war, dachte ich, Ihr könntet … eine kleine Stärkung vertragen.»

«Zügle deine Unverschämtheit», erwiderte Carlotta sanft und ohne jeden Groll. «Stell einfach nur das Tablett neben mir ab.»

Juanita war schon seit ihrer Kindheit mit ihr zusammen, und Carlotta hatte keine Geheimnisse vor ihrer Gefährtin. Doch es war gelegentlich nötig, sie daran zu erinnern, wer von beiden die Herrin war.

«Lass mir ein Bad ein, Juanita, und leg für später das pflaumenblaue Samtkleid und den silbernen Unterrock zurecht. Ich ziehe mich nach meiner Fechtstunde um. Ich möchte so schön wie möglich sein; Don Felipe ist schließlich eine bedeutende Persönlichkeit.»

Juanita machte einen Knicks, und ein Lächeln huschte über ihr hübsches ovales Gesicht. Die Aussicht auf den Besuch eines solchen Mannes war aufregend. Vielleicht sah ihre Herrin in ihm ja einen möglichen Freier. Aus Juanitas Sicht war es allerhöchste Zeit, dass Carlotta wieder den Bund der Ehe einging.

«Sieht Don Felipe gut aus?», fragte Juanita mit Unschuldsmiene.

Carlotta antwortete ihr mit einem Grinsen. «Keine Ahnung. Ich kann mich kaum an ihn erinnern. Wir haben uns vielleicht dreimal gesehen, und beim letzten Mal war ich dreizehn. Ich kann mir gar nicht vorstellen, was er von mir will.»

Ich schon, dachte Juanita. Bestimmt das, was sie alle wollen. All ihrer Selbständigkeit und Weltläufigkeit zum Trotz konnte Carlotta manchmal ganz schön naiv sein.

«In ganz Kastilien gibt es garantiert nicht einen einzigen halbwegs vitalen Mann, der von Euch noch nicht gehört hat», sagte sie. «Ihr seid schließlich die schönste und begehrenswerteste Frau weit und breit.»

Als Carlotta nicht darauf einging, fühlte Juanita sich ermutigt fortzufahren. «Sich Liebhaber zu halten ist das eine, aber wenn Ihr nicht bald wieder heiratet, kommt Ihr schnell ins Gerede. Es ist jetzt bereits zwei Jahre her, und seit einem Jahr schon seid Ihr nicht mehr in Trauer. Es … es ziemt sich einfach nicht, weiterhin so …»

Unter Carlottas funkelndem Blick verstummte Juanita.

«Meinst du, ich sollte mich nicht wie ein Mann benehmen und mir Liebhaber halten, wann immer mir der Sinn danach steht? Aber unter dem Schutz eines Ehemannes wäre das geduldet? Eines Mannes, der von mir erwarten würde, ihn zu bedienen, der mein Geld zum Fenster hinauswerfen und mich zwingen würde, darüber kein Wort zu verlieren? Meinst du das?»

Juanita nickte, sagte aber nichts. Sie wusste, wann sie verloren hatte. Carlotta verfügte über ein ungewöhnliches Talent, die Konventionen der Gesellschaft ins Lächerliche zu ziehen. Innerlich zuckte Juanita nur mit den Achseln, denn seit sie Carlotta kannte, hatte diese ihre eigenen Regeln aufgestellt. Sie liebte ihre Freundin und Herrin wie eine

Schwester, machte sich aber auch Sorgen um sie. Carlotta nahm kein Blatt vor den Mund und scheute sich nicht, diejenigen zu brüskieren, die ihre Ansichten nicht teilten.

«Möchtet Ihr Eure Amethyst-Ohrringe tragen?», fragte sie resigniert.

«Ende der Belehrung?», sagte Carlotta mit einem gutmütigen Funkeln in den Augen. «Ja, bitte, die Amethyste und die Perlenketten. Danke, Juanita. Das ist alles.»

Als Juanita das Schlafzimmer verlassen hatte, goss Carlotta sich etwas Hippokras ein. In kleinen Schlucken aus dem Becher aus getriebenem Gold genoss sie die süße Würze des mit Kräutern versetzten Weines, aus dem sie neben den Trauben auch Zimt und eine Spur Nelken herausschmeckte. Dann griff sie nach einem Kästchen aus Eichenholz und holte den Brief heraus, der am Vortag angekommen war.

Sie war stolz darauf, des Lesens mächtig zu sein, und auch Ignacio hatte trotz seiner sonstigen Mängel die Fähigkeiten seiner Gattin durchaus zu schätzen gewusst. Die wenigsten unter seinesgleichen konnten sich einer Ehefrau rühmen, die in klassischer Literatur bewandert war und sich über die dichterischen Werke etwa eines Homer verbreiten konnte. Er hatte wohl gehofft, dass der Glanz ihrer Bildung auch auf ihn abstrahlte.

Als Carlotta das Papier entfaltete, fiel ihr Blick auf das Band und das schwere Wachssiegel, bevor sie Don Felipes krakelige Handschrift überflog. Dem kurzen Brief war keinerlei Hinweis auf den Anlass seines Besuchs zu entnehmen. Er informierte sie lediglich darüber, dass Don Felipe sie gegen Mittag aufsuchen werde, weil er mit ihr etwas Dringliches zu besprechen habe.

Sie konnte sich nur dunkel an einen großgewachsenen, eher streng dreinblickenden dunkelhaarigen Mann erinnern. Allerdings war aus der Sicht eines Kindes jeder Erwachsene groß. Don Felipe hatte als Kaufmann mit Wolle ein Vermögen verdient. Gelegentlich hatte er das Haus ihrer Familie besucht, um mit ihrem Vater geschäftliche Angelegenheiten zu erörtern. Er war ihr reichlich steif und humorlos und ausgesprochen förmlich erschienen, und sie hatte ihn nie sonderlich gemocht.

Beim Gedanken an diesen Mann lief es ihr – trotz des sonnigen, warmen Morgens – eiskalt den Rücken herunter.

Sie trank den Becher aus, schenkte sich noch einmal ein und glitt wieder unter die Bettdecke. Wann kam Juanita endlich mit dem Badewasser? Sie konnte es kaum erwarten, im duftenden, mit Rosenblättern versetzten Nass zu liegen, während Juanita ihr das Haar mit Orangenblütenwasser spülte.

Sie ließ sich in die Kissen fallen und schloss die Augen. Die Bettwäsche roch nach Hernando, und sie musste lächeln, als sie an ihre Liebesnacht dachte. In ein oder zwei Tagen würde sie ihm eine Botschaft zukommen lassen.

Don Felipe Escada machte es sich im Sattel so bequem wie möglich. Er war nun schon seit Sonnenaufgang unterwegs und sah Carlottas Gastfreundschaft in freudiger Erwartung entgegen.

Carlotta war in seiner Erinnerung ein zierliches kleines Mädchen mit großen dunklen Augen, olivfarbener Haut und einer gewaltigen, ungebändigten Masse dunkler Haare, die den Eindruck erweckte, als wollte sie sich mit aller Macht aus ihrer Kopfbedeckung befreien. Als er das letzte Mal ihren Vater besucht hatte, war ihm ihre Selbstsicherheit und ihre ungestüme, mitunter auch etwas vorlaute Art aufgefallen. Sie war damals zwölf oder dreizehn gewesen, und ihre sich rundenden Hüften sowie ihre knospenden Brüste hatten in ihm eine gänzlich unerwartete Reaktion ausgelöst.

Schon in jenem zarten Alter hatte Carlotta über viele der teuflischen Tricks einer erwachsenen Frau verfügt. Seine Männlichkeit hatte sich zu einer schmerzenden Rute versteift und ein pulsierendes Eigenleben zu führen begonnen. Die bloße Erinnerung daran, wie er nach Hause geeilt war, um in Eiswasser zu baden und anschließend nackt auf dem kalten Fußboden seiner privaten Kapelle zu knien, trieb ihm die Schamröte ins Gesicht. Erst stundenlange Gebete hatten das Bild des hübschen Kindes in ihm verblassen lassen.

Um seinen wohlgeformten Mund spielte ein grimmiges Lächeln. Unkeusches Begehren hatte ihn noch nie zu versklaven vermocht. Felipe war sich gewiss, dass die Antwort auf menschliche Schwäche in der konsequenten Abtötung fleischlicher Gelüste bestand. Denn kein Mann konnte sich geschützt wähnen vor der grenzenlosen Gier einer Frau, die als Angehörige des schwachen Geschlechts eine Gefangene des zügellosen Verlangens ihrer intimsten Bereiche war.

Schon der bloße Gedanke an solche Dinge erhitzte ihn und erweckte in ihm das Böse. Wie gut, dass er unter seinem mit Nieten verzierten samtenen Wams ein härenes Hemd trug. Das kratzige Gewebe scheuerte gegen die alten Striemen und frischen Schrammen auf seinem Rücken, doch er ignorierte den Schmerz. In einer Welt des Bösen, in der überall die Gefahren der Gottlosigkeit lauerten, fühlte Felipe sich geborgen in der Gewissheit, dass er sich selbst im Griff hatte.

Als er durchs Dorf ritt und sein Pferd auf den Weg zum Herrenhaus lenkte, dachte er erneut über Carlotta nach. Ich habe ihr unrecht getan, sagte er sich; zweifellos hat sie sich mittlerweile geändert. Schließlich tat die Ehe einer Frau gut, denn sie lehrte sie die Tugenden der Bescheidenheit und der Geduld. Zudem trug die Erfüllung der ehelichen Pflichten zur Mäßigung der jugendlichen Leidenschaften bei.

Ignacio Mendoza war in jeder Hinsicht ein harter Mann gewesen, der seinen Haushalt mit eiserner Faust geführt hatte. Felipe erwartete deshalb, eine gesetzte, achtbare Witwe vorzufinden – eine Frau, die ihm keinerlei Schwierigkeiten bereiten und seinem Angebot zweifellos aufgeschlossen gegenüberstehen würde.

Vielleicht war es ja bedauernswert, dass ihre Lebensumstände sich in Kürze so dramatisch verändern würden, doch das bereitete ihm kein Kopfzerbrechen. Doña Carlotta Mendoza war nichts als ein Bauernopfer im Spiel derer, die mächtiger waren als sie. Solange sie ihm nicht im Weg stand, würde er dafür sorgen, dass sie auch in Zukunft ein angemessenes Auskommen hatte. Aus dem Verkauf des Anwesens sollte genug übrig bleiben, um sie mit einer großzügigen Mitgift auszustatten. Für sie war es ohnehin am besten, wenn sie sich wieder in den Schutz der Ehe begab.

Er gestattete sich ein trockenes Lächeln. Für den Fall, dass sie attraktiv und fügsam genug war, konnte er sich sogar vorstellen, sie höchstpersönlich zu ehelichen. Seit längerem schon spielte er mit dem Gedanken, sich selbst eine Frau zu nehmen. Eine gehorsame Frau, die seinen Haushalt führte und in kalten Winternächten sein Bett wärmte, würde ihm sehr willkommen sein.

Am Ende der Pappelallee kam das aus hellem Stein gemauerte Haus in Sicht. Der schrille Schrei eines Pfaus durchschnitt die Morgenluft. Felipe gab seinem Pferd die Sporen und trabte die breite Einfahrt entlang, die durch einen kunstvoll angelegten Garten führte. Aus den steinernen Krügen zwischen den Bäumen drangen die Aromen von Rosmarin, Thymian und Lavendel zu ihm.

Nicht ganz ohne Hintergedanken traf er früher als angekündigt ein. Das Überraschungsmoment würde für unverfälschte Reaktionen von Seiten Carlottas sorgen.

Felipe saß ab und übergab sein Pferd dem Stallknecht. Mit einem gutgelaunten Grinsen glättete er seinen Umhang und rückte seinen Hut zurecht. Es gefiel ihm, anderen gegenüber im Vorteil zu sein.

Kapitel zwei

Carlotta warf ihr dichtes dunkles Haar über die Schulter und bereitete sich darauf vor, den Angriff von Monsieur Draycot abzuwehren.

Ihre mit Stiefeln bekleideten Füße schienen fest auf den Eichenplanken verankert, und sie wich keinen Schritt zurück, während sie abwechselnd zustieß und jeden Stoß des Fechtmeisters parierte. In einem dünnen Rinnsal lief ihr der Schweiß über den Nacken in ihr Hemd, doch sie achtete nicht darauf.

Plötzlich kreuzten sich ihre Klingen, und die Augen des Meisters funkelten schon triumphierend. Noch einen Augenblick, und er würde sie besiegt haben. Dann aber verlagerte sie das Gewicht und verdrehte das Handgelenk auf eine überraschende, von ihr selbst erdachte Weise, um anschließend seinen Arm mit aller Kraft nach oben zu zwingen.

«Touché, Monsieur!», rief sie, während sein Säbel in einem hohen silbrigen Bogen davonflog.

Draycot verbeugte sich mit einem aufgeräumten Grinsen.

«Es ist wahrhaftig keine Schande, von Euch besiegt zu werden, Doña Carlotta. Was könnte einem Meister mehr schmeicheln, als wenn sein Schüler ihn übertrifft?» Dann durchquerte er die Scheune und holte seinen Säbel zurück.

Die Hände in die Hüften gestützt, stand Carlotta da und wartete auf die Fortsetzung ihrer Fechtstunde. Draycots Blick aber ging an ihrer Schulter vorbei, und ihm folgend drehte sie sich um.

Ein großgewachsener, in schwarzgemustertem Samt gekleideter Mann mit einem kurzen Umhang betrat die Scheune, begleitet von einer aufgeregt wirkenden Juanita.

«Vergebt mir, Herrin», stammelte Juanita, «aber Don Felipe bestand darauf, Euch auf der Stelle zu sehen. Ich habe ihm natürlich erklärt, dass Ihr noch nicht bereit wärt, Gäste zu empfangen …»

«Möge Gott Euch einen guten Tag schenken», grüßte Felipe, zog den Hut und versuchte vergeblich, seine Erschütterung angesichts ihrer Garderobe zu verbergen.

«Dasselbe wünsche ich Euch, mein Herr», erwiderte Carlotta, während sie in das strenge Gesicht ihres Besuchers blickte.

«Es hat den Anschein, als wärt Ihr indisponiert», bemerkte er steif.

«Ganz und gar nicht, mein Herr. Ich bin durchaus passend gekleidet für meine momentane Beschäftigung. Wärt Ihr zur angekündigten Zeit gekommen, hättet Ihr mich in einer Kleidung angetroffen, die Eurem Besuch angemessen gewesen wäre.»

Mit einiger Belustigung registrierte sie, wie ihm das Blut in die blassen Wangen schoss, als er ihr weites Hemd, ihre lederne Reithose und die hohen Lederstiefel musterte. Ihr war bewusst, dass er durch das verschwitzte Hemd ihr Korsett erkennen konnte, und zweifellos sah er auch, wie sich ihre Brüste auf geradezu provozierende Weise in den weiten, von einem Zugband zusammengehaltenen Ausschnitt reckten.

Sie hatte sich nicht mehr an Einzelheiten von Felipe Escadas Gesicht erinnern können. Jetzt sah sie, dass er hohe Wangenknochen und tiefliegende dunkle Augen hatte. Sein ebenfalls dunkles Haar war nur von wenigen grauen Strähnen durchzogen, sein Mund fest und sinnlich. Ohne diesen Ausdruck äußersten Missfallens im Gesicht hätte er ein durchaus attraktiver Mann sein können. Er sieht aus, als wehten ihm die Gerüche einer Abtrittgrube direkt in die Nase, dachte Carlotta.

«Wünscht Ihr … wünscht Ihr, dass ich Don Felipe ins Empfangszimmer geleite und ihm eine Erfrischung anbiete?», fragte Juanita, der die Verunsicherung an einem leichten Zittern in der Stimme anzuhören war.

«Das wäre äußerst zuvorkommend. Wollt Ihr mich nicht begleiten, Doña Carlotta?» In Felipes Stimme schwang eine natürliche Autorität mit – so als käme er gar nicht erst auf den Gedanken, dass sie seinen Vorschlag zurückweisen könnte.

Juanita warf ihm einen nervösen Blick zu, und Carlotta verspürte einen Anflug von Verärgerung. Für wen hielt dieser Felipe sich eigentlich? Erst kommt er ungebeten in die Scheune, dann bringt er ihre Dienerschaft durcheinander, und jetzt will er auch noch sie, Carlotta, herumkommandieren!

«Nicht nötig, Juanita», erwiderte sie kühl. «Wenn Don Felipe warten möchte, bis ich mit meiner Fechtstunde fertig bin, stehe ich ihm anschließend gern zur Verfügung.»

Aus Felipes dunklen Augen blitzte die Verärgerung, und Carlotta musste ein Lachen unterdrücken. Das hast du wohl nicht erwartet, was?, dachte sie und beobachtete amüsiert, wie Juanita angesichts ihrer Kühnheit die Augen aufriss.

«Wie Ihr wünscht», sagte Felipe, der allmählich die Fassung wiedererlangte.

Er schlenderte durch die Scheune, wobei seine Sporen über die Eichendielen klirrten. Als er sich an eine der gemauerten Säulen lehnte, die die hölzernen Strebepfeiler stützten, empfahl sich Juanita mit einem Knicks erleichtert aus der Scheune.

Carlotta wandte sich wieder Draycot zu, der geduldig auf sie gewartet hatte. In Fechtstellung bereitete sie sich auf die Fortsetzung des Unterrichts vor.

«Komm schon, Draycot», forderte sie ihren Lehrer grinsend heraus.

Für weitere zehn Minuten konzentrierte sie sich darauf, ihre Fechtkunst zu vervollkommnen. Draycot schonte sie nicht, und als die Stunde vorüber war, klebte ihr das Haar in feuchten Strähnen an der Stirn, und unter dem schweißnassen weiten Batisthemd zeichnete sich jede Rundung ihres Körpers ab.

Sie merkte, dass Felipes Blick die ganze Zeit über auf ihrer schlanken Taille und ihren wohlgeformten Hüften ruhte. Die Missbilligung stand ihm ins Gesicht geschrieben, als er mit angespanntem Mund jeden Zoll ihrer in Leder gehüllten Hinterbacken und Oberschenkel musterte, während seine Blicke vor unterdrückter Begierde loderten. Sie verspürte den boshaften Drang, ihn zu provozieren. Er war sogar noch leichter zu schockieren als Hernando.

Monsieur Draycot verabschiedete sich, und Carlotta beugte sich vor, um am oberen Ende ihres Stiefels zu nesteln, wobei sie Felipe einen tiefen Einblick in den weiten Ausschnitt ihres Hemds bis hinunter zu ihrem Korsett gewährte.

Sie hörte, wie er zischend Atem holte.

Beide Hände zu Fäusten geballt, schien Felipe mühsam um Fassung zu ringen. Er presste die Lippen aufeinander, und die Erregung ließ seine Augen noch dunkler erscheinen. Die Spannung, die in der Luft lag, schien fast mit Händen zu greifen.

Carlotta verkniff sich ein Lächeln und sagte ruhig: «Wollen wir nicht ins Haus gehen, Don Felipe? Ich brauche jetzt dringend eine Erfrischung. Außerdem kann ich es kaum erwarten zu erfahren, was mir die Ehre Eures Besuchs verschafft.»

Felipe verbeugte sich ungelenk und folgte ihr. Er schien schwer zu schlucken. Ihr fiel auf, dass er seinen kurzen Umhang so weit über die Schulter hinuntergezogen hatte, dass er seine Leistengegend verdeckte. Sie empfand den Gedanken an seine unfreiwillige Erektion als ausgesprochen anregend und fragte sich im Geheimen, wie er wohl nackt aussehen mochte. Immerhin hatte er breite Schultern, eine schlanke Taille und – im Gegensatz zu vielen Männern seines Alters – offenbar noch keine erschlaffte Bauchmuskulatur.

Im Empfangszimmer servierte Juanita ihnen Wein, bevor sie sich in die Küche zurückzog. Carlotta beschloss, nun doch nicht das Kleid anzuziehen, das Juanita ihr zurechtgelegt hatte. Felipe jetzt noch mit ihrem Charme und ihrer Anmut beeindrucken zu wollen hätte wohl keinen großen Sinn mehr gehabt. Zudem hegte sie den Verdacht, dass ihr maskuliner Aufzug ihn weit mehr aufwühlte, was ihr gar nicht mal so sehr missfiel.

Sie nahm Platz und bot Felipe einen Stuhl an, der auf der anderen Seite der Feuerstelle stand. Sie schlug die Beine übereinander, ließ einen bestiefelten Fuß vor und zurück schwingen und gönnte sich einen großen Schluck Wein. Felipe dagegen nippte nur ein wenig an seinem, bevor er zu sprechen begann. Er wandte den Blick von ihr ab, und sie gewann den Eindruck, dass er versuchte, möglichst würdevoll zu wirken.

«Ich bringe Neuigkeiten, die Euch schwer treffen werden, Doña Carlotta, sehe aber keine andere Möglichkeit, als ganz offen zu Euch zu sein.»

Sie lächelte. «Dann tut Euch keinen Zwang an. Ich weiß Offenheit sehr zu schätzen.»

«Ausgezeichnet. Ich bin gekommen, um Euch diese Papiere zu zeigen und Euch aufzufordern, innerhalb von vier Monaten dieses Haus und den dazugehörigen Grund und Boden zu verlassen.»

Carlotta blickte ihn verständnislos an. «Ihr beliebt zu scherzen.»

Felipe schüttelte den Kopf. «Leider nicht. Wollt Ihr nicht lieber Euren Sekretär rufen, damit er Euch diese Dokumente vorlesen kann?»

Sie streckte die Hand aus. «Ich kann selber lesen und schreiben, mein Herr, und werde den Inhalt dieser Papiere zu beurteilen wissen.»

Unter anderen Umständen hätte sein verblüffter Blick sie wohl köstlich amüsiert. Als er ihr die Papiere überreichte, erklärte er: «Ich kann diese Art von Bildung bei Frauen nicht befürworten. Sie führt nur zur Zügellosigkeit der Gedanken und zur Schwächung des Urteilsvermögens.»

Ohne auf seinen Einwurf zu reagieren, überflog sie die Seiten. Ihr Herzschlag beschleunigte sich, als sie merkte, worum es ging. Den Papieren zufolge war Felipe der rechtmäßige Eigentümer ihres Hauses, ihrer Ländereien und ihres gesamten sonstigen Besitzes.

«Was sind denn das für Machenschaften?», fragte sie gereizt. «Mein Mann hat doch alles mir hinterlassen. Somit könnt Ihr keinerlei Anspruch auf mein Hab und Gut erheben.»

«Ihr irrt Euch. Dieses Dokument, das Ihr da in Händen haltet, berechtigt mich, Schulden einzutreiben, die Euer Vater angehäuft hat. Und als seine einzige lebende Verwandte seid Ihr dafür verantwortlich, dass diese Schulden beglichen werden.»

Carlotta schleuderte ihm die Papiere ins Gesicht. «Das kann unmöglich rechtens sein. Von irgendwelchen Schulden meines Vaters ist mir nichts bekannt. Ich muss schon sagen, mein Herr, Ihr habt Nerven! Kommt einfach so hierher und fordert mich auf, meinen eigenen Grund und Boden zu verlassen! Eher treffen wir uns in der Hölle wieder, bevor ich auch nur einen einzigen Fuß Landes an Euch abtrete!»

Felipe stand auf, Zornesröte im Gesicht.

«Ich werde Euch liebend gern um dieses Land erleichtern. Ihr seid ein unverschämtes Weib mit einer zügellosen Zunge und eines solchen Besitzes nicht würdig! Ich habe doch mit eigenen Augen gesehen, wie Ihr Euch aufführt. Statt Euch um Euren Haushalt zu kümmern, tragt ihr Männerkleider und übt Euch im Fechten.» Er hielt inne, bevor er mit belegter Stimme fortfuhr. «Ich weiß ganz genau, dass Ihr mir Eure Brüste gezeigt habt, um meine Leidenschaft zu entflammen, aber ich bin durch meinen Glauben gegen Weiber wie Euch gewappnet. Auch wenn Gott Euch geschaffen hat, seid Ihr doch nicht besser als eine gemeine Hure!»

Carlotta wurde allmählich wütend. Sie warf den Kopf in den Nacken.

«Und Ihr, mein Herr, seid ein Scheinheiliger! Ich habe genau gesehen, wir Ihr mich in der Scheune angestarrt habt. Ihr hättet mir doch am liebsten die Kleider vom Leibe gerissen und Euch an meinen Brüsten gerieben. O ihr Männer – immer macht ihr uns Frauen für das verantwortlich, was in Wahrheit von euch selbst ausgeht!»

Einen Augenblick lang sah es aus, als würde er an ihren Worten ersticken.

«Genug jetzt», stieß er hervor. «Haltet endlich Euer Schandmaul. Es bringt Euch keinen Vorteil, über mich den Stab zu brechen. Stattdessen solltet Ihr mich lieber um Gnade anflehen. Ich hatte nie die Absicht, Euch zu vertreiben und in Armut zu stürzen, doch wenn Ihr so weitermacht, bleibt mir wohl keine andere Wahl.»

Schwer atmend und mit Schweißperlen auf der Oberlippe trat er einen Schritt näher. «Für Euch muss sich nicht zwangsläufig etwas ändern, sofern Ihr Euch mäßigt und unter den Schutz eines Mannes stellt, wie Gott der Herr es für Frauen vorgesehen hat. Falls Ihr Euch in meine Obhut begebt, habt Ihr noch immer die Möglichkeit, wieder zu einer ehrbaren Frau zu werden.»

Carlotta bebte nun vor Zorn. Dieser selbstgerechte Gauner wollte ihr doch tatsächlich die Heirat nahelegen. Glaubte er vielleicht, er könne sie erpressen? Hatte er das ernsthaft vor? Sie war mittlerweile überzeugt, dass es sich bei den Dokumenten nur um Fälschungen handeln konnte, angefertigt allein mit dem Ziel, ihr zu drohen.

«Nun, was habt Ihr dazu zu sagen?», fragte er.

Sie sah, wie Wut und Begierde in seinen Zügen um die Herrschaft kämpften. Triumphierend verzerrten sich seine Lippen, als er die Verunsicherung in ihrem Blick erkannte und merkte, dass sie die Beherrschung zu verlieren drohte. Sie hatte einen roten Dunstschleier vor Augen.

«Hier habt Ihr meine Antwort!», rief sie, packte den Weinkrug und schleuderte seinen Inhalt Felipe ins Gesicht.

Spuckend und hustend wischte er sich das Gesicht mit dem samtenen Ärmel seines Rockes ab.

«Das wirst du noch bereuen, du Teufelsweib», stieß er hervor, bevor er eiskalt fortfuhr. «Wenn Ihr meine Frau wärt, würde ich Euch auspeitschen. Wir sehen uns vor Gericht wieder. Ich habe Euch eine Chance gegeben, aber Ihr habt mich verschmäht. Ihr habt es nicht anders gewollt. Ich werde Euch alles nehmen, bis hin zu Eurem letzten Hemd, und dann zusehen, wie Ihr barfuß und nackt durchs Dorf kriecht.»

«Raus hier! Verschwindet, bevor ich meine Diener rufe und Euch hinauswerfen lasse!»

Noch immer rannen Weintropfen über Felipes samtene Kniehose, als er sich auf den Weg zur Tür machte, wo er sich mit einem schmallippigen Lächeln noch einmal umdrehte.

«Ihr glaubt wohl nicht, dass ich Euch alles wegnehmen kann? Aber da liegt Ihr falsch. Ich habe mächtige Freunde und das Gesetz auf meiner Seite. Wenn ich mit Beweisen für meine Ansprüche wiederkomme, habe ich genügend Männer dabei, um Euch aus diesem Haus zu vertreiben! Denkt darüber nach, dann seht Ihr sicher ein, dass es klüger ist, mein Angebot anzunehmen. Ich freue mich schon auf unsere nächste Begegnung. Dann singt Ihr ein anderes Lied, das schwöre ich bei unserer Heiligen Jungfrau!»

Kaum war die Tür hinter ihm ins Schloss gefallen, begann Carlotta zu zittern. Sie konnte kaum glauben, dass dieses Gespräch tatsächlich stattgefunden hatte. Sie ließ sich auf den Stuhl sinken und starrte auf das im Kamin aufgeschichtete Feuerholz, ohne zu hören, wie Juanita das Zimmer betrat.

«Das kann er doch nicht tun, oder?»

Carlotta ergriff die Hand ihrer Dienstmagd.

«Nein. Er hat nur versucht, mir so viel Angst einzujagen, dass ich ihn heirate. Was für ein abscheulicher Mann.»

Juanita warf ihr besorgte Blicke zu. «Er ist reich und mächtig. Vielleicht solltet Ihr ihn besser etwas respektvoller behandeln.»

Carlotta fluchte leise vor sich hin.

«Eher gehe ich ins Kloster, als dass ich mir von einem wie ihm Angst einjagen lasse!»

Das war so unwahrscheinlich, dass beide unwillkürlich in Gelächter ausbrachen. Doch obgleich Carlotta nicht weniger laut lachte als Juanita, konnte sie doch die Schatten der

Angst, die mit eisigen Fingern nach ihr griffen, nicht ganz vertreiben.

Felipe ging auf kürzestem Weg in sein Schlafgemach und öffnete die Tür zu seiner privaten Kapelle.

Er streifte seine Kleider ab und schleuderte sie auf die kalten Steinplatten. Mit zittrigen Händen zog er Stiefel und Kniehose aus. Vor dem Altar, auf dem zu beiden Seiten der Jungfrau Maria je eine Kerze brannte, fiel er auf die Knie.

Die Kälte des Steinbodens kroch in seine Schenkel, doch das minderte seine Begierde nicht im Geringsten. Sein erigiertes Glied ragte in seiner ganzen Pracht vor ihm auf. Es war so prall, dass es schmerzte, die Eichel purpurrot und leuchtend wie eine reife Pflaume. Er hatte die Erektion schon seit dem Augenblick, als er sie in der Scheune gesehen hatte.

Ihre unzüchtige Bekleidung hatte ihn zutiefst erschüttert. Nie zuvor hatte er eine Frau in lederner Kniehose gesehen. Ihr Hinterteil war so provozierend! Es schien zu beben, wenn sie ging. Zudem zeichneten sich durch das dünne Männerhemd, das sie trug, die Rundungen ihrer Taille und ihrer Brüste überdeutlich ab. Und was das für Brüste waren: voll und rund und gekrönt von Nippeln, rot wie Beeren. Einen von ihnen hatte er zu Gesicht bekommen, als sie sich vorgebeugt und vor ihm zur Schau gestellt hatte.

Diese geile Dirne. Nur zu gern hätte er seine Drohung wahr gemacht. Er stellte sich vor, wie sich ihre weiße Haut unter dem Riemen rötete und ihr üppiger junger Körper sich hin und her warf, während sein Arm auf- und niederging. Er sah die Striemen auf ihrem schlanken Rücken hervortreten und fühlte sie, heiß und köstlich, unter seinen Fingerspitzen.

Sein Glied zuckte und pulsierte, während er betend die

Lippen bewegte. Er krümmte den Rücken und griff sich an die steinharten Hoden. Seine Lippen bewegten sich immer schneller im Gebet, während er verzweifelt versuchte, Carlottas Bild aus seinen Gedanken zu verbannen.

Ihre Schönheit war sündiger Natur, war die Schönheit des Teufels. Sie war die Verkörperung der Ursünde, wie alle Frauen, die schon mit der Schuld für Evas Verbrechen zur Welt kamen. Selbst im Zorn, mit ihren feurigen Wangen und ihren funkensprühenden schwarzen Augen, war sie noch ein Prachtweib. Er nahm es sich nicht übel, dass er auf sie so reagierte. Schließlich war er nur ein Mann, und die Kirche lehrte, dass das Fleisch schwach war.

Hätte er gewusst, wie betörend Carlotta war, hätte er einen Boten zu ihr geschickt, doch dafür war es nun zu spät. Er war in ihrem Netz gefangen. Vielleicht hatte sie ja seinen Wein mit einem Liebestrank versetzt, denn er sah nur noch ihr Gesicht, ihre Augen, ihren Mund vor sich.

O Gott, ihr Mund. So voll und doch so weich und frisch wie eine Blume.

Auf dem Altar lag ein Stück grobes Seil mit Knoten darin. Er kroch auf dem Bauch zum Altar und griff nach dem Strick. Stöhnend schlug er mit ihm auf seine steife Männlichkeit ein. Der Schmerz schien ihn ganz zu durchdringen, und er wand sich, während sein Unterleib sich verkrampfte, als sei er mit glühenden Splittern gefüllt.

Wieder und wieder ging sein Arm unter brennenden Schmerzen nieder, bis Felipe zu schreien begann und die Namen sämtlicher Märtyrer herausbrüllte, während er mit dem Strick auf sein bebendes rotes Glied eindrosch.

«Herr, erlöse mich von der Versuchung», stöhnte er, warf das Seil beiseite und ließ sich auf Hände und Knie fallen, während sich sein Samen in cremefarbenen Fontänen auf den Steinboden ergoss.

Als der letzte Nachhall seines Orgasmus verklungen war, sah er vor seinem inneren Auge Carlotta durch ihr Dorf gehen. Ihr Hemd war fleckig und zerfetzt, und das Haar fiel ihr als filzige schwarze Masse über den Rücken. Ihre Beine waren zerschunden, ihre bloßen Füße setzten sich schmal und weiß gegen den Straßenstaub ab. Sie sah aus wie eine reuige Sünderin.

Er streckte ihr die Arme entgegen, als wolle er sie packen und an seine Brust drücken.

«Carlotta», flüsterte er. «Heirate und erlöse mich.»

Dann kippte er zur Seite und begann zu schluchzen.

Kapitel drei

Carlotta schaute aus dem Fenster ihres Schlafzimmers. Sie hatte freien Blick auf den Garten mit dem Hof, den von Blumenbeeten gesäumten Rasenflächen und den baumbestandenen Wegen. Der Duft von Nelken und Levkojen erfüllte die Luft.

Hinter einer Reihe von Obstbäumen lag der Gemüsegarten und dahinter die Rebflächen, die sich bis hinunter zum Fluss erstreckten. Ihr Blick schweifte weiter in die Ferne, dorthin, wo Rehe im Park ästen. Durch die Bäume konnte sie die Giebel der Häuser des Dorfes erkennen sowie das große Gebäude der Mühle.

Normalerweise hob der Anblick ihres blühenden, gepflegten Gartens und ihrer fruchtbaren Felder ihre Stimmung, doch an diesem Tag verkrampfte sich ihr Magen vor Unbehagen und Anspannung. Es war nun schon acht Wochen her, seit Don Felipe ihr die Dokumente gezeigt hatte, die angeblich seinen Anspruch auf ihren gesamten Besitz bewiesen, und wie es schien, waren seine Drohungen nicht nur leere Worte gewesen.

Sie zerknüllte den Brief, den sie gerade erhalten hatte, und ließ ihn zu Boden fallen.

«Er wird mich nicht berauben. Das lasse ich nicht zu», erklärte sie, doch ihre Stimme bebte und klang in ihren Ohren so verzagt, dass sie selber darüber erschrak.

Der Brief kam von Díaz de Cerdagne, ihrem Rechtsvertreter.

Er bedauerte, nichts mehr für sie tun zu können, nachdem er wochenlang Don Felipes Rechtsansprüche überprüft hatte. Carlotta hatte vergeblich gehofft, dass Felipe sich als Papiertiger erweisen würde.

Aus Díaz' Schreiben ging hervor, dass Felipes Ansprüche vor Gericht bestätigt worden waren. Er riet Carlotta, sich auf den Umzug in ein kleines Haus auf ihrem Landgut einzustellen.

«Don Felipe gibt sich großzügig», schrieb Díaz. «Ihr dürft sämtliche Möbel mitnehmen, auf die Ihr Wert legt, und auch alle Bediensteten, die Ihr für Euer Wohlergehen benötigt. Zudem stellt man Euch jährlich eine kleine Geldsumme zur Verfügung. Ihr werdet also keineswegs völlig mittellos dastehen.»

Carlotta presste die Lippen zusammen, und hinter ihren Lidern sammelten sich Tränen der Wut. So war das also.

Das von Díaz erwähnte Haus war winzig und reichte gerade für Juanita und sie selbst. Was sollte nur aus ihr werden? Ihr Leben war zerstört. Sobald die Leute von ihren geänderten Verhältnissen Wind bekämen, würden diejenigen, die sie zu ihren Freunden gezählt hatte, ihr aus dem Weg gehen. Oder sie würden ihr Almosen anbieten. Schon der Gedanke an ihre mitleidigen Blicke war ihr unerträglich.

Das Angebot, ihr das Häuschen und das bisschen Geld zu überlassen, ließ ihr, wie Don Felipe sehr wohl wusste, keine echte Wahl. Es war nicht mehr als eine Geste der Großzügigkeit. Wollte sie ihren gesellschaftlichen Status behalten, musste sie sich bereit erklären, ihn zu heiraten. Sie erschauderte, als sie an seine kalten, harten Augen und seinen wollüstigen Mund dachte. Nein, es war ihr unmöglich, sich diesem Menschen auszuliefern. Als ihr Gatte würde er das Recht haben, sie nach seinem Gutdünken zu formen und sie zu einer jener unterwürfigen Ehefrauen zu machen, die jeden Mann grenzenlos bewunderten – nur weil er ein Mann war.

Ihre Wut nahm zu, bis sie sie förmlich zu schmecken glaubte, heiß und sauer. Dennoch ging es ihr schon ein wenig besser. Wenn sie zornig war, fühlte sie sich immer stärker. Es war Zeit, die Angst abzuschütteln. Sie brauchte einen Plan. Schließlich hatte es keinen Sinn, einfach nur herumzusitzen, bis das Unglück eintrat.

Sie ging zu ihrem Sekretär hinüber, setzte sich und nahm ein Blatt Papier. Sie tauchte den Federkiel in die Tinte und setzte einen Brief an Díaz auf.

«Wir müssen uns unbedingt treffen. Könnt Ihr genau eine Woche nach Erhalt dieses Schreibens in mein Haus kommen? Und bitte bringt jedes Dokument und jede noch so kleine Information mit, die Ihr über Don Felipe Escada auftreiben könnt. Ich möchte meinen Gegner einschätzen können und muss deshalb so viel wie möglich über seine Geschäfte und seine Freunde wissen sowie darüber, welche Beamten bei Hofe von ihm bestochen werden. Darüber hinaus müsst Ihr verschiedene Transaktionen für mich tätigen …»

Eine Zeit lang schrieb sie hastig, bevor sie zufrieden aufseufzte. Sie streute Sand über die Tinte, schüttelte den Brief ab, faltete ihn zusammen und versiegelte ihn.

Mit etwas Glück würde sie in der Lage sein, aus dieser misslichen Lage halbwegs unbeschadet zu entkommen. Sie hoffte nur, dass sie Díaz trauen konnte. Er war ein integrer Mann, und sie hatte ihn für seine Dienste immer gut entlohnt, aber sie musste trotzdem jederzeit damit rechnen, dass auch er sie im Stich lassen würde. Sobald die Wölfe erst einmal merkten, dass ihre Beute zu schwächeln begann, fielen sie alle über sie her.

«Sie sind da, Herrin. Don Felipe reitet an der Spitze eines großen Trupps von Männern. Was wollt Ihr jetzt unternehmen?»

Nervös spähte Juanita durch die bleigefassten Fenster des Empfangszimmers. Vom Straßenpflaster hallte der Klang von Pferdehufen wider.

Carlotta stand auf und strich ihren Rock glatt. Der Augenblick der Wahrheit war gekommen.

«Ich muss ihnen entgegentreten», sagte sie mit einer Selbstsicherheit, die sie in Wahrheit nicht besaß.

Sie wusste, dass sie blass und mitgenommen aussah. Sie hatte nicht mehr gut geschlafen, seit die Beamten des Hofes ihr vor drei Tagen die Nachricht hatten zukommen lassen. Auch wenn das Wissen darum, dass ihre geheimen Vorkehrungen getroffen worden waren, sie ein wenig beruhigte, ließ der Gedanke an das, was sie zu tun im Begriff war, ihr Herz schneller schlagen.

Juanita wirbelte herum und eilte zu ihrer Herrin hinüber. Tränen standen ihr in den Augen.

«Wartet doch, Herrin», flehte sie und packte Carlotta beim Arm. «Noch ist nicht alles verloren. Sagt Don Felipe, dass Ihr Euch mit allen seinen Bedingungen einverstanden erklärt. Dann wird er Gnade walten lassen, und wir können in dem kleinen Haus ein glückliches Leben führen.»

Carlotta tätschelte Juanitas Hand und schob sie dann sanft beiseite. Sie lächelte nachsichtig.

«Glaubst du vielleicht, dass er mich je in Ruhe lassen würde? Er will mich haben, Juanita, und zwar um jeden Preis.»

«Dann geht Ihr also tatsächlich fort? Aber wohin denn …

ist ja auch egal. Wohin auch immer Ihr geht, ich folge Euch. Ihr seid alles, was ich an Familie habe.»

«Bei allem Respekt vor deiner Treue – ich fürchte, sie könnte auf eine zu harte Probe gestellt werden, wenn du erst einmal weißt, was ich vorhabe.»

«Das ist mir egal. Ich werde Euch nie verlassen», schluchzte Juanita und wischte sich das Gesicht an ihrem Rock ab.

Aus Wut darüber, dass sie selbst den Tränen nahe war, ließ sich Carlotta zu einer schroffen Antwort hinreißen. «Falls du das wirklich ernst meinst, dann hör auf zu heulen und pack deine Sachen. Nimm aber nur so viel mit, wie du tragen kannst.» Sie hob abwehrend die Hand, als Juanita Anstalten machte, weitere Fragen zu stellen. «Du wirst mir wohl vertrauen müssen. Sattle zwei Pferde und führe sie vor das Haus. Kann ich mich auf dich verlassen?»

Nach kurzem Zögern nickte Juanita und eilte hinaus.

Als Carlotta ein letztes Mal durchs Haus ging, kämpfte sie innerlich gegen die Versuchung, bei all den vertrauten Dingen um sie herum zu verweilen. Das alles kann nicht wahr sein, sagte sie sich wieder und wieder. Es kam ihr vor wie ein Albtraum, doch die Gegenwart Don Felipes, seiner Schergen und der Hofbeamten überzeugte sie vom Gegenteil.

Sie holte tief Luft, öffnete die Haustür und trat vor die versammelten Männer. Don Felipe zog seinen Hut und trat stirnrunzelnd vor. Er trug ein granatrotes Wams und Kniehosen, und seine Halskrause setzte sich schneeweiß gegen sein Kinn ab. Der ist ja richtig feierlich gekleidet, dachte Carlotta sarkastisch.

«Ich hätte nicht gedacht, Euch noch immer im Haupthaus anzutreffen, Doña Carlotta. Habt Ihr meine Nachricht nicht erhalten?»

Sie hob das Kinn und begegnete seinem Blick mit herausfordernden dunklen Augen. «Ich habe sie erhalten», erklärte sie kühl. «Aber bis Ihr über diese Schwelle tretet, gehört das Haus noch immer mir.»

Unter ihrem unnachgiebigen Blick senkte Don Felipe die Augen. Mit einiger Befriedigung registrierte sie, dass er entlang der Wangenknochen rot anlief. Er gab einem neben ihm stehenden Mann ein Zeichen. Carlotta sah einen stämmigen Burschen mit langem braunem Haar, bevor der sie grob zur Seite stieß und im Haus verschwand. Wenige Augenblicke später kam er wieder heraus.

«Alles in Ordnung, Felipe», erklärte der Mann. «Die Möbel sind alle noch da. Sieht so aus, als wolle die Hure hier wohnen bleiben. Vielleicht träumt sie ja davon, Euch im Bett Gesellschaft zu leisten!»

«Eher vergnüge ich mich mit einem Schwein im Schlamm!», zischte Carlotta verächtlich.

Die Umstehenden lachten auf, verstummten aber sofort wieder, als Felipe ihnen finstere Blicke zuwarf.

«Haltet den Mund!», forderte er sie mit tiefrotem Gesicht auf.

«Mutig ist sie ja, und hübsch noch dazu», merkte der Braunhaarige an.

Carlotta bedachte den Mann mit einem flüchtigen Blick. Aus der detaillierten Liste, die Díaz für sie erstellt hatte, schloss sie, dass es sich bei ihm um Alberto, Felipes Gefährten und engsten Vertrauten, handeln musste. Sie wandte sich kurz von dem noch immer finster dreinblickenden Felipe ab und lächelte Alberto mit aufreizend gesenkten Lidern an.

Albertos Gesicht leuchtete interessiert auf, und er verstummte. Sie spürte, wie seine Blicke auf ihr ruhten, als Felipe zu sprechen begann.

«Begreift Ihr nicht, dass es für Halsstarrigkeit zu spät ist? Packt Eure Sachen, Weib, und verschwindet in dem Haus, das ich Euch zugedacht habe. Aber rasch, sonst ändere ich noch meine Meinung bezüglich der Erlaubnis, Euch auf dem … auf meinem Gut wohnen zu lassen.»

Carlotta blickte ihm direkt ins Gesicht und zog verächtlich einen Mundwinkel hoch. Seine Überheblichkeit war unerträglich. Sie sah die Begierde in seinen Augen, auch wenn er offenbar keine Ahnung hatte, wie leicht er zu durchschauen war. Es bedürfte schon der raffinierten Foltermethoden der Inquisition, um einem solchen Mann das Geständnis abzuringen, von primitiven Gelüsten beherrscht zu werden.

Dann beschloss sie, ihm eine letzte Lektion zu erteilen.

«Nicht für alles Gold der Neuen Welt möchte ich in Eurer Nähe leben», erklärte sie. «Aber kommt jetzt mit in mein Zimmer. Ich muss Euch noch etwas zeigen, bevor ich gehe.»

«Gehen wollt Ihr? Aber wohin denn?»

Sie lächelte. Einen Augenblick lang sah er beinahe so aus, als kümmerte ihn tatsächlich, was aus ihr wurde. Er runzelte nachdenklich die Stirn und schien das anzügliche Gekicher und Geflüster in seinem Gefolge nicht zu bemerken.

«Folgt mir, bitte», beharrte sie.

Alberto, der Braunhaarige, trat vor. «Du brauchst vielleicht einen Zeugen, Felipe. Dieser Schlampe ist alles zuzutrauen. Ich komme mit.»

Carlotta verbarg ihren Widerwillen. Alberto war ungehobelt und stank aus dem Mund, aber sie würde ihn später noch brauchen. Also lächelte sie.

«Warum eigentlich nicht?», sagte sie mit süßlicher Stimme.

Felipe lockerte mit dem Finger seine enganliegende Halskrause. Die in Falten gelegte Spitze kratzte auf seiner erhitzten Haut.

Carlotta stieg vor ihm die Treppe hinauf, und er versuchte, die Tatsache zu verdrängen, dass sie noch schöner aussah, als er in Erinnerung hatte. Ihr veilchenblaues, mit silberner Spitze besetztes Samtkleid fiel über einen glockenförmigen Reifrock. Das bestickte Mieder betonte ihre schlanke Taille und drückte ihre Brüste nach oben.

Sie wirkte von Kopf bis Fuß wie eine edle Dame, wenngleich die Erinnerung an sie in lederner Kniehose und verschwitztem Hemd ihn noch immer mit einem Begehren erfüllte, das ihm den Mund austrocknete. Er war erregt. Carlotta stellte eine echte Herausforderung dar; selbst wenn sie längst auf verlorenem Posten stand, musste man bei ihr immer damit rechnen, dass sie noch eine List auf Lager hatte.

Er würde es genießen, sie Zurückhaltung und Gehorsam zu lehren. Bald schon würde sie widerspruchslos allen seinen Anweisungen gehorchen. Der Gedanke an ihren Körper, so geschmeidig und wohlgeformt, so weiß und duftend, brachte sein Blut in Wallung.

Denn sie würde darin einwilligen, seine Frau zu werden. Schließlich blieb ihr gar keine andere Wahl. Da sein Triumph nur noch eine Frage der Zeit war, beschloss er, sie noch ein Weilchen gewähren zu lassen.

Während Alberto neben ihm die Stufen hinaufpolterte, ließ Felipe sich seine Verärgerung nicht anmerken. Alberto war zwar ein guter, stets verlässlicher Freund, aber jetzt hätte er es vorgezogen, mit Carlotta allein zu sein. Doch was machte das schon aus – angesichts der vielen gemeinsamen Jahre, die noch vor ihnen lagen!

«Nur herein, meine Herren», sagte Carlotta, betrat ihr Schlafgemach und wies ihnen eine Sitzgelegenheit zu.

Felipe blickte sich beinahe ehrfürchtig um. Hier also schlief Carlotta, hier entkleidete sie sich, bürstete ihr langes schwarzes Haar, wusch ihre Scham. Der Duft ihres Parfüms aus Orangenwasser und Nelken erfüllte den Raum.

«Ich muss Euch etwas zeigen, Felipe», sagte Carlotta und griff nach einem großen, rechteckigen Gegenstand, der, in Tuch gehüllt, an einer Wand lehnte. «Wärt Ihr vielleicht so gütig, mir zu helfen?», bat sie mit Blick auf Alberto.

Gemeinsam hoben sie den Gegenstand auf das Himmelbett, wo sie ihn an die geschnitzten Eichenpfosten lehnten. Felipe stand auf und trat stirnrunzelnd vor das Bett.

«Was für eine Teufelei habt Ihr Euch jetzt wieder ausgedacht?»

Mit einer weitausholenden Geste zog Carlotta das Tuch hoch. Felipe blieb vor Entsetzen fast die Luft weg. Er war sprachlos. Was er sah, war ungeheuerlich.

Alberto konnte sich ein Lachen nicht verkneifen. «Den Künstler muss es ganz schön in den Lenden gejuckt haben, als er das gemalt hat!»

Felipe starrte das Gemälde nur sprachlos an. Carlotta lag auf einer pelzbedeckten Ruhebank. Bis auf ein Paar Ohrringe aus Granat hatte sie nichts an. Das offen getragene Haar fiel ihr in sanften Wellen über die Schultern und über eine Brust, während die andere frei blieb. Ein Arm lag auf dem Oberschenkel. Die Finger ihrer einen Hand ruhten über ihrem Venushügel und lenkten so die Aufmerksamkeit des Betrachters auf jene verbotene Zone, obgleich sie diese verdeckten.

Felipe schluckte. Seine Kehle fühlte sich plötzlich staubtrocken an. Er erkannte einen Schatten unter ihrer Hand, eine Andeutung ihres Schamhaars. Sie hatte es doch tatsächlich gewagt, einen berühmten Maler – einen, der für seine religiösen Werke bekannt war – zu veranlassen, ihre Geschlechtsteile ins Bild zu setzen: die sündige Vulva, diesen unersättlichen, die Männer ins Verderben stürzenden Schlund.

Er empfand ihre Verderbtheit als ebenso abstoßend wie faszinierend. Nicht einmal im Traum hätte er für möglich gehalten, dass sie zu so etwas fähig wäre.

Sein Glied regte sich so heftig, dass er zurückwich und sich hastig setzte. Es fühlte sich an wie ein heißer Stein in seinem Unterleib, dessen Druck seine Hoden schmerzen ließ. Das Blut pulsierte so stark in seinen Adern, dass ihm schwindlig wurde.

«Das ist ja unerhört! Was für eine Schande! Die pure Schamlosigkeit!», schrie er.

Alberto lachte stillvergnügt in sich hinein. «Schon wahr. Aber wenn du mich fragst – mir gefällt das besser als all die Heiligenbilder in der Kirche!»

Carlotta lachte ebenfalls ihr klangvolles, kehliges Lachen, das etwas in Felipes Brust erst zusammenzucken und dann aufblühen ließ.

«Das war gut gesagt, mein Herr», entgegnete sie, «auch wenn mir scheinen will, dass Euer Freund Eure Wertschätzung nicht zu teilen vermag.»

Alberto wandte sich an Felipe. «Vielleicht sollte ich es ja besser klein hacken und verbrennen?»

«Nein!», rief Felipe, selbst entsetzt ob der Rauheit seiner Stimme. «Nein. Das Werk eines solchen Meisters würde ich niemals zerstören. Aber ich werde es im Verborgenen aufbewahren, damit es nicht die Herzen der einfachen Leute oder der Sündigen verderben kann.»

«Ach ja? Dann dürfen Priester es deiner Ansicht nach also ruhig genießen?»

Felipe warf Alberto einen vernichtenden Blick zu. Das war ganz und gar keine Angelegenheit zum Scherzen. «Lass uns allein. Ich muss unter vier Augen mit Doña Carlotta sprechen.»

Alberto zuckte mit den Achseln. Er schien noch einen

weiteren Kommentar auf Lager zu haben, doch Felipes Blick ließ ihn innehalten. Mit einem vielsagenden Augenzwinkern in Carlottas Richtung schlurfte er hinaus.

Felipe stand auf und trat einen Schritt auf Carlotta zu. Es kostete ihn einige Mühe, die Hände ruhig zu halten. Ein Teil von ihm wollte sie schlagen, um ihr das Lächeln aus ihrem hübschen Gesicht zu prügeln. Ein anderer Teil von ihm aber wollte sie aufs Bett werfen und ihr die Kleider vom Leib zerren. Er glaubte schon fast, das Geräusch zerreißenden Stoffes zu hören und durch die Risse ihre weiße Haut zu sehen.

Mit einem Mal fühlte er sich unendlich erschöpft. Ihm dröhnte der Schädel, und von einer seiner Schläfen ging ein stechender Schmerz aus.

«Warum habt Ihr mir das Gemälde gezeigt?», fragte er matt.

«Weil ich wollte, dass Ihr zu sehen bekommt, was Ihr niemals besitzen werdet», erklärte sie mit einem Funkeln in ihren schrägstehenden dunklen Augen. «Ihr habt mich auf betrügerische Weise um Haus und Hof gebracht, aber damit nicht genug – Ihr wolltet mir auch noch meinen Körper und meine Seele rauben.»

Es verschlug ihm die Sprache. Sie hasste ihn, so viel war nun klar. Er war wie betäubt.

«Betrügerisch?», entgegnete er dümmlich. «Ich war im Recht.»

«In wessen Augen? In denen jener korrupten Beamten, die Ihr selbst bestochen habt? Oder in den Augen meines Vaters, den Ihr ermutigt habt, Schulden zu machen, damit Ihr ihm sein Land abnehmen konntet? Ich weiß alles über Euch, Felipe, und werde Euch nie verzeihen, was Ihr mir angetan habt. Eines Tages präsentiere ich Euch die Rechnung dafür. Jetzt aber verlasse ich Euch. Juanita hat schon die Pferde gesattelt, doch zunächst … Ihr habt mir doch damit gedroht, mich nackt und barfuß durch das Dorf zu jagen. Es soll so sein. Auf dass alle, die Augen haben, sehen können, wie Don Felipe Escada wehrlose Frauen behandelt.»

Dann griff sie nach einem Dolch, der, von ihm unbemerkt, auf einer Truhe neben dem Bett gelegen hatte, und zerschnitt die Bänder, die ihr Kleid zusammenhielten. Mit offenem Mund sah Felipe zu, als sie das Oberteil und dann das veilchenblaue Mieder und die Ärmel aufs Bett warf.

Er wollte sie auffordern einzuhalten, brachte es aber nicht über sich. Jeder Nerv in ihm war angespannt wie eine Bogensehne. Er hatte das Gefühl, als schmerzte seine ganze Haut vor Begierde. Und er sah ihrer verächtlichen Miene an, dass ihr das durchaus bewusst war. Scham stieg in ihm hoch, doch das änderte nichts.

Als sie ihren Rock zu Boden fallen ließ und schließlich auch ihr Reifrock zu einem Kreis um sie herum zusammensank, wandte sie ihm den Rücken zu. Erlöst von ihrem durchdringenden Blick, erschauderte er und spürte, wie ihm der Schweiß sein Batisthemd nässte. Als sie sich wieder umdrehte, hatte sie nur noch ihr fast knöchellanges Unterhemd und ihr Korsett an.

Er schien wie hypnotisiert. Er sah, wie ihre Brüste über den schwarzen Saum am Ausschnitt ihres Hemdes quollen, sah das reich verzierte lederne Korsett, das ihre Taille so grausam einschnürte, sah, wie drall sich ihre Hüften unter diesem Korsett wölbten. Carlotta durchtrennte die Schnürbänder, und das mit Fischbein verstärkte Teil fiel von ihr ab.

Sie hatte doch wohl nicht die Absicht, sich vollständig zu entkleiden? Er hielt, gänzlich verunsichert, den Atem an. Wollte sie ihn entehren oder mit einem Fluch beladen? Falls ja, gelang ihr das gründlich, denn er war sich sicher, dass er diesen Augenblick sein ganzes Leben lang nicht mehr vergessen würde.

Er schien sie wortlos anzufeuern – ja, na los, tu es. Zieh alles aus. Mutter Gottes, sie sah aus wie ein Engel. Doch als er die Worte wiederfand, hörte er sich krächzen: «Nein, hört auf damit. Nicht … bitte … Habt Erbarmen …»

Sie aber lachte nur ihr kehliges, ansteckendes Lachen und lüftete langsam den Saum ihres Hemdes. Er sah ihre schlanken Knöchel in cremefarbenen Wollstrümpfen, sah ihre wohlgeformten Waden, ihre Knie und ihre vollendeten Schenkel, und dann – o Gott im Himmel – das Undenkbare.

Den geheimen Ort. Das sündige Fleisch. Ihre Scham, seine finsterste Heimsuchung und sein schändlichstes Begehren.

Ihr Venushügel war von lockigem schwarzem Haar bedeckt. Als sie die Beine spreizte, fiel sein Blick auf die roten, feucht und weich wirkenden fleischigen Falten. Er roch ihren geheimen Moschusduft. Vor seinem inneren Auge stieg eine Wolke von Schwefeldampf auf. Sie war die Verkörperung der Versuchung, gesandt vom Teufel persönlich.

Er stöhnte auf und fiel auf die Knie. Ihr leicht gerundeter Bauch kam zum Vorschein, als sie ihr Hemd langsam weiter nach oben hob. Er ballte die Fäuste und presste sie in die Leistengegend, um diesen beängstigenden, pulsierenden Schmerz zu lindern. Doch es half nichts, und so spürte er, wie sein Samen in heißen, schändlichen Strahlen herausspritzte, während sie ihre mit kirschroten Warzen gekrönten Brüste entblößte.

Carlotta warf ihm einen mitleidigen Blick zu, als sie über den Berg von Kleidungsstücken stieg.

«Ich wünsche Euch möglichst wenig Vergnügen mit meinem leeren Haus, mein Herr. Vielleicht möchtet Ihr ja das Gemälde behalten, damit es Euch immer an das erinnert, was Ihr verloren habt, ohne es je besessen zu haben? Ich empfehle mich.»

Spöttisch lachend schritt sie, ihr Hemd hinter sich herziehend, unter dem sanften Klack-Klack ihrer kostbaren Lederschuhe auf den Eichendielen an ihm vorbei.

Felipe blieb mit gesenktem Haupt, wo er war, bis er hörte, wie sie das Zimmer verließ und die Treppe hinabging. Dann trat er langsam ans Fenster. Die lauten Ovationen der Männer verrieten ihm, dass Carlotta gerade im Begriff war, das Haus zu verlassen.

Juanita saß auf einem Pferd und hielt die Zügel eines zweiten. Am Knauf ihres Sattels war ein Packpferd festgebunden. Carlotta, jetzt wieder im Hemd, bestieg ihr Reittier. Es überraschte ihn nicht, dass sie mit gespreizten Beinen ritt wie ein Mann. Als ihre Stimme zum Fenster heraufdrang, schreckte er zurück.

«Da seht ihr, wie euer Herr mich behandelt. Ich verlasse Haus und Hof mit nichts am Leib als meinem Hemd und muss nun sehen, wo ich bleibe. Trotzdem gehe ich mit dem größten Vergnügen. Ich ziehe nämlich die Freiheit den Ketten vor, die *er* mir anzulegen gedachte.»

Als sie dann den Arm hob und auf das Fenster zeigte, richteten alle den Blick nach oben. Unter Beifallsrufen und besten Wünschen für die Zukunft ritt sie davon. Albertos Stimme übertönte dabei die aller anderen.

«Geht mit Gott. Alles Gute, Doña Carlotta! Alles Gute!»

Stöhnend glitt Felipe die Wand hinunter, bis er am Boden angelangt war. Noch nie hatte er sich so gedemütigt gefühlt. Das Gefühl der Scham und des Verlustes war niederschmetternd. Er verfügte jetzt zwar über ein schönes Haus und fruchtbares Land, doch das alles bedeutete ihm nichts. Allzu bitter war der Beigeschmack seines Triumphes.

Carlotta hatte es geschafft, ihn, einen vormals allseits respektierten Mann, zum Narren zu machen. In gewisser Weise hatte sie ihn betrogen, indem sie nichts als ihren Stolz und ihren Mut gegen seine ganze Macht und seinen Reichtum in die Waagschale geworfen hatte. Doch er trug ihr nichts nach. Das alles spielte keine Rolle. Nichts spielte eine Rolle, eines ausgenommen.

Sie hatte ihn gebrandmarkt. Das war ihm jetzt klar. Der Anblick ihrer Nacktheit, weiß und schwarz und mit dem schmalen roten Spalt ihrer Weiblichkeit, war für immer in sein Gehirn eingebrannt.

Nun würde es ihm nie mehr gelingen, sie aus seinen Gedanken zu verbannen.

Kapitel vier

Carlotta ritt davon, ohne einen Blick zurück. Es hatte keinen Sinn, über das Geschehene zu lamentieren. Sie musste jetzt nach vorne schauen.

Die Tatsache, dass sie Felipe gedemütigt hatte, verschaffte ihr eine tiefe Genugtuung. Eines Tages würde sie ihr Versprechen einlösen und ihn büßen lassen, doch es würde lange dauern, bis sie dazu wieder in der Lage war. Juanita ritt schweigend an ihrer Seite. Sie hatte kaum ein Wort gesprochen, seit sie das Gut verlassen hatten, außer um zu fragen, wo es denn hingehen solle.

Als Carlotta es ihr sagte, riss sie entgeistert die Augen auf.

«Aber was wollt Ihr denn bei diesem Mann? Alberto ist doch Don Felipes rechte Hand!»

«Genau, und er hat all die Informationen, die ich brauche. Mehr konnte Díaz nicht herausfinden.»

«Und Ihr glaubt allen Ernstes, dass Alberto Euch hilft? Wird er nicht Don Felipe erzählen, dass Ihr in seinen Angelegenheiten herumgeschnüffelt habt?»

«Das glaube ich kaum», entgegnete Carlotta lächelnd.

Juanita warf ihr einen besorgten Blick zu. «Wie ich sehe, habt Ihr schon einen bestimmten Plan. Und ich habe das Gefühl, dass ich lieber nicht allzu viel darüber wissen möchte.»

Carlotta gab ihrem Pferd die Sporen. Wenn ihre Dienstmagd gewusst hätte, was sie im Schilde führte, wäre sie wohl zu Felipe zurückgeritten und hätte ihn um seinen Schutz gebeten. Die Aufgabe, die sie sich gestellt hatte, war ungeheuer schwierig, aber sie würde sie Schritt für Schritt angehen. Auf diese Weise schien nichts unmöglich.

Wenn sie an all das dachte, was sie verloren hatte, und an den Mann, der dafür verantwortlich war, drohten Trauer und Wut sie beinahe zu ersticken. Fahr zur Hölle, Felipe, dachte sie. Doch ihr Hass auf ihn war wie eine Fackel, die ihr in den schweren Zeiten, die ihr bevorstanden, den Weg leuchten würde.

Sie verbrachten die erste Nacht im Schutz eines Wäldchens. Zu ihrem Glück herrschte warmes Wetter. Den nächsten Tag über ritten sie ohne Unterbrechung, und bei Einbruch der Dunkelheit hatten sie sich einer langen Karawane von Lastkarren, Landarbeitern und Kaufleuten angeschlossen, die auf dem Weg zu einer von Mauern umfriedeten Stadt waren.

Díaz zufolge unterhielt Alberto hier über dem Laden eines Kleiderhändlers eine Wohnung. Carlotta fand die schmale Gasse ohne langes Suchen. Das Schild eines Tuchhändlers hing über dem Eingang eines Gebäudes, dessen Läden bereits zur Nacht verschlossen waren. Carlotta saß von ihrem Pferd ab und schlug laut gegen die Tür.

Lass ihn da sein, betete sie. Falls Alberto bei Felipe in ihrem Haus geblieben war, konnte es Tage dauern, bis er zurückkehrte. Dann aber öffnete sich im oberen Stock ein Fenster, und ein Mann streckte den Kopf heraus. Carlotta erkannte ihn auf der Stelle und dankte flüsternd dem unbekannten Heiligen, der über Juanita und sie seine Hand hielt.

«Doña Carlotta», rief Alberto erstaunt. «Ich hätte nicht

im Traum daran gedacht, Euch schon so bald wiederzusehen. Womit kann ich Euch dienen?»

Carlotta warf ihrer Freundin einen vielsagenden Blick zu. «Überlass das mir, verstanden?», zischte sie. Juanita nickte, erleichtert und verängstigt zugleich.

«Das kann doch nicht wahr sein – Alberto? Vergebt mir, wenn ich Euch störe. Wir haben schon fast an jedes Haus geklopft, doch keiner wollte uns eine Schlafstatt für die Nacht geben. Meine Dienstmagd und ich sind müde von der Reise und suchen verzweifelt eine Mahlzeit und ein Bett. Ihr werdet uns doch nicht auch noch abweisen?»

«Selbstverständlich nicht! Wartet, ich entriegele gleich die Tür.»

Selbst im schwachen Schein der Laterne, die er in der Hand hielt, erkannte Carlotta das Aufblitzen von Lüsternheit in Albertos Gesicht. Sie würde leichtes Spiel haben. Knarrend öffnete sich die Tür, und Alberto bat sie herein, nachdem er einen Burschen losgeschickt hatte, ihre Pferde zu versorgen.

Alberto ließ Braten, Kaninchenpastete und Wein auftischen. Während Carlotta mit herzhaftem Appetit aß, entging ihr nicht, wie sein Blick immer wieder zu dem spitzenbesetzten Ausschnitt ihres Kleides wanderte und auf der Wölbung ihrer Brüste ruhte.

«Was für ein Glück für Euch, dass Ihr ausgerechnet an meine Tür geklopft habt. Es ist eine Schande, dass eine Dame wie Ihr gezwungen ist, wie eine Bettlerin umherzuziehen. Ihr müsst mir erlauben, Euch zu helfen.»

Du hast keine Hilfe angeboten, als Felipe mich hinausgeworfen hat, dachte sie verbittert, hielt aber ihre Zunge im Zaum. Albertos Knie drückte unter der auf Böcken liegenden Tischplatte gegen das ihre, und sie erwiderte den Druck und lächelte ihn dabei dankbar und vielversprechend an. Er ging mit Sicherheit nicht davon aus, dass sie rein zufällig zu ihm gekommen war, doch sein Urteilsvermögen war durch seine Geilheit getrübt, die alle anderen Gedanken verdrängte.

Trotz Juanitas besorgter Blicke rutschte Carlotta auf dem grob zusammengezimmerten Stuhl ganz dicht an Alberto heran. Sein muskulöser Oberschenkel rieb gegen den ihren, und sie fühlte seine Hitze durch ihr Kleid und ihren Unterrock. Er trank den Rotwein in kräftigen Schlucken, aß aber wenig. Schon nach kürzester Zeit war sein zwar derbes, ansonsten aber durchaus ansehnliches Gesicht gerötet, und er wurde allmählich zudringlicher. Sie spürte seine Hand an ihrem Bein; seine dicken Finger drückten ihr Knie und wanderten dann allmählich ihren von Stoff bedeckten Schenkel hoch.

Als seine Hand zwischen ihre Schenkel glitt, spreizte sie die Beine, damit er über ihren Venushügel streichen konnte. Albertos Augen begannen zu funkeln, und sein Atem beschleunigte sich. Er befeuchtete seine überraschend sinnlichen Lippen mit der Zunge.

Carlotta stand auf.

«Ich fürchte, die Reise und der Verlust meiner Habe haben mich doch sehr geschwächt. Wenn Ihr nun die Güte hättet, mir zu zeigen, wo ich mein müdes Haupt zur Ruhe betten kann ...»

«Aber sicher. Kommt mit», lallte Alberto. «Eure Magd kann im Stall schlafen. Das Heu ist sauber.»

Carlotta folgte Alberto ins Nebenzimmer, das von einem riesigen Himmelbett beherrscht wurde. Die Laken sahen nicht gerade sauber aus, doch die riesige, aus Fellstücken zusammengenähte Bettdecke wirkte weich und einladend. Bevor sie noch etwas sagen konnte, drückte Alberto sie auf das Bett, umfing sie mit den Armen und begann, sie zu küssen.

Es war angenehmer, als sie erwartet hatte. Sein Mund war

fest, der Druck fordernd. Als er die Zunge in ihren Mund gleiten ließ, um sein weiches Inneres zu erkunden, spürte sie, dass sie das nicht kaltließ. Seit Hernando hatte sie keinen Mann mehr gehabt. Die Sorge um ihre Zukunft hatte ihre gesamte Energie in Anspruch genommen. Und nun stand Alberto ganz zu ihrer Verfügung, jung und kräftig, umgeben vom Duft nach sauberem Schweiß und Leder.

Sie war an körperliche Freuden gewöhnt und genoss den Geschmack und den Geruch eines Mannes. Der Wein in ihrem Blut entspannte sie, und sie spürte, wie ihr Körper auf Alberto reagierte und alle ihre Sinne sich nur noch auf das Ziel lustvoller Erlösung konzentrierten.

Alberto zupfte an den Schnürbändern ihres Mieders herum, und sie drehte sich, um es ihm einfacher zu machen. Unter dem Rock und dem Mieder aus einfachem Barchent trug sie lediglich ein Batisthemd, Unterröcke und ein Korsett.

Sein Mund fuhr über ihren Busen, der aus dem lockeren Mieder quoll. Er schob die Zunge in den Spalt zwischen ihren Brüsten, leckte das Salz von ihrer Haut und beschrieb einen warmen, feuchten Pfad zurück zu ihrem Hals.

«Du schmeckst nach Moschus und Salz», murmelte er.

Carlotta beugte sich ihm entgegen, als er ihr das Hemd auszog und die beiden festen, mit roten Brustwarzen bestirnten Kugeln in die Hände nahm. Sie seufzte und fuhr ihm mit den Fingern durch sein dichtes braunes Haar, während sein Mund sich über einem Nippel schloss und seine Zähne sanft auf die feste Kuppe bissen. Als er zu saugen begann, schwappten Wellen der Wonne durch ihren Körper, und sie gab sich ganz dem warmen, angenehm ziehenden Gefühl hin.

Albertos kräftiger, muskulöser Körper drückte sie in die Felldecke, dass sie das Gefühl hatte, gleich in ihr zu versinken. Die Schnallen auf seinem wattierten ledernen Wams pressten sich gegen ihren Bauch, doch das störte sie nicht. Seine Schenkel waren angespannt, und sie spürte die Härte seiner Erektion zwischen ihren Beinen.

Als er nach ihren Röcken griff, half sie ihm, sie über ihre Taille zu ziehen. Die pelzige Decke kitzelte die Rückseite ihrer Schenkel und ihre nackten Hinterbacken, was ihre Erregung noch mehr steigerte. Sie spürte Albertos raue Handfläche auf der Haut, als er ihre Beine auseinanderdrückte, und wappnete sich innerlich schon gegen den – wie sie befürchtete – ungestümen Ansturm seines prallen Gliedes, doch er wollte noch gar nicht eindringen; er war weniger ungeduldig, als sie erwartet hatte.

«Öffne dich mir, meine Schöne», brummte er in freundlichem Tonfall, «damit ich sehen kann, ob deine Möse anders ist als die eines gewöhnlichen Flittchens.»

Mit einer gewissen Belustigung erkannte sie, wie sehr er das für ihn neue Gefühl genoss, mit einer richtigen Dame im Bett zu liegen. Sie tat, wie ihr geheißen, spreizte die Beine und lächelte ihn an. Dann hob sie das Kinn und fragte: «Und? Ist sie anders?»

Alberto streichelte ihren Venushügel und wickelte die seidigen schwarzen Locken um seine dicken Finger. Dann ließ er die Hand über ihre Scheide gleiten und drückte die fleischigen Lippen auseinander, um die feuchte Haut in ihrem Innern zu erkunden. Mit der Unterseite seines Daumens strich er über die feste kleine Knospe, die unter seiner Berührung erbebte, vor und zurück, vor und zurück, bis Carlottas Atem immer kürzer und heftiger ging.

«Ihr habt da eine sehr ordentliche, wohlgeformte Büchse, meine Dame», murmelte er. «Aber ich muss Euch noch weiter auf die Probe stellen. Ihr scheint ja feucht und willig genug, aber das kann trügerisch sein. Und ich tauche meine

Rute nicht in einen trockenen Brunnen.» Seine dunklen Augen leuchteten vor weinseligem Vergnügen.

Als er einen seiner dicken Finger in ihre glühende Tiefe gleiten ließ, wand sich Carlotta so sehr unter ihm, dass sie gegen seine Knöchel drückte. Er lachte, als sie ihm entgegenkam und sich dabei auf die Unterlippe biss.

«Was seid Ihr doch für ein geiles kleines Luder. Bei Gott, wenn Felipe wüsste, was ihm entgeht, würde er ein ganzes Trauerjahr einlegen!»

Die Erwähnung ihres Erzfeindes wirkte auf sie wie eine kalte Dusche. Sie erstarrte und wollte sich schon zurückziehen, doch er hielt sie spielend leicht mit einer Hand nieder und hob ihre Beine um seine Taille. Als die Spitze seines Gliedes in sie eindrang, ließ sie sich zurückfallen, unfähig, noch an etwas anderes zu denken als an das harte Männerfleisch, das sich seinen Weg in ihre enge, nasse Grotte bahnte.

Die Lust, sich von dem dicken Phallus ausfüllen zu lassen, war von so grundlegender Natur, dass sie sich ihr vollständig hingab. Sie fühlte sich schwach und gefügig. In diesem Augenblick war für sie nichts anderes von Bedeutung als Alberto, wie er in ihren willigen Körper eindrang. Sie liebte die Art und Weise, wie die pralle Eichel ihr Fleisch beiseiteschob, um dann weiter nach innen und immer tiefer einzudringen.

Er stieß kräftig in sie hinein und zog sich jedes Mal vor dem nächsten Stoß fast vollständig wieder zurück, und sie erwartete ihn, Stoß um Stoß. Seine fast schon schmerzhafte Urgewalt war genau das, was sie wollte. Sie dachte nicht, trauerte nicht, bedauerte nicht. Sie beide waren in diesem Augenblick lediglich ein Mann und eine Frau, gefangen im ewigen Kampf des Fleisches, gedankenlose Geschöpfe der Lust.

Während Alberto sie nahm, murmelte er derbe Kose-
worte, wie er sie von der Straße kannte, und diese unfeine
Sprache befeuerte ihre Lust noch weiter.

«Gut so, du wilde Schöne, lass dich auf meinen Schweif
sinken. Ja, das ist die passende Scheide für mein Schwert.
Du magst es, wenn man es dir so richtig hart besorgt, was?
Dann bist du bei Alberto genau richtig. Halt, warte, sonst
spritze ich gleich ab und kann dir keine große Freude mehr
bereiten.»

Als sie fast reglos dalag und sich auf das Gefühl seines
pulsierenden Gliedes in ihr konzentrierte, dachte sie, dass
es wohl seine ungehobelte Art sein musste, die ihn für sie so
anziehend gemacht hatte. An Alberto war nichts Geküns-
teltes, keinerlei vornehmes Gehabe; dafür verfügte er über
eine zwar derbe, aber grundehrliche Wertschätzung weiblicher Reize. Seine Art war ihr bedeutend lieber als die nobler,
affektierter Herren, die in ihrem tiefsten Innern eiskalt und
berechnend waren. Zudem hatte er Sinn für Humor, was ihr
schon klargeworden war, als er Felipe mit dem Gemälde auf-
gezogen hatte.

Als er sich wieder in Bewegung setzte, schloss sie die
Augen und ließ sich von ihren Empfindungen mitreißen.
Albertos Lippen waren an ihrem Hals, und seine Hände
umfassten ihre schlanke Taille, während er sie bearbeitete.
Inmitten ihrer Lust bedauerte sie für einen kurzen Moment,
dass sie ihn hereinlegen musste.

Doch der Gedanke verschwand so schnell, wie er gekommen war. Was zählte, waren nur der Augenblick und die
Erregung, die sich in ihr aufbaute. Als sie den Höhepunkt
erreichte, stöhnte sie laut auf, und ihr Unterleib erbebte.
Durch den Druck ihrer Scheidenmuskeln auf sein tief in ihr
steckendes Glied brachte sie schließlich auch Alberto zum
Orgasmus. Mit einem lauten Aufschrei zog er sich aus ihr

zurück und bespritzte ihren Bauch mit einem Regen cremiger Tropfen.

Carlotta brauchte ein paar Augenblicke, bis sie wieder Luft bekam. Alberto hatte sich auf die Seite fallen lassen und lag nun flach auf dem Rücken. Er schnarchte laut, die Hose an den Knien und sein erschlafftes Glied auf einem seiner stämmigen Schenkel. Sie beugte sich zu ihm hinüber und musterte seine welke Männlichkeit.

Seltsam, wie verwundbar eine so stolze Waffe, ein so beeindruckendes Werkzeug der Freude aussehen konnte. Sie strich über den weichen, geäderten Schaft und die purpurrote Eichel, beide wie poliert glänzend von ihrer Nässe, und küsste dann Alberto auf die Wange. Seine Lider zuckten, doch er regte sich nicht. Sie konnte wohl davon ausgehen, dass er viele Stunden schlafen würde.

Es war gemütlich auf dem großen Bett mit der üppigen Pelzdecke, und sie war schon beinahe versucht, die Augen zu schließen. Der Gedanke daran, ihren Körper an Alberto zu schmiegen und ihren Kopf an seine breite Brust zu legen, war weitaus angenehmer als der an die Reise, die ihr bevorstand. Doch sie hatte noch etwas zu erledigen, und dafür blieb ihr wenig Zeit. Nachdem sie sich genommen hatte, was sie wollte, konnte sie nicht das Risiko eingehen, noch länger zu bleiben und entdeckt zu werden.

Außerdem musste sie sich daran gewöhnen, ihr Schicksal selbst in die Hand zu nehmen. Alberto würde sie vielleicht eine Zeitlang beschützen; er würde vielleicht sogar versuchen, ihr zu helfen, aber in letzter Konsequenz konnte sie sich nur auf sich selbst verlassen. Im katholischen Spanien nutzten die Männer die Frauen für ihre eigenen Zwecke aus; Ehefrauen hatten kaum Ansprüche zu stellen, Geliebte gar keine, und eine Frau ohne Besitz oder gesellschaftlichen Status war Freiwild für alle.

Nachdem sie sich den Bauch mit ihrem Hemd abgewischt und ihre Kleider gerichtet hatte, stieg sie aus dem Bett und ging lautlos zu einer riesigen, eisenbeschlagenen Truhe hinüber, die unter dem Fenster mit dem verriegelten Laden stand. Sie war nicht verschlossen, und so konnte sie mit Leichtigkeit den schweren Deckel heben. Nach ein paar Minuten des Suchens fand sie inmitten all der Papiere das, worauf sie es abgesehen hatte.

Sie rollte die Dokumente zusammen und steckte sie in ihr Mieder. Mit einem Anflug von Bedauern betrachtete sie den schlafenden Alberto, zuckte dann aber mit den Schultern. Wenn sie überleben wollte, musste sie tun, was zu tun war. In der Not konnte man sich die Bettgenossen eben nicht immer aussuchen und sich so etwas wie Treue kaum leisten.

Still und leise verließ sie das Schlafzimmer und glitt durch das verriegelte Haus und durch die Hintertür hinaus in einen kleinen, an den Stall angrenzenden Innenhof. Juanita lag zusammengerollt im Stroh, durch einen Umhang vor der nächtlichen Kühle geschützt.

Sie packte ihre Magd bei der Schulter und rüttelte sie. Juanita schreckte hoch, die Augen vor Angst geweitet. Carlotta hielt ihr die Hand vor den Mund.

«Keinen Laut. Beeil dich und sattle die Pferde. Wir ziehen weiter, und zwar am besten gleich, denn wir haben eine weite Reise vor uns.»

Juanita gähnte und rieb sich die Augen, schlug dann aber den Umhang zurück und stand auf. Aus ihrer Haube ragten Strähnen ihres hellbraunen Haares, und auf ihrem hübschen ovalen Gesicht waren noch die Abdrücke von Strohhalmen zu erkennen.

«Wo gehen wir denn jetzt hin?», fragte sie schläfrig, während sie mit dem Packen begann.

Carlotta verspürte eine tiefe Zuneigung zur ihrer treuen

Freundin. Sie war hundemüde und noch immer ganz verwirrt von ihren veränderten Lebensumständen, wäre aber nie auf den Gedanken gekommen, ihrer Herrin den Gehorsam zu verweigern. Ihr absolutes Vertrauen in Carlottas Fähigkeit, alles zum Guten zu wenden, war schmeichelhaft, aber auch eine nicht geringe Belastung. Carlotta war sich der Tatsache bewusst, dass sie für sie beide planen musste.

Sie lächelte grimmig und beschloss, Juanita über die Gründe für ihre Hast im Unklaren zu lassen. Es hatte keinen Sinn, dass auch sie sich Sorgen machte.

«Wir reiten zum nächsten Hafen und in ein neues Leben», erklärte sie nur und wünschte sich, sie könnte bezüglich ihrer Zukunft so sicher sein, wie sie klang.

Die Reise nach Cartagena an der Ostküste dauerte zwei Wochen. Sie schlossen sich einer Gruppe von Pilgern an, die auf dem Weg nach Süden waren, und mieden so die Gefahren, denen sie zu zweit ausgesetzt gewesen wären. Die Nächte verbrachten sie im Schutz von Klostermauern. In Ubeda, wo die Pilger am Schrein des heiligen Juan de la Cruz zu beten gedachten, trennten sie sich von ihnen und ritten in östlicher Richtung weiter.

Vielleicht hatte Alberto ihren Diebstahl ja noch gar nicht bemerkt, denn niemand verfolgte sie. Carlotta versuchte, immer nur an die nächste Straßenbiegung oder das nächste Dorf zu denken, um die Erinnerung an das schöne Zuhause zu verdrängen, das sie verloren hatte. Der Gedanke daran, wie Felipe über ihr Gut stolzierte und voller Genugtuung den reifenden Weizen und die schwarz werdenden Oliven betrachtete, war ihr unerträglich.

Sie hielten sich immer auf den Hauptstraßen, deren Staub ihre Kleider durchdrang und ihr Haar verklebte. Wie Juanita hatte auch Carlotta ihre üppigen schwarzen Locken unter einer Haube versteckt. Sie trug schlichte, zweckdienliche Kleider und verbarg ihre schlanken weißen Damenhände, so gut es ging.

Jeder, der sie sah, musste sie für fahrende Landarbeiterinnen auf der Suche nach einer Anstellung halten. Nur Carlotta selbst wusste vom Rest ihres Geldes – ein Vermögen in Goldstücken, das ihr der Verkauf ihres Schmuckes eingebracht hatte, eingenäht in ihrer Unterwäsche. Sie trug einen Dolch in einer Scheide, die sie um ihren Knöchel geschnallt hatte, und ihr Säbel hing an einem Gürtel zwischen ihren Unterröcken.

Im Fall einer Bedrohung war sie bereit, um ihrer beider Leben zu kämpfen. Unter normalen Umständen hätte sie die Reise genossen, doch nun bemerkte sie kaum die Schönheit der von Heidekraut und Ginster bewachsenen Berge und Täler. Hinter fruchtbaren Ebenen ragten in der Ferne blaue Gipfel in den Dunst, bis eines Tages der Wind den Geruch des Meeres zu ihnen trug.

Die befestigte Hafenstadt Cartagena wurde schon seit Ewigkeiten als Flottenstützpunkt genutzt. Der malerisch gelegene Hafen selbst war von der Meerseite nur durch eine schmale Einfahrt zu erreichen, die zu beiden Seiten von je einer Festung bewacht wurde.

Carlotta wusste aus ihren Dokumenten, dass viele von Felipes Handelsschiffen in Cartagena vor Anker lagen. Sie besaß Informationen über Felipes Geschäftspartner sowie über Art und Menge der Fracht, Seekarten und Listen, in denen die Ziele der einzelnen Schiffe ebenso verzeichnet waren wie die Häfen, die sie auf ihrem Weg dorthin anlaufen sollten – Wissen, das in den richtigen Händen von größtem Wert sein konnte. Sie hatte die Absicht, diese Aufzeichnungen an einen Freibeuter oder einen Konkurrenten von Felipe zu verkaufen. Dann wollte sie mit Juanita ein Schiff besteigen und in die Neue Welt reisen, wo, wie es hieß, jeder seines Glückes Schmied war.

Als sie dann jedoch am Kai stand und den Blick über die riesigen getakelten Schiffe schweifen ließ, die sanft in den Wellen schwankten, deprimierte sie der Gedanke, jemand anderem die Genugtuung zu überlassen, ihrem Feind Schaden zuzufügen. Sie hatte ihr Land verloren und war gezwungen, wie eine Vagabundin durch die Fremde zu ziehen, während Felipe in *ihrem* Bett schlief und die Früchte *ihres* Landguts erntete.

Sie ballte die Fäuste, blickte zu einem Handelsschiff mit Kreuzsegel hoch und lächelte grimmig. Sie hatte noch Felipes Blick bei ihrem letzten Aufeinandertreffen vor Augen. Die peinigende Lust in seinen verschatteten dunklen Augen, als er ihr beim Entkleiden zusah; die Bewegungen seines sinnlichen Mundes, während er beide Fäuste in seine Leistengegend presste; sein Erschrecken und seinen Abscheu vor sich selbst, als er seinen Samen in seiner Hose vergoss.

Wie sie es genossen hatte, ihn leiden zu sehen! Doch sie wollte mehr. Er musste so lange gedemütigt werden, bis er selbst dort angelangt war, wo sie sich jetzt befand. Und er sollte wissen, dass sie ganz allein für seinen Absturz verantwortlich war.

«Ich werde dich das Leiden lehren, Don Felipe», rief sie. «Ich schwöre, dass du eines Tages zu mir gekrochen kommst, und wenn du mich dann um Gnade anflehst, lache ich dir ins Gesicht.»

Vom Meer wehte eine sanfte Brise, die nach fauligem Fisch und Salz roch und ihr Strähnen ihres langen dunklen Haares ins Gesicht wehte. Das Feuer wich aus ihr, und sie ließ die Schultern hängen. Sie war einfach zu müde, um noch denken zu können. Sie musste dringend schlafen und ihre Vorräte auffüllen. Die Reise war schrecklich anstrengend gewesen; ihr Hintern schmerzte, und sie sehnte sich nach einem Bad.

Nachdem sie für sich und Juanita eine Unterkunft besorgt hatte, brach Carlotta auf ihrem primitiv gezimmerten Bett zusammen, dankbar bereits für saubere Laken und ein mit Stroh ausgestopftes Kopfkissen.

Einige Tage waren vergangen, als sie an einem Tisch im Schankraum ihrer Herberge Platz nahmen. Das Essen – ein gut gewürzter Fischeintopf mit frischem Brot – war schmackhaft, und beide aßen voller Appetit. Der Rauch einer gewaltigen Feuerstelle verdüsterte den nur vom Licht einiger flackernder Laternen erhellten Raum noch mehr. Vom Hauptraum waren Carlotta und Juanita durch einen riesigen Eichenbalken abgeschirmt, der die Decke stützte. So wurde kaum einer der zahlreichen Matrosen und Kaufleute, die in der Taverne aßen oder Rum tranken, auf sie aufmerksam.

Seit einiger Zeit schon hatte Carlotta konzentriert den Gesprächen dieser Männer gelauscht. Sie spitzte die Ohren, als sie auf die Piraterie zu sprechen kamen. Offenbar hatten die spanischen Behörden Schwierigkeiten mit einigen Gruppen französischer Protestanten, die sich auf den Westindischen Inseln niedergelassen hatten.

«Sie nennen sich die ‹Bruderschaft der Küste›», erklärte ein kahlköpfiger Mann mit einem großen goldenen Ohrring. «Und sie haben wahrhaftig wenig Grund, die Spanier zu lieben.»

Sein Begleiter spuckte Tabaksaft auf die Bodendielen. Er hatte ein reichlich brutales Gesicht mit einer furchterregenden Narbe quer über seiner Nase und einem herabhängenden Mundwinkel.

«Von wegen Freibeuter! Verfluchte Hugenotten sind sie, nichts als Mörder und Teufelsknechte. Die verdienen, was sie bekommen.»

«Wie es scheint, wollten sie lediglich Tabak oder Zucker-rohr auf diesen kleinen Inseln anbauen. Jeder hat doch das Recht auf seinen eigenen Glauben, und Menschen nur deshalb zu töten, weil sie sich irgendwie ihren Lebensunterhalt verdienen wollen, ist schon allerhand. Und jetzt haben sie eben angefangen, Schiffe zu überfallen. Kann ich ihnen irgendwie nicht verdenken.»

«Diese gottlosen Ketzer. Mögen sie alle in der Hölle schmoren», brummte sein Freund. «Und du hütest besser deine Zunge, falls du Wert auf sie legst. Was du da redest, ist nicht gerade im Sinne des Papstes, und Priester haben lange Ohren.»

Die Männer verließen das Lokal, und Carlotta lehnte sich auf ihrem Stuhl zurück. Sie hatte eine Idee, wie sie unmittelbar daran mitwirken konnte, Felipe in den Ruin zu treiben.

Ihr Einfall war so unglaublich, dass ihr selbst der Atem stockte. Das würde das Waghalsigste sein, was sie je unternommen hatte. Ihr Puls beschleunigte sich, während sie ihre Pläne weiterdachte. Sie benötigte nur den richtigen Mann dafür und ahnte bereits, wo sie ihn am ehesten finden konnte.

Doch zunächst brauchte sie ein Schiff, das sie mitnahm. Die Aufgabe würde sehr schwer werden, ja fast schon tollkühn, aber nicht unlösbar. Und der Lohn, der ihr winkte, war gewaltig. Sie warf Juanita, die sie aufmerksam musterte, ein aufmunterndes Lächeln zu.

Nein. Es war viel zu gefährlich. Sie konnte von ihrer Gefährtin nicht erwarten, dass sie dabei mitmachte. Oder vielleicht doch …

Kapitel fünf

Manitas le Vasseur stöhnte auf, als er seinen Penis in die Frau unter sich rammte. Er konnte sein Glück kaum fassen, denn schon seit Monaten hatte er keine Frau mehr gehabt.

Zumal diese Frau jung und hübsch war, zumindest für hiesige Verhältnisse. Das Leben auf Hispaniola war hart und verlangte seinen Bewohnern alles ab. Die Frau war von gemischtem Blut. Sie hatte dickes krauses Haar und eine zarte helle Haut, deren Farbe ihm vorkam wie mit Milch vermischter Honig. Verglichen mit seiner Stämmigkeit – vom Kopf bis zu den in Strümpfen steckenden Füßen maß er sechs Fuß drei Zoll – erschien die Frau geradezu zierlich und zerbrechlich.

Manitas legte die Hände auf die Schultern der Frau, die sich vor ihm nach vorn beugte; sie hatte ihm ihren Namen nicht genannt, und er hatte nicht danach gefragt. Nachdem er sein Rohr fast ganz aus ihr herausgezogen hatte, lehnte er sich zurück, beugte seine Schenkel und nutzte seine große violette Eichel, um ihren Korridor erneut zu öffnen, bevor er gegen sie stieß und seine Männlichkeit bis zum Ansatz in ihr versenkte.

Bei Gott, wie liebte er das seidige Gefühl der Scheide

einer Frau, die sanfte Liebkosung durch das Fleisch, das seinen Adamsstab umschloss. Er hatte fast schon vergessen, wie gut es sich anfühlte, eine Frau in den Armen zu halten, ihr Haar zu riechen und mit den Händen über die Vertiefungen und Ausbuchtungen an Taille und Hüften zu fahren.

Manitas war in jeder Hinsicht ein großer Mann, und die Frau hatte ihn zunächst furchtsam gemustert, als sie die Größe seines Gemächts zum ersten Mal gesehen hatte. Doch sie war ebenso gierig nach seinen Liebkosungen, wie sie nach den außergewöhnlichen Köstlichkeiten in seinem Beutel hungerte, die sie aus ihrem Dorf nicht kannte. Er hatte ihr versprochen, dass sie seine Mahlzeit – ein großes Stück Fleisch, geräuchert über grünem Holz – mit ihm teilen dürfe, wenn auch unter einer Bedingung.

Sie hatte genickt, sich hingelegt und ihm erlaubt, sie zu liebkosen und ihre Haut zu lecken, doch sie wandte den Kopf ab, als er sie küssen wollte. Unter Einsatz seines ganzen Geschicks machte er sie zutraulich wie ein ängstliches Kitz. Er drückte ihre weichen Schenkel auseinander, kniete sich vor sie hin und leckte ihre Vulva, öffnete die feuchten Schamlippen mit den Fingern und genoss ihren moschusartigen, an Meerluft erinnernden Geschmack. Er strich mit der Zunge über die pralle Perle ihrer Lust und schob dann die Spitze in ihre Öffnung, wo er sie kreisen ließ, bis sie nass und empfänglich wurde.

Ihr Atem ging schnell und flach, als sie den Rücken durchbog und ihre Hüften einsetzte. Er wartete, bis sie die Augen verdrehte und eine Reihe kurzer Schreie ausstieß, bevor er aufhörte, sie mit der Zunge zu verwöhnen. Mittlerweile war sie so nass und prall, so bereit, genommen zu werden, dass sie sich bereitwillig über den Baumstamm nach vorn beugte, als er sie darum bat.

Nun streckte sie ihm ihr Hinterteil entgegen, sich windend und stöhnend vor Lust, bis auch das letzte Stück seines riesigen Rohrs in ihr verschwunden war. Er spürte, wie seine Eichel auf ihren Uterus traf, so genau passte er in sie. Er stemmte die Spitzen seiner schweinsledernen Schuhe fester in den Boden, um noch mehr davon zu haben, während sich die Frau unter ihm vor und zurück bewegte, wieder und immer wieder.

Stöhnend drückte sie sich nach hinten gegen ihn, dass ihre festen Hinterbacken gegen das Nest aus drahtigem Haar an seiner Leiste schlugen. Ihr Hinterteil war wie eine reife Frucht, und er blickte hinab und sah zu, wie sein glitschiger Schwanz in ihre nasse, weiche Wärme tauchte. Sie bog den Rücken durch, und ihre Backen gaben den Blick frei auf ihren Anus.

Was für eine enge Öffnung – zu eng, um seine Männlichkeit einzulassen, aber nichtsdestotrotz verlockend. Er befeuchtete einen Finger mit Speichel und fuhr in kreisenden Bewegungen über die kleine Mündung, die sich ihm lüstern zuckend entgegenstreckte. Sanft schob er seine Fingerspitze in sie hinein. Sie umfing sie heiß und eng, als wolle der ringförmige Muskel der Invasion Widerstand entgegensetzen.

«Du magst das? Ja?», murmelte das Mädchen, presste beide Öffnungen um ihn und stieß noch mehr von ihren erregenden kleinen Schreien aus.

Manitas sank tief in sie, als die Wellen ihrer höchsten Lust über sein Glied strichen. Ein paar weitere Stöße seiner strammen Schenkel genügten, und er ergoss sich in sie.

«Ah … ah …», stöhnte er, als sein Saft in heftigen Schüben austrat.

Mein Gott. Er war sicher, dass er intensiver fühlte als andere Männer. Er hatte schon zugesehen, wie seine Freunde, einer nach dem anderen, eine Tavernenhure bearbeitet hatten und mit einem Seufzer, einem kurzen Stöhnen oder auch nur einer Grimasse gekommen waren. Erreichte er dagegen den Höhepunkt, war er der Ohnmacht nahe, und das Gefühl schien bis in sämtliche Nervenenden, bis in Finger und Zehen zu reichen.

Er blieb noch kurz über ihr, wobei er sich mit ausgestreckten Armen abstützte, zog sich dann behutsam zurück und wischte sich mit einem Fetzen weichen Leders ab.

«Hier, Kleine, trockne dich ab», sagte er und gab auch ihr ein Stück Leder.

Sie lächelte, beeindruckt von seinen guten Manieren. Die anderen Freibeuter verspotteten ihn deswegen, doch Manitas sah keinen Grund, sich wie ein Tier zu benehmen, nur weil sie gezwungen waren, wie solche zu leben.

Genau wie seine Freunde hatte auch er fragwürdige Dinge getan, doch war er sich dabei immer treu geblieben. Er tat, was immer zum Überleben erforderlich war oder das Leben erträglicher gestaltete, und hielt nicht viel davon, über die Vergangenheit nachzugrübeln.

Manitas zog seine aus ungegerbtem Leder genähte Kniehose an, schnürte den Riemen an der Taille zu und zog sich sein grobes Leinenhemd über den Kopf. Die Frau hatte sich inzwischen gereinigt und blickte ihn ergeben an. Sie hatte keinerlei Erwartungen, und das machte ihn traurig. Er fragte sich, was sie in ihrem kurzen Leben wohl schon alles hatte erdulden müssen.

Er ging zum Räucherofen hinüber, aus dem vom brutzelnden Fleisch ein köstlicher Duft aufstieg, schnitt mit seinem Jagdmesser ein großzügig bemessenes Stück ab und übergoss es dann mit Pfeffersauce aus dem Fläschchen in seinem Seesack. Dann legte er das heiße Fleisch auf ein Blätterbett und reichte es der Frau.

«Hier. Iss dich satt.»

Sie grinste, wobei ihre schiefen, verfärbten Zähne zum

Vorschein kamen, und verschlang dann das Fleisch mit verblüffender Geschwindigkeit. Die Ärmste hatte offenbar schon längere Zeit nichts mehr zu essen bekommen.

Er schnitt auch für sich selbst etwas Fleisch ab und begann zu essen. Als er aufblickte, war sie verschwunden, als habe sie sich in Luft aufgelöst. Er hätte sie gerne noch ein wenig um sich gehabt. Außerhalb der Siedlungen waren Frauen auf Hispaniola rar, und er vermisste weibliche Gesellschaft. Die meisten Männer reisten und jagten in Gruppen, begleitet lediglich von ihren Hunden.

Viele der Freibeuter wandten sich in Ermangelung von Frauen auf der Suche nach sexueller Befriedigung einander zu und gingen dabei enge Freundschaften ein. Manitas konnte mit solchen Praktiken nichts anfangen. Er hätte es nie über sich gebracht, einen Mann wie eine Frau zu benutzen; da er aber ein äußerst sinnenfroher Mann war, erlaubte er mitunter, wenn das Bedürfnis überhand nahm, einem der jüngeren Männer, ihn mit dem Mund zum Höhepunkt zu bringen.

Er errötete, als er daran dachte, wie die warmen, willigen Lippen sich um sein Geschlecht geschlossen hatten, während der Jüngling das unrasierte Kinn mit den Händen abdeckte, und er das Gefühl genossen hatte, in eine weite, von Muskeln umschlossene Kehle vorzustoßen. Die Erinnerung beschämte ihn, aber er verleugnete die Erfahrung nicht. Nun aber erinnerte ihn der Liebesakt mit der Frau an die Zeit vor Hispaniola.

Auf Saint Kitts hatte er mit einer Frau gelebt – ein hübsches, lebhaftes Mädchen, das es am liebsten von hinten gemocht hatte. Sie war auch immer zu Spielchen bereit gewesen, und er erinnerte sich gern daran, wie gut sich ihre festen Hinterbacken anfühlten, wenn er sie versohlte, bevor er sich mit ihr vergnügte.

Als Grundbesitzer verfügte er über beste Voraussetzungen, etwas aus sich zu machen. Er hatte die Absicht zu heiraten. Dann aber landeten diese verfluchten Spanier mit ihrem Hass auf alles, was nicht katholisch war, auf der Insel und steckten seine Tabakfelder in Brand. Und keine Frau drehte sich nach einem Mann um, der alles verloren hatte.

In den letzten paar Jahren auf Hispaniola war Manitas mit einem Hund auf die Jagd gegangen und hatte an die vorbeisegelnden Freibeuter gepökeltes Fleisch, Felle und Talg verkauft. Allmählich aber war er dieses Lebens müde geworden. Und die immer häufigeren Einfälle der Spanier, die fest entschlossen waren, auch noch die letzte «Hochburg der Ketzer» in Schutt und Asche zu legen, erschwerten ihm das Überleben immer mehr.

Manitas überlegte, wie er es sich erträglicher machen konnte. Wenige Tage zuvor hatte er seine Gefährten verlassen und sich auf den Weg zur Küste gemacht, wo eine Siedlung aus grob zusammengenagelten Hütten im Entstehen war, nicht weit vom palmengesäumten weißen Sandstrand entfernt, wo die Brecher ans Ufer stürzten.

Er biss ein Stück von dem würzigen Fleisch ab und kaute es, während er aufs Meer hinausblickte. In weiter Ferne segelten die spanischen Schiffe durch die Passage der Winde an der kubanischen Küste entlang. In Manitas regte sich der Hass.

Diese arroganten Bastarde. Die benahmen sich, als gehörte ihnen die ganze Welt. Hätte er nur die Mittel dazu, er würde ihnen eine Lektion erteilen. Gab es eine bessere Möglichkeit der Wiedergutmachung als die, sich einen Teil des spanischen Goldes unter den Nagel zu reißen? Unter den Freibeutern auf Hispaniola waren Seeleute, Handwerker und entlaufene Sklaven. Manitas war sich sicher, eine Schiffsbesatzung zusammenzubekommen.

Er lachte. Große Ideen für einen großen Mann. Er hatte den Willen und den Mut zu kämpfen. Er brauchte lediglich ein Schiff. Und um das zu bekommen, bedurfte es eines Wunders.

Aber er konnte ja mit einem kleinen Schritt beginnen; zumindest würde ihm das guttun.

Entsetzt betrachtete Juanita das Gewirr von Häusern, die teilweise nicht viel mehr waren als hölzerne, mit Palmblättern gedeckte Hütten.

Die Luft war stickig und von fremdartigen Gerüchen erfüllt. Ungehobelt wirkende, in grobes Leinen oder Schweinsleder gekleidete Männer saßen rauchend vor windschiefen Gebäuden herum und reinigten ihre Waffen. Zwischen ihnen streunten unzählige bis auf die Knochen abgemagerte Hunde umher.

«Was haben wir eigentlich auf dieser gottverlassenen Insel zu suchen?», fragte Juanita ihre Herrin. «Hier ist es heiß, und es stinkt, und diese Männer machen mir Angst. Die sehen aus, als hätten sie schon ein ganzes Jahr lang keine Frau mehr gesehen. Die würden uns bei lebendigem Leib auffressen, wenn wir lange genug stehenblieben!»

Carlotta lächelte, überrascht von ihrer Schroffheit.

«Ich glaube eher nicht, dass sie bei unserem Anblick ans Essen denken», grinste sie. «Komm jetzt, Juanita. Halte dich gerade und blicke ihnen fest in die Augen.»

Juanitas Wangen brannten. Sie hielt den Blick gesenkt, als sie an einer Gruppe von Männern vorbeigingen, die ihnen nachpfiffen und ihnen anzügliche Bemerkungen zuriefen. Wie konnte Carlotta darüber nur Scherze machen? Juanita war wütend und verängstigt, aber auch voller widerwilliger Bewunderung für ihre Herrin. Carlotta schritt hocherhobenen Hauptes einher, eine Hand immer am Säbel an ihrer

Taille. Sie schien weder Tod noch Teufel zu fürchten. Hatte sie sich erst einmal ein Ziel gesteckt, setzte sie alles daran, es zu erreichen.

Aus genau diesem Grund gingen sie nun über eine Sandstraße auf Hispaniola in Richtung eines Gebäudes, das wie eine Taverne aussah. Im Innern des mit Läden verhangenen Raumes war es dunkel und kühl. Carlotta durchmaß den Raum mit dem ihr eigenen Gang und zog so aller Augen auf sich. Wie immer schien sie gar nicht zu bemerken, welche Wirkung sie erzielte. Juanita bedachte die Männer mit einem hochmütigen Blick, um unerwünschte Avancen von vornherein zu verhindern.

Carlotta sah ihn sofort: einen breitschultrigen Riesen mit nach hinten gestrichenem und im Nacken von einem ledernen Riemen zusammengehaltenem dunklem Haar. Auch wenn er nicht unbedingt gutaussehend zu nennen war, hatte sie noch nie einen derart beeindruckenden Mann gesehen.

Als Carlotta sich für einen Tisch entschieden hatte und Wein und Essen bestellte, beobachtete er sie – aber nicht mit blanker Gier in den Augen wie die Männer vor dem Lokal, sondern ruhig und abschätzend. Juanita warf ihm hin und wieder einen Blick zu, um jede Einzelheit dieser rätselhaften Erscheinung zu erfassen. Er trug ein grobes Leinenhemd unter einem zerschlissenen Wams aus wattiertem und mit Ziernägeln versehenem Leder. Um seine Taille war ein breiter Gürtel geschlungen, in dem ein ganzes Waffenarsenal Platz fand. Seine langen Beine steckten in schweinsledernen Hosen und Stulpenstiefeln, die ihm bis an die Knie reichten.

Als ihr Essen auf dem Tisch stand, schlenderte er zu ihnen hinüber.

«Darf ich mich zu Euch setzen?», fragte er.

Carlotta zuckte mit den Achseln. «Warum eigentlich

nicht?», erwiderte sie kühl. «Eure Augen haben mir ohnehin schon ein Loch in den Rücken gebohrt, seit wir hier hereingekommen sind.»

Er grinste und zeigte dabei seine bemerkenswert makellosen Zähne. «Ihr habt mich also ebenfalls bemerkt? Dachte ich mir's doch. Aber ich bin ja auch nicht leicht zu übersehen», fügte er ohne jeden falschen Stolz hinzu.

Carlotta lachte, und Juanita sah sofort, wie der Mann auf den ansteckenden, rauchigen Beiklang in ihrer Stimme reagierte. Juanita warf Carlotta einen warnenden Blick zu, den ihre Herrin aber wie immer ignorierte. Unter dem Tisch rang sie die Hände; sie wünschte, Carlotta wäre etwas zurückhaltender. Dieser Mann machte ihr Angst.

Er sah reichlich wild aus. Sein Gesicht war von Wind und Sonne gegerbt und rissig wie ausgedörrtes Land, und doch hatte er durchaus intelligente blaue Augen. Er streckte Carlotta die Hand hin und stellte sich höflich vor.

«Manitas le Vasseur. Und mit wem habe ich das Vergnügen?»

«Carlotta Mendoza», erklärte Carlotta. «Und das hier ist Juanita.»

Juanita nickte steif. Manitas' blaue Augen schweiften interessiert zwischen den beiden hin und her.

«Spanierinnen also? Und offenbar von hohem Stand, wie an Eurer Blässe und Eurer Körperhaltung unschwer zu erkennen ist. Ihr habt alle diesen hochnäsigen Blick», sagte er in einem Tonfall, in dem eine gewisse Kälte nicht zu überhören war.

Carlotta überging seine Unhöflichkeit, stützte sich mit den Ellbogen auf den Tisch und lächelte ihn gleichmütig an.

«Wie es scheint, mögt Ihr meine Landsleute nicht sonderlich?»

«Ich habe allen Grund, sie zu hassen wegen ihrer verdammten Überheblichkeit und ihrer unerschütterlichen Überzeugung, dass sie durch Gottes Gnade bestimmt sind, als rechtmäßige Herrscher über die ganze Welt aufzutreten!»

Juanita atmete tief ein. Wenn der blanke Hass aus seinen blauen Augen blitzte, sah Manitas ziemlich furchterregend aus. Nicht zum ersten Mal wünschte sie, wie Carlotta ein Messer am Bein zu tragen. Sie warf Carlotta einen flehenden Blick zu. Zweifellos würde ihre Herrin ihn gleich für seine Grobheit tadeln und ihn auffordern, ihren Tisch zu verlassen.

«Und dennoch tragt Ihr ein spanisches Wams und dieses Messer aus Toledo in Eurem Gürtel», konterte Carlotta mit ruhiger Stimme, weder beeindruckt von der Statur des Mannes noch von seiner Direktheit.

Manitas hielt ihrem Blick stand und erklärte nüchtern: «Sie stammen beide aus dem Überfall auf ein spanisches Schiff.»

«Tatsächlich? Dann gestattet mir, Euch einen Krug Rum zu spendieren, Monsieur, dann könnt Ihr mir Näheres über Eure spanische Beute berichten.»

Carlotta verbarg ihre zunehmende Aufgeregtheit, als Manitas ihr von den Piraten erzählte, die von Hispaniola aus vorbeifahrende Schiffe angriffen und ausraubten. Er war unter der Besatzung gewesen, die eine voll getakelte Barke geentert und ihre aus Wein und Waffen bestehende Ladung erbeutet hatte.

Als er ihr großes Interesse an seinen Aktivitäten bemerkte, wurde Manitas vorsichtiger.

«Warum seid Ihr so sehr an der Freibeuterei interessiert?», fragte er und verzog den Mund zu einem gefährlichen Lächeln. «Eine so schöne Frau kommt doch nicht zufällig hierher. Was habt Ihr also vor? Lauft Ihr vor etwas davon? Oder seid Ihr vielleicht gar eine Spionin der Spanier?»

Carlotta warf den Kopf in den Nacken und lachte lauthals.

«Das bin ich ganz bestimmt nicht!»

«Was dann?»

Mit einem Funkeln in ihren dunklen Augen beugte sie sich zu ihm vor. «Ich bin ein Engel, den Euch der Himmel geschickt hat», erklärte sie. «Denn wie ich sehe, seid Ihr ein äußerst entschlossener Mann. Ich kann Euch helfen zu bekommen, was Ihr Euch ersehnt, Manitas, und Ihr könnt mir helfen zu bekommen, was ich will.»

Als sich seine riesige Pranke um ihr Handgelenk schloss, erschrak sie zwar kurz, zog ihren Arm aber nicht zurück. Ihre schlanke weiße Hand wirkte geradezu zerbrechlich unter seiner breiten Handfläche. Durch die braungebrannte Haut schimmerten die blauen Adern auf seinem Handrücken. Sie erschauderte. Wie aufregend! Dieser Mann konnte ihr, wenn er wollte, mit einer Hand das Genick brechen. Aber das war natürlich nicht das, was er wollte. Sie lächelte innerlich.

Diese Schlacht war ganz nach ihrem Geschmack.

Die Linien um Manitas' Augen zeugten ebenso wie die um seinen Mund davon, dass er wusste, was Leiden hieß. Sie spürte eine gewisse Wesensverwandtschaft zwischen ihnen. Wie sie hatte auch er Verluste erlitten, doch seine Trauer darüber schien weniger neu, weniger frisch. Irgendwie fühlte sie, dass sie ihm trauen konnte, aber sie musste trotzdem sichergehen.

Sie leistete keinen Widerstand, als er ihre Hand hob, an sein Gesicht führte und öffnete, sodass ihr Handteller nach oben zeigte. Er drückte die Lippen auf ihre Handfläche, küsste sie sanft und fuhr dann mit dem Mund über ihr Handgelenk. Seine Zunge kam heraus, um ihre Haut zu schmecken, und sie spürte, wie die warme, nasse Spitze gegen ihren Puls drückte.

Ihr Unterleib erbebte vor Verlangen, und sie wusste, dass auch er es spürte, doch seine Augen mit ihren gesenkten Lidern waren kühl und taxierend.

«Wollt Ihr mir helfen?», fragte sie mit unsicherer Stimme.

«Glaubt bloß nicht, dass Ihr mit mir irgendwelche Spielchen treiben könnt, meine Dame», erwiderte er. «Das lasse ich nicht zu. Eure Worte klingen mir allzu sehr nach Tauschhandel, und ich bin weder ein ahnungsloser Tölpel noch ein geckenhafter Höfling, der sich mit sexuellen Gunstbezeigungen kaufen lässt.»

Carlotta entriss ihm ihre Hand. «Derartige Methoden würde ich Euch gegenüber nie einsetzen. Wenn ich bei einem Mann liege, dann ausschließlich um meines eigenen Vergnügens willen.»

Sie genoss den Anflug von Röte auf seinen breiten Wangenknochen. So viel Offenheit hatte er nicht erwartet. Erst als er sein breites Lächeln aufsetzte, merkte sie, wie außerordentlich attraktiv er doch war.

«Und wie wollt Ihr beweisen, dass Ihr bei unserem Handel mehr in die Waagschale zu werfen habt als das, was in Euren Kleidern steckt?»

Carlotta stand auf. Die Erregung brannte wie Feuer in ihrem Unterleib. Manitas' schiere Größe war einschüchternd. Der Versuch, einen solchen Mann unter ihre Kontrolle zu bringen, würde zu einer echten Herausforderung werden – falls sie es überhaupt jemals wagte. Sie konnte nur an die Art und Weise denken, wie er sie ansah, und an die Antwort ihres Körpers: das Pulsieren zwischen ihren Schenkeln.

«Wir können Eure Zweifel auf der Stelle ausräumen. Habt Ihr ein Zimmer in diesem Etablissement?»

Manitas zog seine dunklen Brauen hoch und nickte. Sie genoss seine Verblüffung.

«Dann geht bitte voraus, Monsieur. Wenn wir erst einmal unser fleischliches Verlangen befriedigt haben, können wir ja über unsere Geschäfte reden.»

Als sie ihm in dem Raum mit der niedrigen Decke gegenüberstand, befielen Carlotta einen Augenblick lang Zweifel. Nun, da sie mit ihm allein war, wirkte er sogar noch größer.

Er sah ihr die ganze Zeit über in die Augen, während er sich seines Wamses und seines Hemdes entledigte und ein muskelbepackter Körper zum Vorschein kam. Seine glatte braungebrannte Haut zeugte von bester Gesundheit. Auf seiner Brust spross dunkles Haar, das sich in einer Linie über seinen Bauch herunterzog, bevor es im Bund seiner Hose verschwand.

Manitas lächelte, als er ihren anerkennenden Blick sah, und Carlottas Zweifel wichen. Seine Augen sprachen eine Sprache, die sie verstand. Wenn Körper zu Körper sprach, waren Worte überflüssig. Sie trat dicht an ihn heran, hob die Hand und ließ die Finger sanft über seinen mächtigen Brustkorb gleiten. Dann umkreiste sie seine männlich festen Brustwarzen, streifte sie mit den Fingernägeln und lächelte zufrieden, als die sensible kupferfarbene Haut sich zu prallen Perlen verhärtete.

Manitas fluchte leise, als sie die Lippen über einer Brustwarze schloss und sanft zubiss. Seine großen Hände packten ihre Schultern und schoben sie von ihm weg.

«Warte. Nicht so», sagte er. «Zieh dich aus. Ich will dich ansehen. Meine Augen verzehren sich nach einer Frau ohne Pockennarben, bei der die Rippen nicht durch die Haut drücken.»

Carlotta trat einen Schritt zurück und legte die Hände an das Mieder aus Barchent, das sie über einer weiten Bluse trug. Gierig sah Manitas zu, wie ihre Finger über die Verschnürung glitten. Sie legte das Mieder ab, dann die Bluse. Dann fuhr sie mit gespreizten Fingern über die Seiten ihres Korsetts und hielt die Hände unter ihre Brüste. Leise lachend hob sie sie an und drückte sie aneinander, als wolle sie sie ihm anbieten.

«Gefällt dir der Anblick?»

Manitas tat, als müsse er sich die Antwort erst überlegen, obgleich er den Blick starr auf ihren Ausschnitt geheftet hielt und auf die kirschroten Spitzen, die aufreizend aus der Verschnürung ihres Hemdes ragten.

«Zeig mir den Rest», forderte er sie mit belegter Stimme auf. «Dann bekommst du eine entsprechende Antwort.»

Es gefiel ihr, sich vor diesem mächtigen, aufregenden Mannsbild zu entkleiden. Carlotta spürte die sexuelle Anspannung tief in ihrem Innern, als sie ein Kleidungsstück nach dem anderen auf die rauen Bodendielen fallen ließ. Der Rock legte sich in Falten um ihre Waden, gefolgt von ihren Unterröcken. Bald hatte sie nur noch ihr Hemd an. Dann war sie nackt, abgesehen von den Wollstrümpfen, die mit bestickten Bändern über ihren Knien befestigt waren.

Sie streckte die Arme seitlich von sich und drehte sich langsam um. Das Sonnenlicht, das durch die aus gespaltenem Bambus gefertigten Läden fiel, warf ein staubig gelbes Licht auf ihre nackten Glieder. Sie wusste, dass ihre Haut vollkommen war, und war stolz auf ihre Schönheit.

Manitas gab ein tief aus seiner Kehle kommendes Geräusch von sich und streckte die Hände nach ihr aus. Er nahm sie in die Arme und drückte sie fest gegen seine nackte Brust. Sie erbebte vor Lust, als ihre Brüste gegen die harten Muskelstränge gepresst wurden und sein drahtiges Brusthaar über ihre Brustwarzen schrammte. Als seine großen Hände über ihren Rücken nach oben glitten, umfasste sie seine Taille mit den Händen und legte den Kopf in den Nacken, damit er sie küssen konnte.

Sein Mund stieß auf den ihren herab, und sie öffnete die Lippen für seine Zunge. Er schmeckte nach Wein und Tabak und nach etwas weniger Intensivem, was von ihm selbst ausging. Er beugte sich aus der Taille vor, legte die Hände unter ihre Knie und hob sie hoch.

Er küsste sie noch immer, als er sie zum Strohsack in der Ecke trug, der ihm als Bett diente. Die Hitze seiner Haut auf der ihren und die Intensität seines Kusses – er schien sie geradezu aufsaugen zu wollen – bewirkten, dass ihr vor Begierde fast schwindlig wurde. Dann ließ er kurz von ihrem Mund ab, legte sie aufs Bett und kniete neben ihr nieder.

Sie sah zu, wie er seine Kniehose öffnete. Ob die gewaltige Ausbuchtung im Leder wohl hielt, was sie versprach? Als sein Glied dann ins Freie schnellte, starrte sie es ehrfurchtsvoll, aber ohne jede Scham an. Manitas hatte den größten Phallus, der ihr je zu Gesicht gekommen war. Er ragte aus dem Nest lockigen schwarzen Haares an seiner Leiste und lag fast schon an seinem Bauch an, wo er über den Nabel hinausragte. Sein dicker, geäderter Schaft wurde von einer leuchtend roten Eichel gekrönt, die teilweise unter der Vorhaut steckte. Auch sein Hodensack war groß, aber fest und machte einen ausgesprochen potenten Eindruck.

Ihre Begierde steigerte sich ins Unermessliche, als ihr sein Geruch in die Nase stieg – der Geruch nach Salz, sauberem Schweiß und der eigentümliche, weniger ausgeprägte Duft seiner Lust. So viel Männlichkeit auf einmal war fast nicht auszuhalten. Das Wasser lief ihr buchstäblich im Mund zusammen. Wie fühlte es sich wohl an, wenn ein solches Ungetüm in sie eindrang?

«Heilige Mutter Gottes», flüsterte sie, «du bist wirklich in jeder Hinsicht ein großer Mann!»

Manitas lachte. «Viele Frauen fürchten sich, wenn sie meine Rute zum ersten Mal sehen, aber du scheinst mir nur scharf auf sie zu sein. Hast du denn gar keine Angst, dass ich dir Schmerzen zufügen könnte?»

Sie lächelte ihn an. «Diese Sorte Schmerz macht es nur noch schöner.»

Sie griff nach seinem Schaft und genoss das Gefühl der seidigen Haut und der Hitze, die von seinem prallen Fleisch ausging. Manitas sah ihr dabei zu und freute sich über ihre Begeisterung. Er ließ die Arme baumeln und schob ihr die Hüften entgegen, als sie seinen Penis zu ihrem Mund zog.

Aus der geschlitzten Mündung seines Gliedes kam ein einzelner Tropfen klarer Flüssigkeit. Carlotta sah es gern, wenn ein Mann so scharf auf sie war. Mit gespitztem Mund schob sie die Vorhaut von der Eichel zurück und fuhr mit der Zunge über das große purpurrote Ende. Köstlich. Sie sog mehr von ihm ein, saugte und reizte ihn mit rollenden Bewegungen ihrer Zunge. Tief aus Manitas' Kehle drang ein Stöhnen, als er sich ganz der Lust hingab.

Seine großen Hände legten sich um ihren Kopf, und seine Finger fuhren ihr durchs Haar. Sie nahm so viel von ihm in den Mund, wie sie nur konnte, doch alles schaffte sie nicht. Es spielte auch keine Rolle. Während sie ihn mit dem Mund verwöhnte, nahm sie den unteren Teil seines Schafts in die Hand und begann, ihn vor und zurück zu bewegen.

Nach einer Weile zog Manitas sich stöhnend zurück.

«Das reicht», sagte er leise.

«Was ist denn? Magst du das etwa nicht?»

Seine Finger glitten über ihre Wangen bis zu ihrem Kinn. «Ich mag es sogar sehr, meine willige Señora. Aber es gibt Dinge, die ich noch mehr mag.»

Kaum hatte er das gesagt, stieß er sie zurück und setzte sich rittlings auf sie, die mächtigen Schenkel zu beiden Seiten ihrer Hüften. Dann nahm er ihre Handgelenke in eine Hand und hielt ihr die Arme über den Kopf. Von seinem Gewicht auf den Strohsack gedrückt und hilflos gegen seine Kraft, wand sie sich unter ihm.

«Was machst du da?», fragte sie, weniger beunruhigt als stimuliert von der groben Behandlung.

Er grinste. «Ich mag es eben, wenn Frauen vor mir daliegen, unterwürfig und begierig nach meinen Liebkosungen.» Dann beugte er sich vor und fuhr ihr mit den Lippen über den Mund. «Ich nehme an, du bist viel zu verdorben und eigenwillig, aber jetzt habe ich dich so, wie *ich* es will.»

Bevor sie es verhindern konnte, biss Carlotta ihn. Manitas warf den Kopf zurück, und in seinen Augen blitzte Wut auf. Auf seiner Unterlippe stand ein einzelner, leuchtend roter Blutstropfen.

Carlotta reagierte mit einem kehligen Lachen und hob den Kopf, um die winzige Wunde mit zärtlichen Küssen zu bedecken. Während sie sein Blut auf der Zunge schmeckte, murmelte sie ihm zu:

«Jetzt ist dir hoffentlich klar, dass du nicht die ganze Schlacht gewonnen hast. Ich dulde dich vielleicht im Bett als meinen Herrn und Gebieter, aber wenn es um Geschäfte geht, sind wir gleichberechtigt.»

Manitas lachte. «Meinst du? Darüber wird noch zu reden sein. Du bist eine erstaunliche Frau. Ich frage mich, wie viele hübsche Knaben du schon deinem Willen unterworfen hast.»

«Mehr, als du zählen kannst», erwiderte sie, verstummte aber gleich wieder, als seine freie Hand ihre Brüste zu streicheln begann.

«Das bezweifle ich nicht», raunte Manitas, während seine

Finger ihre Brustwarzen so fest zwickten, bis sie laut aufschrie. «Aber hat auch nur einer von ihnen es gewagt, dich für die Wunden büßen zu lassen, die du ihm zugefügt hast, so wie ich es gleich tun werde?»

Sie schüttelte den Kopf und zuckte unter dem Ansturm seiner Finger zusammen. «Nein, niemals! Und auch du wirst es nicht wagen! Hör sofort auf damit … oh …»

Der Schmerz der Lust durchdrang ihren Körper, und sie spürte, wie ihr Gesicht heiß wurde, als er ihre Mimik beobachtete. Sie wurde doch tatsächlich rot; das war ihr schon seit vielen Jahren nicht mehr passiert. Dieser schöne Riese machte mit ihr, was er wollte, und es ihr gefiel ihr auch noch. Vielleicht hatte sie ja die ganze Zeit über nur auf einen Mann gewartet, der ihr ebenbürtig war: einen Mann, der sich über ihren starken Willen hinwegsetzte und die Kraft hatte, seine eigenen Wünsche durchzusetzen.

Sie stöhnte leise, als er ihre Brüste quetschte und dann begann, auf ihre Unterseite zu schlagen – nicht stark, sondern nur so, dass sie zu hüpfen begannen. Immer, wenn er sie nach jedem sachten Schlag fallen ließ, klatschten sie gegen ihren Brustkorb. Ihre Brustwarzen waren zu harten Kegeln geworden und pulsierten noch davon, dass er sie gezwickt hatte. Sie sehnte sich danach, dass er an ihnen lutschte, um den brennenden Schmerz zu lindern.

Aber sie bettelte nicht darum – noch nicht. Es war so köstlich demütigend, sich so von ihm behandeln zu lassen. Sie wusste, dass ihre Augen weit aufgerissen waren und glasig vor Leidenschaft. Die Falten ihrer Vulva waren prall und glitschig. Sie konnte es kaum erwarten, dass er ihr mit dem Knie die Beine auseinanderdrückte und in sie eindrang. Sie bog den Rücken durch und schob ihm einladend ihren Venushügel entgegen.

Ihre Lippen umspielte ein selbstsicheres Lächeln. Keiner

ihrer Liebhaber hatte ihr je widerstehen können, wenn sie ihm zu erkennen gab, dass sie bereit war, ihn eindringen zu lassen.

Doch Manitas konnte es, wie es schien. Sie ließ die Hüften kreisen und presste sich gegen ihn, doch er ignorierte all das und konzentrierte sich weiter auf ihre Brüste. Was war nur los mit ihm? Er konnte doch wohl ihre Signale lesen! Ihre schwarzen Brauen zuckten vor Enttäuschung.

«Du musst schon noch warten, meine Schöne, bevor ich dich erlösen kann», erklärte er grinsend. «Ich bin mehr auf meinen Spaß fixiert als auf deinen, und ich bin nicht irgendein hübscher Jüngling, der sich einfach so deinem Willen unterwirft.»

Carlotta war Widerspruch nicht gewohnt. Sie presste wütend den Mund zusammen. Was glaubte dieser Barbar eigentlich, wer er war?

«Lass mich los!», befahl sie. «Ich hab genug von deinen Spielchen. Ich bin doch keine Tavernenhure, die sich den Rock über den Kopf werfen lässt und sich über eine Tischplatte beugt!»

«Was für ein betörender Anblick!»

Bevor sie wusste, wie ihr geschah, zog er sie in den Stand und drehte sie so spielend leicht um, als wäre sie ein Kind. Dann zog er sie an den Rand des Strohsacks und positionierte sie so, dass sie auf die hölzernen Dielen hinabschaute und ihr Hintern zu ihm aufragte. Er hielt weiter ihre Handgelenke fest, während er das Gewicht verlagerte und sich neben sie legte, ein schweres Bein auf die Rückseite ihrer Schenkel gepresst, um sie nach unten zu drücken.

«Wahrlich ein einladender Anblick», bestätigte er und streichelte ihren Hintern mit einer schwieligen Handfläche.

Carlotta versuchte, sich loszureißen, doch es war nur ein halbherziges Bemühen. Ein Teil von ihr war wütend auf ihn, ein anderer, ihr selbst bislang unbekannter Teil aber erwachte und entfaltete sich wie eine Blüte. Im tiefsten Innern genoss sie seine Grobheit und die Art und Weise, wie er sie beherrschte.

Sie entspannte sich auf dem Strohsack und erwartete, dass er jeden Augenblick ihre Beine spreizen und die feuchte Furche zwischen ihren Hinterbacken erkunden würde.

Ihre Scheide fühlte sich so angeschwollen an, dass sie schon schmerzte, und sie war so erregt wie nie zuvor. Er bringt meinen Körper dazu, dass er weint vor Lust, dachte sie und wurde von einem derartigen Ansturm sinnlicher Begierde überrollt, dass sie sich auf die Lippen biss, um nicht laut aufzuschreien. Sie konnte nur noch an sein riesiges Glied denken und daran, wie es sich wohl anfühlen würde, wenn sich dieser gewaltige Knüppel zum ersten Mal in sie schob.

Als seine Hand auf ihre nackten Hinterbacken schlug, schrie sie schockiert auf. Niemand hatte je gewagt, sie zu schlagen, und diese Demütigung trieb ihr Tränen in die Augen. Sie versuchte, sich seiner gnadenlosen, von harter Arbeit gezeichneten Hand zu entwinden. Er ließ sich derweil Zeit und schlug erst auf die eine Backe und dann auf die andere, bis sich ihr ganzes Hinterteil anfühlte, als stünde es in Flammen.

«Hör auf! Hör endlich auf!», weinte sie. «Dafür bringe ich dich um! Ich schwöre bei unserer Heiligen Jungfrau, dass ich dich erdolche!»

«Welch süße Worte der Liebe», lachte Manitas und rieb mit seiner freien Hand in sanften, kreisenden Bewegungen über ihr missbrauchtes Fleisch.

Mit ungläubigem Staunen merkte Carlotta, wie ihr Schmerz verschwand und einem prickelnden Gefühl der Wärme Platz machte, das sich nach außen und nach unten ausbreitete, um sich schließlich in der pulsierenden Nässe zwischen ihren Schenkeln zu sammeln. Und nun, endlich, drückte Manitas ihre Schenkel weit auseinander, um ihre Vulva freizulegen und zu öffnen. Sie spürte, wie ihre nassen Falten sich teilten und ihre hungrige Öffnung aufging.

Er positionierte sich zwischen ihren Beinen, beugte sich vor und stützte sein Gewicht ab. Sein harter Schwanz drückte gegen sie, doch er stieß ihn nicht hinein, sondern begnügte sich damit, ihn an ihrer Scheide zu reiben.

Sie zuckte zusammen, als ihr schmerzendes Fleisch auf seinen muskulösen Bauch traf. Sein Atem ging schneller, während er seinen Schaft über dem feuchten Schlitz auf und ab rieb. Mit dem Spalt ihrer Hinterbacken umfing sie seine pralle Männlichkeit. Mit jedem Stoß fühlte sie, wie sein Schaft über ihren Anus rieb und seine große Eichel gegen ihre Scheide drückte.

Sie holte tief Luft, fast schwindlig vor Begierde. Warum verweigerte er ihr den höchsten Genuss der Penetration? Ihre weibliche Öffnung blieb unbeachtet, verwaist. Sie empfand es beinahe als beschämend, ihn so sehr zu begehren. Das Bedürfnis, endlich zu spüren, wie er in sie hineinstieß, wuchs ins Unermessliche. Sie fürchtete schon, dass allein die Spannung, ihren ganzen Körper für ihn offen zu halten und unter ihm zu warten, sie zum Höhepunkt führen könnte.

«Und jetzt sag mir, was du willst», flüsterte er mit rauer Stimme. «Wenn du meinen Schwanz in dir haben möchtest, musst du mich schon darum bitten.»

Sie lief hochrot an. Es war unmöglich. Er brachte sie dazu, Dinge zu tun, wie kein anderer Mann es je getan hatte. Und jetzt wollte er auch noch, dass sie bettelte, aber ihr Stolz gönnte ihm diesen letzten Sieg nicht. Sie schüttelte den Kopf und biss sich auf die Unterlippe.

«Den Teufel werde ich tun», zischte sie, Tränen in den Augen.

«Dann eben nicht, Señora», erwiderte er freundlich. «Aber du *wirst* mich noch bitten, dich zu befriedigen, das schwöre ich dir. Und solange du das nicht tust, musst du dich eben hiermit zufriedengeben.»

Er schob seine freie Hand zwischen ihre Schenkel und begann, in einem raffinierten Rhythmus über die schlüpfrigen Falten ihrer Scheide zu reiben. Ihre hochaufgerichtete kleine Knospe pulsierte wie wahnsinnig, und sie konnte nichts dagegen ausrichten, dass sich ihre Lust dem Höhepunkt näherte.

«Nein. Halt ein. So will ich es nicht …», stöhnte sie, fast sprachlos geworden, als er sie gekonnt auf die Klimax hinführte.

Sie musste ihn nur bitten, in sie einzudringen, und er würde es tun, doch die Worte wollten ihr einfach nicht über die Lippen. Ihre Hüften hatten ein Eigenleben angenommen, und unbewusst stimulierte sie Manitas damit. Stöhnend hielt er ihre Hinterbacken fester zusammen und übte mit den Knien Druck auf ihre Hüften aus, während er die straffe, unwillige Falte bearbeitete. Noch immer verschmähte er ihre natürliche Öffnung.

Hätte er nicht ihre Handgelenke festgehalten, hätte sie sich die Hand zwischen die Schenkel gesteckt und ihre eigenen Finger in sich eindringen lassen. Doch auch das verweigerte er ihr. Seine kundigen Finger drückten und rieben und glätteten ihre intimsten Stellen. Sie spürte, wie seine pralle Eichel ein weiteres Mal über die ganze Länge ihres äußeren Spalts strich, bevor Manitas laut aufstöhnte und sein Samen auf ihre untere Rückenpartie spritzte.

Sie schloss die Augen und kam zum Orgasmus, obgleich sie bis zuletzt dagegen angekämpft hatte.

Ihr Stöhnen klang furchtbar laut in ihren Ohren. Sie schämte sich für den Lärm, den sie machte, konnte aber nichts dagegen tun. Die Erlösung war so intensiv, so schwer verdient. Seine Finger drückten noch immer gegen ihre pralle Vagina, als wollten sie jedes Beben ihrer Lust in sich aufnehmen. Er zog sie erst zurück, als ihr Höhepunkt vollständig abgeklungen war. Carlotta hatte nicht die Kraft, ihn wegzustoßen, und war froh, als er sich zur Seite rollte.

Obwohl nun frei von seinem Gewicht und seinem festen Griff, regte sie sich nicht. Es dauerte einige Zeit, bis beide sich erholt hatten. Manitas stand als Erster auf. Sie blieb mit dem Gesicht nach unten liegen und lauschte den Geräuschen, die er machte, als er im Raum umherging. Für einen so großen Mann bewegte er sich erstaunlich leise.

Er ging nicht, sondern schlich eher – vermutlich eine Folge seines Lebens auf Hispaniola. Er bewegte sich wie ein Jäger. Sie stellte sich vor, wie unheimlich es sein musste, wenn er plötzlich lautlos vor einem auftauchte. Manitas war jemand, den man nicht zum Feind haben möchte.

Kurz darauf war er zurück. Er ließ sich neben ihr auf den Strohsack sinken und stellte zwei irdene Becher auf den Fußboden. Als er für sie beide Wein eingoss, sagte er mit kühler Stimme:

«Wollen wir jetzt das Geschäftliche besprechen, meine schöne Señora?»

Kapitel sechs

Der Knall der Peitsche hallte laut durch die Stille der Kapelle.

Felipe kniete auf dem Steinboden vor dem Altar. Er war nackt und leicht nach vorn gebeugt. Weihrauchduft lag in der Luft und hing in dünnen Schwaden bläulichen Rauchs über dem Altar. Zwei dicke Wachskerzen tauchten den kleinen Raum in ein flackerndes Licht und warfen seinen Schatten an die Wand. Er hob die Augen zu dem Porträt, das an der Wand über der hölzernen Statue der Heiligen Jungfrau hing.

Carlotta, so schön, so unerreichbar. Wo mochte sie jetzt sein? Hätte er es nicht verhindert, würde sie noch immer auf ihrem Gut leben, in einem kleinen Häuschen ganz in der Nähe des Hauptgebäudes, und er hätte die Möglichkeit, um sie zu werben.

Während die Peitsche seine Haut mit ihren grausamen Küssen bedeckte, hielt er den Blick auf ihr Porträt geheftet. Er labte seine brennenden Augen am perlmutternen Weiß ihrer Haut, ihrem rabenschwarzen Haar, dem angedeuteten Lächeln auf ihrem Mund. Ihren Mund liebte – und hasste – er am meisten. Er erinnerte ihn an jene andere Öffnung. Der flüchtige Blick darauf unter den glänzenden Locken ihres

Schamhaars hatte sich in sein Gehirn eingebrannt. Feuchte rote Falten, duftend und einladend.

Er musste wieder daran denken, wie sie sich in ihrem Schlafzimmer ihrer Kleider entledigt hatte, wie sie ihn mit ihrer Schönheit verspottet und ihn dadurch bestraft hatte, dass sie ihm zeigte, was ihm für immer verwehrt bleiben sollte. Bei Gott, wie weiß und schlank sie war. Nur der Teufel konnte sich eine so schöne Verkleidung für so viel Verderbtheit ausdenken.

Sie war Lilith, die Hure von Babel, Isebel. Die Verkörperung der Erbsünde.

Und er, der arme Narr, war noch immer ihr Sklave. Selbst in ihrer Abwesenheit war er nicht von ihr losgekommen. Sie verfolgte ihn in seinen wachen Stunden wie in seinen Träumen. Erst letzte Nacht war er wieder schweißgebadet aufgewacht, überzeugt davon, ihre Stimme gehört zu haben. Sein Herz pochte, und seine Arme griffen nach ihr, als er die Augen öffnete, doch der Raum war leer. Nur die Nachtluft, die durch den Schornstein hereinzog und eine erste Vorahnung winterlicher Kälte mitbrachte, bewegte die Vorhänge seines Bettes.

Sie war nun schon seit Monaten weg, und doch ging sie ihm nicht aus dem Sinn, wo immer er sich auch befand und was immer er auch tat. Morgen für Morgen erwachte er mit einer gewaltigen Erektion, und Morgen für Morgen musste er sich selbst Befriedigung verschaffen, bevor er sich auf seine Geschäfte konzentrieren konnte.

Er hatte abgenommen, unter seinen Augen lagen dunkle Schatten, und seine Wangenknochen traten deutlicher hervor. Er wusste, dass er so nicht weitermachen konnte. Er war zu einem armseligen, vollständig in sich selbst versunkenen Sünder geworden, der in seiner Suche nach Erlösung zu immer verzweifelteren Maßnahmen griff.

Das Einzige, was ihm eine gewisse Erleichterung verschaffte, war, sich selbst zu bestrafen und das Böse gleichsam aus seinem Körper zu prügeln.

Das Zischen der Peitsche riss ihn in die Gegenwart zurück. Aus seinen Lippen wich jede Farbe, als ihn der nächste Hieb auf den Rücken traf und zwischen all den alten Narben einen frischen Striemen schlug.

Der Schlag schmerzte, aber nicht genug. Nicht annähernd genug, um ihr Bild auszutreiben. Was er auch tat, wie ausdauernd er auch fastete, sich geißelte oder betete – Carlotta ging ihm einfach nicht aus dem Sinn. Der Schmerz war das Einzige, was auf seine Sinne noch wirkte.

«Fester, verflucht! Fester!», stöhnte er.

Die Hure unterdrückte ein Gähnen und holte zu einem weiteren Schlag aus. Das Knallen der Peitsche durchschnitt die Luft, unbarmherzig sauste das Leder auf seinen Rücken nieder. Felipe zuckte zusammen; sein ganzer Körper wartete angespannt auf den Moment, in dem der Schmerz nachlassen und der Erregung Platz machen würde.

«Aah», stöhnte er, als sich die Peitschenschnur um seinen Arm wickelte und ihr Ende sich in eine seiner Brustwarzen brannte.

Es war fast so weit. Sein ganzer Körper war zu einer pulsierenden Masse von Schmerzen geworden. Nun würde er die selbstauferlegte Buße tun. Die Bestrafung war gründlich gewesen. Feuer mit Feuer bekämpfen – nur so ging es. Bald würde er von ihr frei sein, davon war er überzeugt.

«Genug», befahl er der Hure. «Leg die Peitsche hin. Du weißt, was du zu tun hast.»

«Wie immer?», fragte sie gelangweilt, als könnte sie es kaum erwarten, endlich ihren Lohn zu kassieren und zu gehen.

Sie schlenderte zum Altar hinüber, hob ihre Röcke und

setzte sich auf das Tuch aus feinem weißem Leinen. Felipe stand auf und trat auf sie zu, während sein erigiertes Glied vor ihm auf und ab wippte. Sie warf ihm einen kecken Blick zu, und ihre Augen funkelten im Kerzenlicht.

«Warum lasst Ihr mich nicht machen, Señor? Ihr seht aus, als bräuchtet Ihr das dringend. Es wäre mir eine Freude, einem so gut aussehenden Mann wie Euch zu Diensten zu sein. Es kostet auch nichts extra.»

Er sah sie mit finsterem Blick an. «Kümmere dich um deine eigenen Angelegenheiten und richte den Blick auf das heilige Kreuz. Du bist hier, um Gottes Werk zu verrichten, du Hure, und nicht, um deinem dreckigen Handwerk nachzugehen.»

Sie war jung und alles andere als hässlich. Über ihrem rundlichen, fröhlichen Gesicht thronte ein Wust krausen blonden Haares, und ihre nackten Arme sowie ihre Brust waren weiß und fest, wenn auch nicht übermäßig sauber.

«Wird's bald?», sagte er.

Sie verdrehte die Augen, seufzte ergeben und legte sich mit zur Seite ausgestreckten Armen auf den Altar.

«Ich bin bereit», erklärte sie ausdruckslos und begann, die Gebete herunterzuleiern, wie er es ihr aufgetragen hatte.

Mit zittrigen Fingern hob Felipe ihre Röcke und Unterröcke hoch und rollte sie zu einem Bündel um ihre Taille. Er hielt den Blick von ihrem runden Bauch und ihren Schenkeln abgewandt, bis er einen Schritt zurückgetreten war.

Die Hure hatte die Anweisung, ihn nicht anzusehen, sondern den Rosenkranz zu beten, was auch immer er mit ihr machte, und sie schien sich in das Spiel zu fügen. Obwohl ihre Stimme desinteressiert und ohne jeden Ausdruck blieb, erreichte die Schönheit der lateinischen Sätze immer noch sein Bewusstsein.

Der Drang, die Finger um seinen prallen Schaft zu legen, war beinahe überwältigend, doch er widerstand ihm. Er wollte nichts tun, um seinen Höhepunkt zu beschleunigen. Falls ihm Erlösung zuteil werden sollte, dann nur durch die Gnade Gottes. Er hob die Augen und schaute der Hure zwischen die Schenkel auf jenen Ort, den Quell all seines Begehrens.

Auf ihrem Venushügel prangte ein Büschel dicker brauner Haare. Sie hatte die Beine ein wenig gespreizt und bot ihm ihre pflaumenförmige Vulva dar. Die fleischigen Schamlippen waren ein Stück weit geöffnet, sodass er die sündigen rötlichen Falten in ihrem Innern sehen konnte.

Er stöhnte laut auf, fiel auf die Knie und vergrub das Gesicht in ihrem Schoß. Sie roch nach Schweiß, Moschus und billigem Parfüm. Wunderbar. Er packte ihre dicken weißen Schenkel und bohrte ihr dabei die Finger ins Fleisch, als er sie auseinanderschob. Und dort war es, unmittelbar vor seinen Augen. Wie unzüchtig, wie peinigend!

Er drückte das Gesicht in den warmen Brunnen ihrer Weiblichkeit, bis Lippen und Nase vollständig von ihr bedeckt waren. Im Geruch und in der Beschaffenheit ihrer Vagina lag etwas Besänftigendes, Tröstliches. Doch er kämpfte gegen dieses Gefühl an. Das war eine diabolische Falle. Dieser Ort war ganz und gar sündhaft. Der Teufel selbst flößte ihm diese anderen Gedanken ein.

Zitternd schmeckte er sie und gab dabei leise, animalische Geräusche von sich. Er stieß mit der Zunge vor und spürte die köstliche Fügsamkeit ihrer Falten und der Öffnung zu ihrem Innersten. Wie raffiniert sie doch war, diese Schöpfung des Satans. Das irgendwie nach Regen schmeckende Fleisch unter seiner Zunge war glitschig und köstlich. Seine Männlichkeit bebte, und er spürte, wie seine innere Spannung sich dem Höhepunkt näherte.

Der Rhythmus ihrer eintönig heruntergeleierten Gebete nahm ihn gefangen. Er packte ihre Schenkel fester, rieb sein Gesicht über ihren Schoß und schmierte sich ihre salzige Nässe über Wangen, Kinn und Lippen. Ihr muffig heißes, lockiges Schamhaar scheuerte gegen seine Nase, und er bog den Rücken durch, während seine Hüften in einer Imitation des Geschlechtsakts vor und zurück gingen und sich schließlich sein Samen neben den Altar ergoss.

O Gott, erlöse mich von der Sünde, betete er innerlich, als die Krämpfe der Lust nachließen und sein Körper sich beruhigte. Mache mich wieder rein und ganz. Die Stimme der Hure verstummte, und er fühlte, wie sie auf ihn wartete. Sie gab ein ersticktes Geräusch von sich, das ihn erröten ließ. Wagte sie etwa, über ihn zu lachen?

Obgleich eine gewaltige Welle der Scham über ihn schwappte, fühlte er sich nun besser. Wenigstens für eine Weile war er erlöst. Nun würden einige Stunden vergehen, bis ihn erneut wollüstige Gedanken plagten. Und wenn er genug trank, bis er ins Bett ging, konnte er vielleicht sogar schlafen, ohne zu träumen.

Als er aufstand, rann ihm ein Tropfen seines Saftes über den Oberschenkel. Er fühlte sich kalt an, und er wischte ihn weg. Angewidert schlug er der Hure auf den Schenkel, damit sie aufstand.

«Dein Geld liegt auf der Bank in meiner Schlafkammer. Nimm es und verschwinde.»

Als sie lächelte, wurde eine Lücke zwischen ihren Schneidezähnen sichtbar.

«Selbstverständlich, Señor», erwiderte sie gleichmütig. «Ich komme dann in einer Woche um die gleiche Zeit wieder?»

Felipe stieß einen tiefen, bebenden Seufzer aus und wandte sich mit gekrümmtem Rücken ab. Dann sagte er so leise, dass sie ihn kaum verstehen konnte: «Ja. Gott stehe mir bei. Komm wieder. Aber jetzt geh endlich.»

Carlotta stützte die Ellbogen auf den Tisch und blickte zu Manitas hinüber, der mit großem Appetit ein Schmorgericht aus würzigem Schweinefleisch und Bananen verspeiste.

Er aß mit einer solchen Hingabe, dass sie sich fragte, ob er wohl alles, was er tat, derart konzentriert und entschlossen anging. Der Gedanke ließ sie erröten; in jedem Fall war er ein leidenschaftlicher Liebhaber.

Auch sie löffelte den Eintopf. Er war mit reichlich schwarzem Pfeffer und Chilischoten gewürzt und so schmackhaft, dass sie auch den letzten Rest mit einem Stück Brot aus der Schüssel wischte, bevor sie sich zufrieden zurücklehnte.

Als Manitas aufblickte, starrte sie ihn an. Er grinste und schob den irdenen Topf über den Tisch.

«Du isst ja wie ein Spatz. Nimm dir doch noch was. Haben dich unsere gemeinsamen Anstrengungen nicht auch hungrig gemacht? Ich für meinen Teil habe einen Appetit wie ein Wolf.»

Als sich ihre Blicke trafen, ließ die Art und Weise, wie er sie ansah, Carlottas Begierde erneut aufflammen. In seinen blauen Augen erkannte sie nicht nur eine gewisse Selbstzufriedenheit, sondern auch einen Funken von Lust und Anerkennung. Sie hätte ihn am liebsten gleich wieder gehabt, verbarg dies aber hinter einer unbewegten Miene. Er war sich seiner Anziehungskraft allzu gewiss. Zweifellos bekamen unzählige Frauen schon beim bloßen Anblick von Manitas le Vasseur weiche Knie.

Sie aber hatte nicht die Absicht, sich in seine Eroberungen einzureihen. Und je früher ihm das klar wurde, desto besser, dachte sie, auch wenn sie das Bild seines mächtigen nackten Körpers nicht aus ihren Gedanken zu verbannen vermochte.

Sie brannte noch immer darauf, ihn in sich zu spüren und die Freuden zu genießen, die sein gewaltiger Schwanz gewiss zu bereiten in der Lage war – ein Vergnügen, das Manitas ihr bislang zu ihrem größten Bedauern verweigert hatte.

«Du hast einen französischen Nachnamen», sagte sie, um das unangenehme Schweigen zu durchbrechen, «aber einen spanischen Vornamen. Wie erklärt sich das?»

«Meine Mutter war Französin, mein Vater entstammte dem niedrigen spanischen Landadel. Sie erfuhr nie seinen Namen. Er verließ meine Mutter und ging auf der Suche nach Reichtum in die Neue Welt. Meine Mutter hat mir deshalb ihren Namen gegeben.»

Obgleich seine Stimme unterkühlt und leidenschaftslos klang, hatte sie das Gefühl, dass er auf den spanischen Glücksritter, der ihn gezeugt hatte, noch immer schlecht zu sprechen war. Sie aber sagte nichts dazu und schenkte sich stattdessen ein Glas Wein ein. Als sie beim Griff nach dem Wein die Sitzposition veränderte, löste der Schmerz, der von ihren misshandelten Hinterbacken ausstrahlte, einen erotischen Schauder aus, der ihr bis in den Schoß fuhr.

Manitas betrachtete sie aufmerksam. Seine verdammten Augen. Sie sah ihnen an, dass er ganz genau wusste, was sie gerade dachte. Ein Winkel seines festen Mundes ging leicht nach oben, und die feinen Linien um seine blauen Augen legten sich ein wenig in Falten.

Sie entspannte sich und lächelte plötzlich. Es war schlicht unmöglich, diesen Riesen von einem Mann nicht zu mögen. Aber das spielte für ihr Vorhaben keine Rolle. Sie war fest entschlossen, sich nicht von purer sinnlicher Begierde von ihrem Weg abbringen zu lassen. Das war ihr noch nie passiert, und das kam auch jetzt nicht in Frage. Nicht einmal bei einem so charismatischen und potenten Mann wie Manitas.

«Hast du schon über meinen Vorschlag nachgedacht?», fragte sie ihn schließlich.

Er nickte bedächtig. «Ich bin noch dabei. Mit vollem Magen kann ich besser denken.» Er strich sich übers Kinn und aß weiter.

Sie war verärgert. Sie hatte ihm genügend Geld für alles angeboten, was für eine lange Seefahrt erforderlich war. Er musste lediglich ein Schiff auftreiben. Und das war doch genau das, wonach er sich sehnte. Warum zögerte er noch?

«Jeder halbwegs vernünftige Mann müsste doch erkennen, welchen Gewinn er daraus ziehen könnte», erklärte sie schroff.

«Gewiss», gab er achselzuckend zurück.

«Und warum stürzt du dich dann nicht gierig auf mein Angebot? Vielleicht glaubst du ja nicht, dass ich über das Geld verfüge?»

Sie sah tatsächlich nicht danach aus, als besäße sie ein großes Vermögen. Ihre zweckmäßigen Kleider waren aus grobem Tuch, ihr dichtes schwarzes Haar zwar sauber und glänzend, aber nicht frisiert, sondern lediglich nach hinten gestrichen und im Nacken von einem Band zusammengehalten. Sie lächelte innerlich. Wie sie sich doch innerhalb weniger Wochen verändert hatte! Ihre schönen Kleider aus gemustertem Samt und Brokat, feine Unterwäsche aus Seide und Spitze, kunstvoll hochgesteckte Frisuren sowie ihr edelsteinbesetzter Goldschmuck – all das kam ihr jetzt wie ein ferner Traum vor.

Manitas hörte endlich auf zu essen und schenkte ihr seine ganze Aufmerksamkeit. Er legte seine Finger gegeneinander und beugte sich zu ihr vor.

«Bislang fehlt mir jeder Beweis dafür, dass du über die nötigen Mittel verfügst. Zugegeben, du hast kühne Pläne und eine Zunge, die scharf genug wäre für zehn Frauen, aber die einzigen Edelsteine, die du in die Waagschale werfen kannst, sind die beiden Rubine auf deinen Brüsten. Und die sind zwar wahre Prachtexemplare, aber sie ernähren nicht die Mannschaft eines ganzen Schiffes.»

Sie blickte ihn aus zusammengekniffenen Augen an.

«Glaubst du etwa immer noch, dass ich versuche, deine Hilfe dadurch zu erkaufen, dass ich dich in mein Bett lasse? Wäre ich ein Mann, würdest du mir vertrauen!»

Er grinste. «Wenn du ein Mann wärst, hätte ich dich längst weggeschickt. Und zwar mit einem Faustschlag ans Kinn zur Strafe für derart lächerliche Geschichten. Komm schon, gib's endlich zu: Du hast das Geld gar nicht.»

Sie war schon in Versuchung, ein einzelnes Goldstück auf den Tisch zu legen, doch ihr Schatz war zu wertvoll, um das Risiko einzugehen, auch nur dieses eine zu verlieren. Er würde ihr wohl oder übel vertrauen müssen.

«Vielleicht sollte ich mir ja einen anderen suchen, der mir helfen kann», erklärte sie kalt. «Auf Hispaniola muss es doch mehr als genug Männer geben, die nur darauf warten, ihr Glück zu machen.»

Sie stand auf, als wolle sie gehen, und war sich ganz sicher, dass Manitas sie mit aller Macht davon abhalten würde. Jeder andere Mann hätte sie angefleht zu bleiben, aber nicht er.

«Wie du willst», erwiderte er ruhig. «Du hast die Wahl. Aber das wäre ein Fehler, wie du ganz genau weißt.»

Carlotta presste die Lippen zusammen und schluckte die wütenden Worte hinunter, die ihr schon auf der Zunge lagen. Er hatte recht. Sie wollte ihn und keinen anderen. Es würde ihr zwar nicht leichtfallen zu akzeptieren, dass sie diesem Mann nicht ihren Willen aufzwingen konnte, doch diese Lektion musste sie eben lernen – und zwar schnell.

Sie setzte sich wieder hin und nahm ihre ganze Würde zusammen. Manitas nahm eine Orange aus der Schale auf dem Tisch und bot sie ihr an. Sie musste sich zwingen, ihm die Frucht nicht aus der Hand zu reißen. Langsam schloss sie die Hand um die Frucht und griff nach dem Messer, das sie an ihren Oberschenkel geschnallt hatte.

Sie merkte, wie er alle ihre Bewegungen verfolgte, als sie die Schale einschnitt. Der süßlich scharfe Zitrusduft durchströmte den Raum.

«Mit derart weichen weißen Händen solltest du Altartücher besticken», sagte er und setzte ein wölfisches Grinsen auf, als sie ihm finstere Blicke zuwarf.

«Ich halte lieber einen Säbel in der Hand als eine Nadel!», erklärte sie wütend. «Glaubst du vielleicht, ich hätte nicht genügend Courage für das, was ich mir vorgenommen habe?»

«Das war doch nur ein Scherz. Guck nicht so grimmig. Aber ist dir eigentlich klar, was du von mir erwartest? Das ist nichts weniger als Piraterie!»

«Ich weiß», erwiderte sie steif. «Aber das schockiert dich doch wohl nicht? Du raubst doch bereits seit Monaten vorbeifahrende Schiffe aus! Du bist schon jetzt ein Dieb. Komm schon, beleidige nicht meine Intelligenz. Ich sehe dir doch an, dass du genau das willst, was ich dir anbiete.»

«Stimmt schon. Ich will ein eigenes Schiff mehr als alles andere, aber ich lasse mich nicht von einer Frau versklaven, und schon gar nicht, ohne mehr zu wissen. Es gibt vieles, was du mir verschweigst. Warum möchtest du ein solches Leben führen? Eine Frau mit deinem Aussehen könnte eine gute Partie machen, könnte Ländereien, Diener und Kinder haben.»

Ihr Verlust drang ihr wieder schmerzhaft ins Bewusstsein. Einen Augenblick lang stieg die Verbitterung in ihr hoch.

«Ich habe meine Gründe», erklärte sie mit einem leichten Beben in der Stimme. «Genügt es nicht, dass ich genug Geld besitze und den Willen, es einzusetzen?»

Er schüttelte den Kopf. «Manchen Männern würde das vielleicht genügen, aber nicht mir. Jedenfalls nicht, wenn wir Partner werden sollen. Ich will die Wahrheit wissen. Mein Gott, hast du eine Wut im Bauch! Erzähl schon – wer hat dir unrecht getan?» Seine Stimme wurde sanfter. «Wunden entzünden sich, wenn man sie nicht mit einem heißen Eisen ausbrennt. Lass die Dämonen heraus, die dich quälen, Carlotta. Erzähle mir alles, dann hast du es hinter dir.»

Sie starrte ihn noch eine Weile an, verblüfft über seinen Scharfsinn. Sie schämte sich, dass sie vorgehabt hatte, ihn für ihre Zwecke zu benutzen und sich dabei seine vermeintliche Habgier und seinen zweifelhaften Charakter zum Vorteil zu machen. Er hatte geraubt und vermutlich auch getötet, und das Leben hatte ihn zu einem Menschen mit Ecken und Kanten geformt. Auf seine Weise aber war er ein durch und durch sensibler und ehrenwerter Mann.

Dann erzählte sie ihm alles, ohne auch nur die geringste Kleinigkeit zu verschweigen, so demütigend sie auch sein mochte. Sie konnte es kaum ertragen, ihn anzusehen, als sie berichtete, wie sie ihres Besitzes beraubt worden war. Manitas' Augen funkelten vor Wut, als sie über Don Felipe sprach und erklärte, wie sie mit Díaz' Hilfe erfahren hatte, dass Felipe Beamte bei Hofe bestochen hatte. Lediglich die Szene in ihrem Schlafzimmer ließ sie aus. Sie brachte es einfach nicht über sich, diese Augenblicke noch einmal durchleben zu müssen. Der bloße Gedanke an Don Felipes vor Geilheit verzerrtes Gesicht in dem Augenblick, als er seinen Samen in seine Kniehosen verspritzte, widerte sie derart an, dass er ihr einen Schauder über den Rücken jagte.

Zum Schluss erklärte sie Manitas, wie sie alles verloren hätte, wenn Díaz ihr nicht geholfen hätte, ihren Schmuck zu verkaufen. «Du siehst also, ich habe genügend Mittel. Das Geld ist an einem sicheren Ort.»

Als sie geendet hatte, schwieg Manitas eine Zeit lang, als müsse er das alles erst einmal verdauen. Er strich sich übers Kinn, und sie erwartete schon einen Kommentar zu ihren geänderten Lebensumständen oder weitere Fragen, doch stattdessen entgegnete er nur kurz: «Mit Männern wie Don Felipe habe auch ich meine Erfahrungen.»

In seiner Stimme lag eine derartige Verbitterung, dass sie ihn mit gesteigertem Interesse musterte. Sie erwartete, dass er näher auf das Thema einging, erkannte dann aber an seiner verschlossenen Miene, dass er vorerst nichts weiter preisgeben wollte. Sie hatte sich also nicht geirrt, als sie vermutet hatte, dass auch er bereits die Erfahrung eines schweren Verlusts hatte machen müssen.

Manitas fuhr sich mit den Fingern durchs Haar, und der Hass wich aus seinem Gesicht.

«Also gut», erklärte er in einem ruhigeren Tonfall. «Jetzt verstehe ich. Du willst dich an Felipe und seinesgleichen rächen und hast dazu guten Grund. Aber wie willst du ihn persönlich treffen, indem du spanische Schiffe überfällst und ihre Schätze raubst?»

Carlotta erkannte, dass sie ihm jetzt nichts mehr vorenthalten konnte. Ihr blieb nichts weiter übrig, als sich auf seine Integrität zu verlassen. In der Hoffnung, dass er ihr Vertrauen nicht missbrauchen würde, erzählte sie ihm von den Dokumenten, die sie Alberto gestohlen hatte.

«Die Seekarten zeigen die Routen der Handelsschiffe von Felipe und seinen Teilhabern. Ich habe auch eine Aufstellung der verschifften Waren und der Lieferanten. Felipe investiert in Gewürze, Stoffe und Schätze der Neuen Welt, und ich weiß genau, wo seine Schiffe beladen werden und zu welchem Zielhafen sie unterwegs sind.»

Manitas grinste breit. «Mein Gott, ist das wahr? Du bist doch immer für eine Überraschung gut. Ich frage besser nicht, wie du an diese Informationen gekommen bist; ich glaube, das möchte ich lieber nicht wissen. Mit diesem Wissen können wir deinen verdammten Don in den Ruin treiben und dabei ganz nebenbei auch noch reich werden. Kann es eine süßere Rache geben?»

«Du akzeptierst also mein Angebot?», fragte sie, immer noch etwas unsicher. Immerhin hatte er erstmals «wir» gesagt, und sein braungebranntes Gesicht war rot vor Erregung; trotzdem versuchte sie, Haltung zu wahren und nicht in ausgelassenes Gelächter auszubrechen.

«Grundsätzlich ja. Vorausgesetzt, das Schiff gehört mir ganz allein, und ich habe auf ihm das Sagen. Auch wenn wir Partner sein mögen, nehme ich auf keinen Fall Befehle von einer Frau entgegen.»

Da sie keinen Wert darauf legte, sich mit ihm über Einzelheiten zu streiten, willigte sie ein. Er hatte ihr Angebot erst einmal angenommen, und nur das zählte. Sie würde später noch genügend Zeit haben, sich durchzusetzen.

«Das Kommando über das Schiff kannst du gerne übernehmen», erklärte sie. «Ich brauche es nur so lange, bis ich meine Feinde zur Strecke gebracht habe. Wenn du mir dabei behilflich bist, kannst du alles haben, was du willst.»

Er warf den Kopf in den Nacken und lachte. Der Anblick seines kräftigen gebräunten Halses und der glatten goldenen Haut unter seinem weiten Hemd ließ ihre Begierde erwachen. Sie konnte es kaum erwarten, ihn wieder zu berühren. Ihr Gesichtsausdruck entging Manitas nicht.

«Komm her», sagte er mit heiserer Stimme.

Sie ging auf ihn zu, und er zog sie auf seinen Schoß. Die Wärme seiner großen Hände drang durch das lockere Gewebe ihrer Ärmel. Er roch nach Leder, sauberem Haar und kerngesunder Männlichkeit. Er umfasste ihre Taille, zog sie an seine breite Brust und vergrub den Mund in ihrem Haar.

«Und wirst du auch für mich den Haushalt führen hier auf Hispaniola, während ich deinem Don Felipe zusetze?», neckte er sie.

Carlotta lachte und spürte, wie er auf ihr ansteckendes Gelächter reagierte. Sie fühlte sich wie im siebten Himmel.

«Kommt gar nicht in Frage, mein Herr! Ich bin doch kein eingeborenes Mädchen, das dir den Herd putzt und das Bett wärmt. Ich war noch nie eine jener Frauen, die immer nur herumsitzen und darauf warten, dass ihr Mann nach Hause kommt. Ich bin gesund und kräftig. Ich kann arbeiten und fechte besser als die meisten Männer. Ich komme natürlich mit. Und Juanita auch.»

Manitas grinste. «Aha, jetzt willst du mir meinen Scherz mit den Altartüchern in gleicher Münze zurückzahlen. Frauen auf See, wirklich ein guter Witz! Du bleibst in einem Gasthaus, bis ich zurückkomme. Eine Seereise reicht fürs Erste. Wir werden bald ausreichend Geld haben, um uns ein schönes Haus zu bauen, und ich bringe dir genug Seide und Edelsteine, um zu ersetzen, was du verloren hast …» Er verstummte, als sie sich aus seiner Umarmung befreite und aufstand.

«Was ist, Liebste? Habe ich etwas Falsches gesagt?»

«Ich meine es ernst, Manitas. Ich komme mit, und nichts wird mich davon abhalten.»

Seine Brauen zogen sich zusammen, und sein Gesicht verfinsterte sich.

«Was soll der Unsinn? Das wäre viel zu gefährlich. Das Meer ist gnadenlos und verlangt denen, die auf ihm segeln, alles ab. Wenn ich Kapitän sein soll, bestimme ich ganz allein, wer mitkommt. Außerdem werden die Männer es nicht dulden. Frauen auf einem Schiff bringen Unglück.»

«Dann musst du sie eben eines Besseren belehren», erwiderte sie kühl. «Da du der Kapitän bist, wirst du ihnen erklären, dass ich auch mit an Bord sein werde. Entweder ich komme mit, oder ich suche mir einen anderen, der mir hilft. Ich meine es ernst, Manitas. Das sind jetzt *meine* Bedingungen.»

Manitas starrte sie an, bis sich allmählich ein Lächeln auf seinem Gesicht ausbreitete.

«Du bist eine unmögliche Frau. Ich weiß nicht, ob ich dich küssen oder um deiner eigenen Sicherheit willen einsperren soll.»

Carlotta funkelte ihn an, die Hände in die Hüften gestemmt.

«Schlag dir das aus dem Kopf», warnte sie ihn, «wenn du keine Scharten in Ohren und Nase haben willst.»

Manitas streckte die Hände nach ihr aus. Mit einer Stimme, in der das Begehren deutlich zu hören war, sagte er: «Dann muss ich dich eben küssen. Bring den Weinkrug und komm mit in mein Zimmer, damit wir diese Angelegenheit genauer erörtern können.»

Carlotta aber wich ihm aus und trat ein Stück zur Seite.

«Das lassen wir besser. Du hast noch etwas zu erledigen. Beschaffe erst einmal ein Schiff und die dazugehörige Besatzung, Monsieur, dann kannst du zu mir kommen. Du findest mich im Gasthaus.»

An der Tür wandte sie sich um und warf ihm einen Kuss zu. Leichten Herzens ging sie die Straße hinunter. Der Gesang tropischer Vögel erfüllte die Luft, und Palmen beschatteten die staubige Straße, während die sengende Sonne die Wellen, die sich am Strand brachen, silbrig glitzern ließ.

Eine Mischung aus Angst und Erregung bemächtigte sich ihrer. Bald schon würde sie damit beginnen, ihre Rachepläne gegen Don Felipe in die Tat umzusetzen. Jetzt musste sie nur noch Juanita davon überzeugen, dass es dafür unumgänglich war, sich mit Piraten einzulassen.

Kapitel sieben

Juanita hielt sich die Hand über die Augen und ließ den Blick über den Abhang bis hinab zur Nordküste der Insel wandern. Zwischen den Bäumen erkannte sie einen arg mitgenommen wirkenden Dreimaster, den Wind und Wellen sanft hin und her schaukeln ließen.

Stapelweise Proviant, Fässer mit frischem Wasser, gepökeltes Schweinefleisch und Kisten voller Obst standen am Ufer bereit. Sie sah Männer an Bord des Schiffes und in ihrer Mitte Manitas le Vasseur, unverkennbar schon aufgrund seiner Statur. Selbst aus dieser Entfernung erkannte sie, dass er bis an die Zähne bewaffnet war.

Sie erschauderte, als sie die langen Dolche in seinem Gürtel sah und das zweischneidige, offenbar von Meisterhand geschmiedete Schwert an einem Gehänge, das sich diagonal über seine Brust zog. In einer Hand hielt er seinen wertvollsten Besitz, seine französische Luntenschlossmuskete – eine hässliche Waffe mit einem spatenförmigen Schaft und einem vier Fuß langen Lauf.

Wie konnte Carlotta es nur mit einem solchen Barbaren aushalten? Wie sehr er sie begehrte, war unübersehbar, und Carlotta schien seine grobschlächtigen Avancen auch noch zu schätzen. Juanita errötete, als sie daran denken musste, wie sie einmal unerwartet früh ins Gasthaus zurückgekehrt war und Carlotta mit ihrem Liebhaber überrascht hatte.

Noch immer sah sie die Szene klar vor sich, und noch immer verspürte sie einen Widerhall der Erregung, die sich an jenem Tag in ihr aufgebaut hatte – ein Gefühl, ausgelöst von etwas, das eigentlich nicht für ihre Augen bestimmt gewesen war.

Carlottas dunkles Haar war ihr über die nackten Schultern gefallen, und einige Strähnen verdeckten die Wölbung ihrer Brüste, die aus ihrem heruntergezogenen Mieder ragten. Manitas' Hände kneteten sie und zogen ihre Brustwarzen in die Länge, während sein Gesicht an ihrer Schulter lag. Die Art, wie er das zarte Fleisch quetschte, sah schmerzhaft aus, doch Carlottas kehliges Stöhnen verriet eher Freude und Begierde.

Doch es waren nicht die Reaktionen ihrer Herrin, die Juanitas volle Aufmerksamkeit einforderten. Vielmehr zog das gewaltige Glied, das aus der Öffnung von Manitas' Kniehosen ragte, ihre Blicke geradezu magisch an. Wie angewurzelt stand sie da, unfähig, die Augen von Carlottas schlanken weißen Fingern zu lassen, die den dicken geröteten Schaft umfassten und begannen, ihn zu streicheln.

Weder Carlotta noch Manitas bemerkte, dass sie in der Tür stand, und so sah sie mit angehaltenem Atem zu, wie die straffe Vorhaut zurückgeschoben wurde und die feuchte Zwiebel der purpurnen Eichel zum Vorschein kam. Juanita staunte, wie kräftig sein Gemächt aussah, einschließlich der großen, behaarten Hoden, die fest und voller Samen schienen.

Juanita zitterten die Knie, und tief in ihrer Magengrube breitete sich eine kribbelnde Wärme aus. Die Hand vor den weit aufgerissenen Mund haltend, beobachtete sie gebannt, wie ihre Herrin dem Piraten zu Willen war. Als Manitas seine Hand an ihrem Bein nach oben gleiten ließ, stieß Carlotta einen ihrer kehligen Lacher aus und bewegte entgegenkommend ihre Schenkel.

Juanita war schockiert und fasziniert zugleich. Ihre Erfahrung mit Männern beschränkte sich auf die hastigen, ungeübten Berührungen eines Stallknechts und ein paar wenige Zusammenstöße mit betrunkenen Adligen. Letztere hatten darin bestanden, dass heiße Hände unter ihre Röcke vorgedrungen waren, während man ihr nach Wein riechende Küsse auf Mund und Busen gedrückt hatte.

Ein besonders aufdringlicher junger Herr hatte sogar ihre Büchse zu fassen bekommen und gestreichelt, bis ihr ganz heiß geworden war und sie zitternd in seinen Armen gelegen hatte.

Sie war schon bereit gewesen, sich ihm hinzugeben, dort hinter der Tapisserie mit Jagdszenen vor dem Alkoven, doch dann war sie rechtzeitig wieder zu Sinnen gekommen. Sie hatte ihn von sich gestoßen und sich aus seinem Klammergriff befreit, bevor seine Liebkosungen noch zudringlicher werden konnten. Hinterher aber hatte sie sich in der Sicherheit ihres Bettes gefragt, wie es sich wohl anfühlen mochte, einen Mann zwischen ihren Schenkeln liegen zu haben.

Als sie die Hände auf die Stelle legte, die er berührt hatte, und seine Bewegungen nachvollzog, stellte sie sich den freudigen Schmerz des Augenblicks vor, in dem ein Mann in sie vorstieß. Sie streichelte das angeschwollene, schlüpfrige Fleisch, bis die Spannung sich in ihr aufbaute und zu einem süßen, fast unerträglichen Schmerz anwuchs. Dann war es, als würde etwas zerbrechen, und Welle auf Welle eines ihr bis dahin unbekannten, köstlichen Gefühls floss über sie. So hatte sie entdeckt, wie sie sich selber Freude bereiten konnte, und obgleich sie um Vergebung betete, konnte sie doch nicht umhin, diesen unzüchtigen Akt von Zeit zu Zeit zu wiederholen.

Manitas stöhnte laut auf, als Carlotta seine Eichel zwischen die Finger nahm. Juanita presste die Schenkel zusammen, um die Erregung zwischen ihren Beinen zu unterdrücken. Manitas' Schwanz zuckte unter Carlottas Fingern. Juanita hatte schon mehr als einmal das Glied eines Mannes gesehen; selbst Adlige schreckten nicht davor zurück, sich im Hof oder im Garten zu entblößen und ihre Blase zu entleeren, weil sie schlicht zu faul waren, den Abort aufzusuchen. Nun aber sah sie zum ersten Mal einen aufgerichteten Penis aus solcher Nähe. Er sah ja so verlockend, so gefährlich aus. Sie sehnte sich danach, ihn zu berühren, um zu prüfen, ob die Haut um die so eindrucksvolle männliche Versteifung ebenso weich war, wie sie aussah.

Verloren in ihren eigenen erotischen Phantasien, schreckte sie hoch, als Manitas aufblickte und sie sah. Die Farbe des Schuldbewusstseins ergoss sich über ihre Wangen. Seine Augen trafen die ihren, und er lächelte wissend. Er hob die Hand und forderte sie mit gekrümmtem Finger auf hereinzukommen. Sie aber stammelte nur eine Entschuldigung und flüchtete, ohne seinem spöttischen Gelächter entkommen zu können.

Carlotta hatte den Vorfall nie erwähnt, und doch stand er irgendwie zwischen ihnen. Juanita war bewusst, dass ihre Herrin eines Tages darauf zu sprechen kommen würde, doch sie wusste nicht recht, ob sie sich davor fürchten oder danach sehnen sollte, von Carlotta Näheres über die Freuden der Intimität mit einem Mann zu erfahren.

Wieder in der Gegenwart angelangt, sah Juanita sich mit ihren aktuellen Sorgen konfrontiert. Ihr Schiff würde in wenigen Stunden bereit sein, in See zu stechen, ihr Leben die bislang unerwartetste Wendung nehmen. Es konnte doch wohl nicht angehen, dass sie zu Piraten wurden? Derartige Raubgesellen der Meere konnten nicht mit Gnade rechnen, wenn man sie zu fassen bekam.

Im günstigsten Fall erwartete einen Freibeuter der Galgen. Plötzlich zogen all die verwesenden Leichen von Dieben und Mördern, die sie, an Straßenkreuzungen baumelnd, im Laufe ihres Lebens gesehen hatte, an ihrem inneren Auge vorbei. Von Fliegen übersäte Gehenkte waren zwar ein vertrauter Anblick und so manch einem gar eine willkommene Abwechslung in der Eintönigkeit des Reisens, doch plötzlich weckte der Gedanke daran bei Juanita gänzlich neue Assoziationen.

Obgleich sie grundsätzlich bereit war, ihrer Herrin bis ans Ende der Welt zu folgen, beschlichen sie allmählich Zweifel an der Richtigkeit von Carlottas Tun. Vielleicht würde sie sich ja weigern mitzukommen. Sie konnte sich auf Hispaniola ein eigenes Leben aufbauen. In der großen Hafenstadt Santo Domingo gab es bestimmt Arbeit für sie. Und falls es ihr nicht gelingen sollte, eine Stelle als Dienstmagd einer feinen Dame zu ergattern, würde sie eben in einer Schänke arbeiten oder Fußböden schrubben. Sie war zu allem bereit, solange sie nur nicht unter Gefahr für Leib und Leben spanische Schiffe überfallen musste.

In ihrem tiefsten Innern jedoch wusste sie, dass sie es nicht ertragen konnte, von Carlotta getrennt zu werden. Wenn ihre Herrin nur nicht so starrköpfig wäre. Carlotta hasste Don Felipe derart, dass sie nicht eher Ruhe geben würde, bis dass sie ihn vernichtet hatte. Aus Juanitas Sicht wäre es besser gewesen, ihren Verlust hinzunehmen und nur noch nach vorn zu blicken. Denn was konnten zwei Frauen gegen einen so mächtigen Mann wie Felipe schon ausrichten?

Als sie hinter sich Schritte hörte, wandte sie sich um. Beim Anblick, der sich ihr bot, riss sie erstaunt die Augen auf.

Carlotta hatte sich für das Leben, das ihr bevorstand, entsprechend eingekleidet. Über einer weiten Bluse trug sie ein langes ledernes Mieder, das sich durch Einschnitte bis zur Taille eng an die Hüften schmiegte. Ihr grober wollener Rock, der ihr kaum bis zu den Knöcheln reichte, war an der Taille mit einem Gürtel gesichert. Darunter trug sie einen praktischen Unterrock aus roter Serge und an den Füßen gestreifte Strümpfe sowie grobe Schnallenschuhe. Ihr Haar hatte sie zu einem Zopf geflochten und wie eine Krone um ihren Kopf befestigt.

Sie sah aus wie eine Piratenkönigin. Jetzt fehlten ihr nur noch ein Halstuch und Pistolen. Hinter ihr stand in der Tür des Gasthauses ein Überseekoffer mit allem, was sie aufs Schiff mitnehmen würden.

Als Carlotta Juanitas Gesicht sah, musste sie lachen.

«Warum so schockiert? Gefällt dir meine Kleidung etwa nicht? Eigentlich hatte ich Wams und Kniehosen anziehen wollen, aber der Mannschaft wird es auch so schon schwer genug fallen, Frauen an Bord zu akzeptieren; ich wollte nicht auch noch ihre Leidenschaft entflammen, indem ich ihnen ständig den Anblick einer wohlgefüllten Hose biete.»

Juanita aber war ganz und gar nicht zum Scherzen zumute.

«Wir fahren also wirklich mit ihnen?», fragte sie leise.

«Das habe ich dir doch schon vor ein paar Wochen erklärt, du dumme Gans. Jetzt zieh doch nicht so ein Gesicht. Wo bleibt dein Mumm? Das wird ein Abenteuer!»

Juanita schnitt eine Grimasse. Irgendwo im Hinterkopf hatte sie gehofft, dass Carlotta doch noch zur Vernunft kommen würde, doch nun musste sie erkennen, dass dies nicht sonderlich realistisch gewesen war.

«Ich war auf dem Weg hierher schon seekrank», jammerte sie. «Und außerdem habe ich Angst vor Stürmen. Wir werden kein Plätzchen für uns allein haben, und schwimmen kann ich auch nicht ...»

«Die meisten Seeleute können nicht schwimmen, und an den Rest wirst du dich schon gewöhnen», unterbrach Carlotta in einem Ton, der keinen Widerspruch duldete. «Es geht nicht anders, und damit Schluss. Oder glaubst du vielleicht, ich sollte Manitas und seinen Männern vertrauen, dass sie die Beute ehrlich mit mir teilen? Ich muss schon selber dabei sein, um zu wissen, was hereinkommt. Außerdem möchte ich es persönlich mit Felipes Teilhabern zu tun bekommen, falls uns einer von ihnen auf einem ihrer Handelsschiffe in die Hände fällt. Und jetzt zieh dich endlich um. Deine neuen Kleider liegen in unserem Zimmer bereit.»

Juanita ging in den Raum im Obergeschoss des Gasthauses, den sie in den letzten vier Wochen mit Carlotta geteilt hatte. Sie hatte sich daran gewöhnt, mit ihr in einem Bett zu schlafen. Strohmatratze und Laken waren abgenutzt und rau, aber wenigstens sauber. Das einzige sonstige Mobiliar – ein Tisch, zwei Stühle und ein Kleiderschrank – glänzte von ihrer regelmäßigen Pflege. Der Boden war gefegt, und aus den Grasmatten hatte sie den Staub geklopft.

Die kleine Kammer mit der schrägen Decke war fast schon eine Art Zuhause geworden. Ein Teil von ihr hatte die Hoffnung gehegt, dass ihre Reise zu Ende war. Sie bedauerte, die Annehmlichkeiten des Gasthauses hinter sich lassen zu müssen, und fürchtete sich vor den Schrecken des Meeres, die nun auf sie warteten.

Als sie sich auszog und die Kleider anlegte, die Carlotta ihr besorgt hatte, zitterten ihr die Hände. Unter anderen Umständen hätte sie sich wohl darüber amüsiert, dass sie auf einmal ihre Rollen tauschten. Normalerweise hätte *sie* Carlotta die Kleider richten und den Koffer packen müssen, doch als ihre Herrin gesehen hatte, wie schwer es ihr fiel, die

Insel zu verlassen, hatte sie die nötigen Vorbereitungen eben selbst getroffen.

Mit einem gewissen Fatalismus steckte Juanita ihre hellbraunen Locken hoch und bedeckte sie mit einem Tuch. Es hatte keinen Sinn, gegen das Schicksal anzukämpfen. Wenn Carlotta sich etwas in den Kopf gesetzt hatte, ließ sie sich durch nichts davon abbringen. Trotz ihrer Angst bewunderte sie ihre Herrin.

Irgendwie bezweifelte sie, dass Manitas klar war, wie starrköpfig und eigensinnig Carlotta sein konnte. Vermutlich war er, genau wie die meisten ihrer Geliebten, ihrer Schönheit und ihrem sinnlichen Körper verfallen. Als Juanita das Zimmer verließ, musste sie lächeln. Die Vorstellung, wie Carlotta diesen hünenhaften Seeräuber um den Finger wickeln würde, gefiel ihr.

Als Carlotta an Deck der *Esmeralda* ging, ließ sie sich nicht anmerken, dass sie sich der feindseligen Blicke und der gemurmelten Flüche vonseiten der Schiffsbesatzung durchaus bewusst war.

Manitas, der neben ihr stand, warf ihr einen Blick zu, als wolle er sagen: «Hast du etwas anderes erwartet?», doch sie ignorierte auch ihn. Sie wusste sehr wohl, warum die Männer keine Frauen an Bord haben wollten. Aus ihrer Sicht stellten sie und Juanita eine unwillkommene Ablenkung dar. Bei einigen der Männer würde der Beschützerinstinkt durchbrechen und womöglich ihre Entschlossenheit zu kämpfen mindern, während bei anderen eher damit zu rechnen sein würde, dass die niederen Triebe die Oberhand gewannen. In jedem Fall aber würde es Ärger geben.

Carlotta konnte nur hoffen, dass die Männer sie irgendwann akzeptierten. Von Manitas erwartete sie sich keine Hilfe. Er hatte keinen Zweifel daran gelassen, was er von ihrer Entscheidung mitzukommen hielt. Sie war zwar bereit, es ihnen allen zu zeigen, wenn die Zeit dazu gekommen war; vorerst aber blieb ihr nichts anderes übrig, als den Mund zu halten und möglichst tapfer dreinzublicken.

Sie sah sich auf dem Schiff um. Es hatte eindeutig schon bessere Tage gesehen und wirkte, als sei sein Vorbesitzer froh gewesen, es loszuwerden. Die Mannschaft hatte das Deck geschrubbt und die Segel geflickt. Neben der Hauptluke waren zwei neue Beiboote festgezurrt.

Manitas folgte ihrem Blick. «Hast du die Boote gesehen? Mit denen entern wir unsere erste Galeone.»

Carlotta ging aufs Achterdeck zur Luke, die nach unten führte. Auf dem Unterdeck gab es mehrere Kabinen. Manitas führte sie in die größte und am aufwendigsten eingerichtete und setzte sich mit einem selbstsicheren Lächeln aufs Bett.

«Ich werde mir diese Kabine mit Juanita teilen», erklärte sie kühl. «Für deine Bedürfnisse dürfte eine kleinere genügen.»

Manitas schien schon protestieren zu wollen; offensichtlich hatte er erwartet, dass sie mit ihm das Bett und diese Kabine teilen würde. Er presste die Lippen zusammen, und sie sah, welche Mühe es ihn kostete, sich eines Kommentars zu enthalten. Schließlich zuckte er nur mit den Achseln.

«Wie du willst», erklärte er mit ausdrucksloser Stimme. «Ich lasse dich jetzt in Ruhe, damit du es dir bequem machen kannst. Wenn du mich brauchst, findest du mich an Deck. Wir segeln bei der nächsten Flut los.»

Carlotta schloss die Tür hinter ihm. Sie hegte den Verdacht, dass Manitas es gewohnt war, von Frauen alles zu bekommen, was er wollte. Sie zur Geschäftspartnerin zu haben musste für ihn eine völlig neue Situation sein. So richtig ernst genommen hatte er das Ganze aber offenbar noch nicht; sie musste ihm deshalb klarmachen, dass sie die Absicht hatte zu tun, was immer sie für richtig hielt, ob ihm das nun passte oder nicht.

Juanita machte sich ans Auspacken.

«Das ist ja besser, als ich es erwartet hätte», rief sie voller Freude über das Bett, das exakt in eine Nische eingepasst war. «Und ich dachte schon, wir müssten zusammen mit der Mannschaft an Deck schlafen. Diese Männer machen mir Angst. Sie sehen so schrecklich wild aus. Und ihre Augen scheinen voller Hass.»

«Die haben nur Angst vor uns», wiegelte Carlotta ab. «Oder auch vor dem Tier in ihnen selbst.» Als sie sah, wie blass Juanita war, lachte sie, um sie ein wenig aufzuheitern. «Bei dieser bequemen Unterkunft wirst du nicht so oft an Deck gehen müssen, und ich passe schon auf mich auf. Keine Angst, uns wird schon nichts geschehen. Vertraue mir. Habe ich dich nicht immer beschützt?»

Juanita nickte, schien jedoch ihre Zweifel zu haben.

Kaum hatten sie wenige Stunden später die Segel gesetzt, wurde Juanita auch schon übel. Ihre Haut nahm eine grünliche Färbung an, während sie sich über einen ledernen Eimer beugte.

«Ich … hab's dir … doch gleich … gesagt», stieß sie nach Luft ringend hervor. «Ich … ich glaube … ich sterbe …»

«Das geht vorüber, wart's einfach ab», entgegnete Carlotta seelenruhig und redete weiter tröstend auf sie ein, bis sie sich weniger heftig erbrach.

Danach wischte sie Juanita das Gesicht mit einem feuchten Tuch ab und strich ihr das in wirren Strähnen von der Stirn herabfallende Haar zurück. Schließlich hörte Juanita auf, sich zu übergeben, und ließ sich aufs Bett sinken, selbst zum Sitzen zu schwach. Carlotta flößte ihr mit einem Löffel etwas heißes Wasser mit Brandy ein und legte sie ins Bett.

«Schlaf jetzt erst mal», riet sie. «Wenn du aufwachst, geht

es dir bestimmt besser. In ein paar Tagen hast du dich an die Schaukelei gewöhnt.»

Juanita antwortete mit einem Stöhnen und ließ zu, dass Carlotta die Bettdecke um sie herum zwischen Matratze und Bettrand feststeckte. Wenige Minuten später schlief sie erschöpft ein. Carlotta hatte ein schlechtes Gewissen; Juanita würde es jetzt nicht so schlecht gehen, sagte sie sich, wenn sie nicht darauf bestanden hätte, mit ihr zur See zu fahren.

Um den säuerlichen, muffigen Geruch aus dem Raum zu vertreiben, träufelte sie in die Schale des metallenen Kerzenständers ein paar Tropfen Lavendelwasser. Sofort verbreitete sich in der Kabine ein frischer Duft, der sie an saubere Bettwäsche erinnerte. Wieder sah sie das riesige Himmelbett in ihrem holzverkleideten Schlafzimmer vor sich und die bestickte Bettdecke aus rosa Brokat. Nun schlief Felipe in diesem Bett, falls er ihr Haus und ihre Ländereien nicht längst verkauft hatte.

«Mir blieb keine andere Wahl, Juanita», flüsterte sie. «Felipe muss bezahlen, dafür werde ich sorgen. Ich gebe erst Ruhe, wenn ich ihn ruiniert habe.»

Es war warm in der Kabine, und so schnürte sie ihr Korsett auf, legte Bluse und Rock ab und zog ein weites Gewand aus gemusterter Seide an – eines der wenigen Dinge, die sie aus ihrem früheren Leben mitgebracht hatte. Sie fand es irgendwie tröstlich, das vertraute Kleidungsstück auf ihren nackten Armen zu spüren.

Die Kabine war derart vom Ächzen der Balken und dem gedämpften Schlag der Wellen erfüllt, dass Juanitas schwerer Atem kaum zu hören war. Carlotta setzte sich neben sie und blickte auf das weiße, hagere kleine Gesicht hinab.

Wie viele Menschen, die über eine robuste Gesundheit und eine kräftigen Körper verfügen, neigte sie zu einer gewissen Ungeduld Schwächeren gegenüber, doch nun machte sie sich um Juanita mehr Sorgen, als sie sich eingestehen wollte. In diesem Augenblick sehnte sie sich nach Manitas' stärkender, beruhigender Anwesenheit, doch der würde sich gerade jetzt wohl kaum blicken lassen. Sicherlich pflegte er nun seinen verletzten Stolz.

Juanita schlief, und die Stunden zogen sich in die Länge. Carlotta döste ein, und als sie wieder aufwachte, brauchte sie ein Weilchen, bis sie merkte, wo sie war. Das Meer, nur wenige Fuß unterhalb des Schiffsrumpfes, erschien ihr wie ein wütendes wildes Tier, doch das stampfende Geräusch des Schiffes und der Geruch nach Salz in der Luft weckten ihre Lebensgeister. Sie streckte sich und gähnte. Untätigkeit machte sie immer ruhelos. Es würde ihr guttun, sich über die Reling zu beugen und die Seeluft auf dem Gesicht zu spüren, doch sie widerstand dem Drang, an Deck zu gehen. Sie beschloss, besser noch eine Weile in der Kabine zu bleiben, um die Seeleute nicht an ihre Gegenwart zu erinnern.

Plötzlich merkte sie, wie hungrig sie war. Weder der Wellenschlag noch Juanitas Seekrankheit hatten ihr den Appetit verdorben. Nach einer weiteren Stunde hatte sie gerade beschlossen, sich anzuziehen und die Schiffsküche aufzusuchen, als Manitas an die Tür klopfte.

Der Essensgeruch, der in die Kabine strömte, ließ ihr das Wasser im Mund zusammenlaufen.

«Ich dachte, ihr beide wärt bestimmt hungrig», meinte er und stellte die Schüssel mit gebratenem Schweinefleisch und Gemüse auf den Tisch.

«Juanita schläft. Wir sollten sie jetzt besser nicht wecken», erwiderte Carlotta.

Manitas nickte. «Die Kleine hat's wohl schwer erwischt, was? Wie wär's, wenn du zum Essen in meine Kabine kämst? Da stören wir sie nicht, und außerdem können wir uns dort eine gute Flasche Wein teilen.»

«Und ich dachte immer, Seeleute essen nur harte Kekse und spülen sie mit brackigem Wasser runter», entgegnete sie.

Manitas grinste. «Tun sie auch, jedenfalls auf längeren Fahrten. Aber wir dürften kaum länger als ein paar Wochen am Stück auf See sein. Außerdem können wir immer auf einer der Inseln vor Anker gehen und frisches Fleisch jagen.»

Wie es schien, hatte er seine gute Laune wiedergefunden. Sie war froh, dass er nicht nachtragend war. Das wäre auch äußerst unangenehm geworden – so dicht, wie sie in den kommenden Wochen zusammenleben mussten.

Sie erwiderte sein Grinsen und merkte, dass er mehr als nur beiläufig ihr seidenes Gewand musterte. Der dünne Stoff schmiegte sich so dicht an ihren Körper, dass nicht zu übersehen war, dass sie kein Korsett trug. Sein Blick blieb auf der weichen Rundung ihres Busens haften.

Sie sahen sich in die Augen, während er einen Finger in die einander überlappenden Falten ihres Gewands steckte. Seine Berührung an der inneren Wölbung ihrer Brust erzeugte ein Prickeln der Begierde auf ihrer Haut.

«Und was wollen wir sonst noch teilen – außer dem Wein?», fragte sie mit rauchig tiefer Stimme.

Während sie ihm in seine Kabine folgte, verspürte sie eine wachsende Erregung. Der Gedanke an seine geschickten Finger auf ihrem Körper, an seinen Mund auf dem ihren war an sich schon berauschend. In seiner Kabine angekommen, musste sie sich zwingen, zuerst ans Essen zu denken, sosehr sie auch die Vorfreude auf die anderen zu erwartenden fleischlichen Freuden genoss. Sie würde Manitas noch seine zweite Lektion an diesem Tag erteilen.

Der Eintopf war erstaunlich gut. Der Koch hatte ihn mit Lorbeerblättern und Kardamom gewürzt. Dazu gab es frisches Brot, warm und duftig und mit reifen schwarzen

Oliven versetzt. Der Wein lief ihr wie Öl über die Zunge und hinterließ eine angenehme Wärme in der Kehle.

Im Bewusstsein, dass Manitas sie ansah, blickte sie auf und lächelte.

«Mmmm. Das war köstlich. Ich danke dir. Ich bringe keinen Bissen mehr runter.»

Er nippte an seinem Wein und musterte sie über den Rand seines Pokals. Sein Mund verzog sich zu einem wölfischen Grinsen.

«Es ist mir eine Freude, Euch zu Diensten sein zu dürfen», erwiderte er galant.

Eine Freude wird es mit Sicherheit, dachte sie.

«Wie lange wird es wohl noch dauern, bis wir eines der Handelsschiffe auf meiner Liste abfangen?», erkundigte sie sich.

«Vielleicht eine Woche, vielleicht auch zwei, je nach Wetter. Du kannst es wohl gar nicht erwarten, Felipes Eigentum in die Finger zu kriegen, was?»

«Ich würde ihn lieber selber in die Finger bekommen und ihm seinen dürren Hals umdrehen – aber fürs Erste gebe ich mich mit seinem Eigentum zufrieden.»

«Apropos in die Finger bekommen …», sagte Manitas und zog sie hoch.

Carlotta ließ es zu, dass er sie zu seinem schmalen Bett führte. Sie blieb vor ihm stehen, als er sich setzte. Seine Hände umfassten ihre Taille. Doch als er sie neben sich aufs Bett ziehen wollte, widersetzte sie sich.

«Warte noch ein bisschen», hauchte sie mit ihrer verführerischsten Stimme.

«Wie du möchtest», sagte er und löste den Gürtel ihres Gewands.

Das Kleid glitt ihr von den Schultern und fiel zu Boden. Darunter trug sie lediglich ein dünnes, knielanges Hemd sowie ihre Strümpfe und Schuhe. Die rotbraunen Kegel ihrer Brustwarzen drückten gegen das Hemd. Sie spürte, wie sie sich verhärteten, als Manitas' warmer Atem über sie blies.

Sie wartete darauf, dass er seine Lippen an ihre Brüste drückte und ihre Nippel in den Mund nahm oder die prallen Kugeln mit seinen großen Händen umfasste, aber er tat keines von beidem. Er ließ seine schwieligen Handflächen an den Außenseiten ihrer Beine über ihre wollenen Strümpfe gleiten. Als er weiter oben an einem Hindernis hängen blieb, blickte er zu ihr auf.

«Hast du immer einen Dolch ans Bein geschnallt?»

«Immer», bestätigte sie und lächelte zu ihm hinab. «Frauen sind Männern so oft schutzlos ausgeliefert.»

«Bist du mir jetzt etwa nicht schutzlos ausgeliefert? Ich dachte, du wolltest das so.»

Er ist sich seiner verdammt sicher, dachte sie, und vor allem seiner erotischen Wirkung auf sie. Selbst im Sitzen war er noch einen guten Kopf größer als sie. Seine schiere Größe war schon einschüchternd. Der Gedanke daran, ihm ihren Willen aufzuzwingen, erregte sie in jeder Hinsicht.

«Ich bin vielleicht schwächer als du», sagte sie fröhlich, «aber manchmal entwickeln sich die Dinge gänzlich unerwartet.»

Seine Hände setzten ihre Erkundung fort, und sie atmete mit einem Seufzer aus, als er die nackte Haut über ihren Strumpfbändern erreicht hatte. Seine Berührung auf ihren Schenkeln war sanft und kundig. Sie spürte, wie sich ihr Verlangen in ihrem Innern zu einem heißen Knoten ballte. Ich sollte ihm jetzt Einhalt gebieten, dachte sie, wenn ich meinen Plan wirklich umsetzen möchte, doch ihr Körper wollte mehr.

Nur noch ein bisschen länger.

Seine Finger strichen über das Haar auf ihrem Venushügel, und sie kam ihm mit dem ganzen Körper entgegen. Die Falten ihrer Vagina schwollen immer mehr an. Ein Tröpfchen Feuchtigkeit drang aus ihrer Mitte, als Manitas die fleischigen Lippen teilte und einen Finger auf die harte kleine Knospe drückte, die ein pulsierendes Eigenleben angenommen zu haben schien. Er umkreiste die Ausbuchtung mit seinem von ihrer Feuchtigkeit glitschigen Daumen.

Jetzt ist es aber genug, entschied Carlotta. Noch einen Moment länger, und ich bin zu keinem vernünftigen Gedanken mehr fähig.

«Warte noch», flüsterte sie. «Ich bin zu heiß für dich. Ich bin kurz davor zu kommen. Ich möchte diesmal *dich* dazu bringen.»

Manitas zog grinsend seine Hand zurück.

«Wie du willst. Spiel deine Spielchen, wenn du Lust dazu hast», gestand er ihr nachsichtig zu und steckte die beiden Finger, mit denen er sie liebkost hatte, in den Mund. Er verdrehte voller Wonne die Augen, als er ihren moschusartigen Saft schmeckte, legte sich dann hin und verschränkte die Arme hinter dem Kopf.

Carlotta ließ den Blick über seinen bemerkenswerten Körper gleiten. So ausgestreckt, wirkte er noch größer als sonst. Seine Schultern füllten die ganze Breite der Koje aus, und er musste die Beine ein wenig einziehen, damit seine bestiefelten Füße an der Seite der Nische Platz fanden.

«Du hast ja kaum Platz, dich auszustrecken. Wie willst du da schlafen?», fragte sie ihn.

«Mit an die Brust gezogenen Knien und Träumen von dir», antwortete er.

Er konnte ja so charmant sein. Von jedem anderen Mann kommend, wären ihr solche Worte platt erschienen, doch bei ihm klangen sie so frisch, als habe er sie noch nie zu einer anderen Frau gesagt. Sie lächelte zu ihm hinab. Vorsicht, warnte sie sich. Lass dich nicht von ihm verzaubern. Es wäre ein Fehler, Manitas allzu viel Macht über sie zu geben.

Er strahlte eine überwältigende Männlichkeit aus, gezügelt von Anflügen unerwarteter Raffinesse. Tag für Tag begehrte sie Manitas mehr. Die erotische Spannung pulsierte in ihrem Innern wie ein lebendiges Wesen. Als sie eine andere Sitzposition einnahm, wurde sie der nassen Fülle ihrer Vagina gewahr. Noch nie war sie für einen Mann so bereit gewesen.

«Schließ die Augen», flüsterte sie. «Bist du bereit für ein Spiel, bei dem du mir ganz vertrauen musst?»

Er nickte glücklich. Seine Lippen waren nicht ganz geschlossen, und über seine hohen Wangenknochen legte sich eine leichte Röte.

«Gut», sagte sie. «Dann reich mir jetzt deine Handgelenke.»

Fast ohne zu zögern, streckte er sie ihr entgegen. Sie nahm den Gürtel von seiner Taille, fesselte damit seine Handgelenke und band sie dann an dem Lampenhaken am Kopfende der Koje fest.

«Na, wie fühlt sich das an?», fragte sie mit fröhlicher, spielerischer Stimme.

«Irgendwie bekannt», grinste er. «Habe ich dir die Hände nicht auch so zusammengehalten, als wir zum ersten Mal unseren Spaß miteinander hatten?»

Genau das hatte er, und sie hatte es nicht vergessen. Sie hatte auch nicht vergessen, wie arrogant er ihren Körper behandelt hatte, auch wenn sie zugeben musste, dass es ihr ausnehmend gut gefallen hatte.

Sie ließ die Hände über seinen Brustkorb gleiten. Dann steckte sie sie in sein Wams und strich ihm über die Haut. Er fühlte sich warm und muskulös an. Gut, dachte sie, er ist entspannt und rechnet allenfalls mit einem netten kleinen Spielchen.

Er streckte die Beine durch, spannte die Muskeln an und seufzte vor Wonne. Sie spürte, wie seine Brust sich unter ihren Fingern straffte und seine Brustwarzen fest wurden. Ihr Verlangen nach ihm steigerte sich noch mehr. Der Gedanke, einen derart starken Mann in ihrer Gewalt zu haben, gefiel ihr, auch wenn ihm noch nicht klar war, dass er ihr schutzlos ausgeliefert war.

«Gefällt dir dieses Spiel?», fragte er mit belegter Stimme.

«O ja. Und dir auch, das merke ich an deiner prallgefüllten Hose. Bald wird es dir noch viel besser gefallen, das schwöre ich dir. Bewege dich nicht, während ich dich ausziehe.»

Manitas bewegte den Kopf auf dem Kissen, um es sich bequemer zu machen. Es schien ihm nichts auszumachen, ihr noch ein Weilchen ihren Willen zu lassen. Er grinste selbstsicher.

«Wenn du mich lässt, Frau, bekommst du von mir etwas, das du nie vergessen wirst», sagte er und klang dabei, als könne er es kaum erwarten. «Ich weiß doch, was du von mir willst, und bin bereit, es dir auf der Stelle zu geben.»

Ihr Herz pochte. Meinte er es wirklich so, wie sie glaubte?

Er war in den vergangenen Wochen etliche Male in ihr Zimmer gekommen. Immer, wenn sie sich küssten, streichelte er sie und brachte sie schließlich mit den Fingern zum Höhepunkt. Aus unerfindlichen Gründen aber hatte er ihr die ganze Zeit über sein Glied verweigert und seinen Samen in ihren Mund oder außerhalb ihres Körpers vergossen, bis sie vor Enttäuschung fast verrückt geworden war.

Einmal hatte er ihre Brüste genommen und so zusammengedrückt, dass sie einen Kanal für seinen Penis bildeten. Sie hatte in hilfloser Frustration den Rücken durchgebogen, als er zwischen ihre Brüste drang, bis ihr sein warmer Samen ans Kinn spritzte.

Für diese und all die anderen Demütigungen wollte sie sich sich nun an ihm rächen.

«Bald ist es so weit», murmelte sie ihm zu, als er sich ungeduldig unter ihren Händen bewegte. «Heb die Hüften, damit ich deine Hose aufschnüren kann. Ja, genau so.»

Sie öffnete sein Beinkleid, und seine aufgerichtete Männlichkeit schnellte empor. Er bewegte die Hüften noch ein wenig mehr, und sie zog die Hose bis auf die Oberschenkel herab, bis das lockige Haar zwischen seinen Leisten sowie an seinem Hodensack zum Vorschein kam. Seine Hoden sahen zum Bersten gefüllt aus, so als müssten sie sich jeden Augenblick entladen.

«Mmmm», sagte sie, «du bist ja mehr als bereit für mich.»

Sie musterte eingehend sein großes, herrliches Glied, dick und rot. An der Öffnung seiner Eichel bebte ein Tropfen klarer Flüssigkeit. Sie umfasste fest seinen heißen Schaft und begann, die angespannte Haut hin und her zu schieben.

Manitas stöhnte und bewegte sich mit einem Ruck auf sie zu. Gleich würde er sie bitten aufzuhören. Er zerrte bereits am ledernen Gürtel, der um seine Handgelenke geschlungen war, so heftig, dass der Lampenhaken knarrte. Sie sah, wie die Sehnen an seinen Handgelenken weiß aus der sonnengebräunten Haut hervortraten, doch der breite Riemen hielt stand.

«Wehr dich nicht», murmelte sie ihm zu. «Ich verspreche dir, dass du nicht in meine Hände abspritzen wirst.»

Um abzuschätzen, wie bereit er war, schob sie die Vorhaut zurück und legte seine purpurrote Eichel frei. Mit der Unterseite ihres Daumens verteilte sie die Flüssigkeit um die winzige geschlitzte Mündung. Manitas wand sich unter ihrer Berührung.

«Genug mit den Spielchen, Weib», stieß er hervor. «Bind mich jetzt los und lass mich machen. Du willst doch, dass ich dich auf den Bauch drehe und mich bis zum Anschlag in deine Büchse bohre.»

«Das glaube ich kaum», widersprach sie mit einem süßlichen Lächeln. «Ich warte schon viel zu lange darauf, dass du mir diese Freude bereitest. *Ich* werde *dich* nehmen. Heute Nacht bin ich deine Herrin, und du kannst gar nichts dagegen tun.»

Als sie ihr Hemd hob und sich mit gespreizten Beinen auf ihn setzte, blitzten seine Augen gefährlich auf.

«Gar nichts bist du! Ich lasse es nicht zu, dass eine Frau mich reitet! Das ist Männersache!»

Er stieß die Hüften hoch und hätte sie beinahe abgeworfen. Fast im selben Augenblick hatte sie auch schon ihren Dolch in der Hand und hielt ihm die Spitze unters Kinn. Dann nahm sie seine nackten Hüften zwischen die Schenkel, beugte sich über ihn und starrte ihm ins Gesicht.

«Ich würde sagen, jetzt sind wir quitt, oder? Ich komme zwar gegen deine Kraft nicht an, aber ich kann dir sehr wohl meine Krallen zeigen. Pass jetzt gut auf. Wenn du tust, was ich dir sage, werde ich dich nicht verletzen.»

Manitas brüllte auf vor Wut, hielt aber das Kinn von der Dolchspitze weggedreht. Er hätte sie spielend leicht überwältigen können, wenn er es wirklich gewollt hätte, und beide wussten es.

Carlotta hob das Hinterteil an und brachte sich über ihm in Stellung. Sein Glied lag hart und schwer auf seinem Bauch. Sie spürte, wie es gegen ihre geöffnete Scheide drückte. Falls dies überhaupt noch möglich war, war es nun noch härter als zuvor.

Manitas Atem ging stoßweise. Sein Brustkorb hob und senkte sich, und auf seiner bronzenen Haut bildete sich ein Schweißfilm. Carlotta beugte sich zu ihm hinab und nahm sein lockiges Brusthaar in den Mund. Sie ließ die Zunge herausschnellen und leckte seine straffe Haut. Er schmeckte nach Seife und, schwächer, nach Salz.

«Köstlich», schwärmte sie. «Was für ein Festmahl für jede Frau.»

Hinter der Wut in seinen Augen sah sie Neugier – und noch etwas anderes. Seit sie ihn kannte, hatte sie noch nie eine so verzehrende Begierde in ihm gesehen. Mehr als einmal hatte sie sich über seine Selbstbeherrschung gewundert. Jetzt wurde ihr klar, dass er mit sich selber rang. Obwohl für Manitas Macht gleichbedeutend war mit Kontrolle, reagierte nun eine verborgene, dunkle Seite in ihm leidenschaftlich darauf, dass er die Situation nicht mehr unter Kontrolle hatte.

Dem Triumph nahe, verkrampfte sich ihr Unterleib fast vor Verlangen. Sie konnte nicht länger warten. Sie musste ihn endlich in sich spüren. Sie warf den Kopf zurück, dass ihr das dunkle Haar über den Rücken fiel und seine nackten Schenkel streifte, und packte seinen Schaft. Er war nass und glitschig von ihren vermischten Säften.

Der Geruch ihrer eigenen Erregung erfüllte den winzigen Raum, und das stechende Moschusaroma steigerte ihre Lust ins Grenzenlose. Sie fuhr mit der Hand durch den Graben ihrer Scheide und wischte ihm anschließend ihren Saft über den Mund. Es war eine Spiegelung dessen, was er zuvor getan hatte, und Manitas reagierte sofort.

Stöhnend streckte er die Zunge heraus, um jeden einzelnen Tropfen von ihren schlanken weißen Fingern zu lecken. Als sie ihm ihre Finger zwischen die Lippen stieß, wand er sich genießerisch unter ihr, und aus seiner Kehle drangen leise Geräusche der Lust.

Diese Laute wiederum hallten in ihr wider. Ihr Unterleib bebte. Die Tatsache, dass sie ihn so sehr zu erregen vermochte, verschaffte ihr ein immenses Gefühl von Macht und Triumph.

«Oh, Manitas, das ist neu für dich, nicht wahr?», murmelte sie. «Was ist das für ein Gefühl, von einer Frau beherrscht zu werden?»

Er drehte den Kopf mit einem heftigen Ruck zu ihr und warf ihr finstere Blicke zu. «Spiel meinetwegen deine Spielchen mit mir, Kleine, aber beherrschen wirst du mich nie.»

«Wirklich nicht?», entgegnete sie in provozierendem Tonfall. «Und was tue ich jetzt?»

Sie senkte sich auf ihn hinab und begann, die geschwollene Pflaume in sich aufzunehmen. Seine Eichel lag heiß und köstlich an ihrer Öffnung. Langsam setzte sie sich auf seinen Schaft; sie liebte das Gefühl, gedehnt zu werden, während er sich seinen Weg in sie bahnte. Er war so groß, dass sie schon fürchtete, er könnte sie zerreißen, und diese Angst steigerte ihre Lust noch mehr.

«Jetzt geht's nach meinem Willen», triumphierte sie mit heiserer Stimme. «*Ich* nehme *dich*, Manitas.»

Sie hielt inne, um sich an seine Größe zu gewöhnen. Sein Schaft zuckte und bebte in ihr. Manitas bog den Rücken durch und stieß nach ihr, doch sie hob den Unterleib so weit an, dass nur die Spitze seines Gliedes in ihr blieb.

«Mutter Gottes, dann tu es endlich», stöhnte er, die Stimme rau vor Verlangen. «Aber sei dabei nicht zu sanft.»

Sie nahm ihn beim Wort und ließ sich auf ihn niedersinken, um ihn zu bearbeiten.

«Ah …», murmelte sie, als er in seiner ganzen köstlichen Länge in sie glitt.

Mein Gott, fühlte er sich gut an! Besser noch, als sie es sich je erträumt hätte. Das lange Warten hatte sich gelohnt. Noch nie war sie so vollständig ausgefüllt worden. Es war, als bahnte er in ihr ganz neue Wege zur Freude.

Während sie sich mit ihm vergnügte, kaute Manitas auf seiner Unterlippe herum. Als dann Carlotta der Dolch entglitt und zu Boden fiel, bemerkte das keiner von beiden. Die Finger auf seiner Brust ausgebreitet, schob sie sich heftig auf und ab.

Die große Eichel schlug bei jedem Stoß gegen ihren Uterus, und der lustvolle Schmerz ließ sie aufschreien.

Manitas kam ihr nun entgegen, ohne weiter den Wütenden zu spielen. In seinem Gesicht spiegelte sich die pure Verzückung. Die schwarzen Brauen zusammengezogen, die Augen fest geschlossen, erwiderte er jeden ihrer Stöße. Als seine Hüften sich so weit von der Koje hoben, bis sein Körper eine Brücke bildete, lehnte sich Carlotta zurück und stützte sich mit ausgestreckten Armen ab.

Wieder und wieder stürzte sie sich auf den heißen Schaft hinab, der gegen den Ort der Lust in ihrem Innern rieb. Die wenigsten Männer hatten sie dort stimulieren können, an jener empfindsamen Stelle hinter ihrem Schambein. Sie strebte rasch dem Höhepunkt entgegen und versuchte gar nicht erst, ihn hinauszuzögern. Es fühlte sich an, als bewegte sich ein großes wildes Tier durch einen dunklen Wald auf sie zu. Das Donnern seiner Schritte war ihr Herzschlag, das Wallen ihres Blutes.

«O Gott», schrie sie, als sie kam, während die Wogen der Lust über sie stürzten und sich durch all ihre Gliedmaßen fortsetzten.

Sie presste den Handrücken an den Mund, um die Schreie zu ersticken, die unkontrolliert aus ihr herausbrachen. Ihr Orgasmus zog sich in die Länge, und einen Augenblick lang wurde ihr schwarz vor Augen. Benommen und nur noch halb bei Bewusstsein, ließ sie sich nach vorn fallen, während ihr Manitas' Stöhnen der Erlösung in den Ohren klang.

Sie spürte seinen schnellen Herzschlag an ihrer Wange und lag vollkommen erschöpft und reglos da. Ihr Haar fiel über seine Brust und bedeckte den oberen Teil seines Körpers mit dunklen Wellen. Als er dann die Arme um sie legte, lächelte sie. Sie hatte gewusst, dass er sich jederzeit hätte losreißen können, wenn er es nur gewollt hätte. Seine Hände strichen ihr zärtlich übers Haar, und sie wandte sich ihm zu, damit er ihre Wange streicheln konnte.

«Du bist eine erstaunliche Frau, Carlotta Mendoza», sagte er mit Bewunderung und Respekt in der Stimme. «Ich werde das Gefühl nicht los, dass du immer bekommst, was du willst.»

«Immer», bestätigte sie glücklich, während sie von einer tiefen Zufriedenheit erfüllt wurde.

Jetzt wusste sie, dass Manitas die Bedingungen ihrer ganz speziellen Verbindung akzeptierte. Ihr Bett würde immer ein Schlachtfeld bleiben, ein Schauplatz ihres Kampfes um die sinnliche Vormachtstellung, und der bloße Gedanke daran wirkte stimulierend auf sie beide. An Deck aber waren sie gleichberechtigt.

Sie seufzte, als sie in den Schlaf hinüberglitt. Wenn die Zeit gekommen war, konnte sie auf Manitas' bedingungslose Unterstützung zählen. Der erste Schritt auf dem Weg zu Felipes Untergang war getan.

Kapitel acht

Carlotta stand neben Manitas, als er sich über die vor ihm ausgebreitete Seekarte beugte.

«Wir nehmen dieses Schiff da», erklärte er und deutete dabei auf die Linie, die die Route des Schiffes markierte. «Wir nutzen diese kleinen Inseln als Hinterhalt und schnappen es uns, bevor die wissen, was los ist.»

Das spanische Schiff war im Besitz von Antonio Alva, einem Bankier und engen Vertrauten Felipes. Carlotta wusste, dass der Verlust eines von Antonios Handelsschiffen nicht nur ein Schlag gegen Felipes Finanzen sein würde, sondern auch gegen seinen Stolz.

«Es dauert also nicht mehr lange? Dann bereite ich mich schon mal vor», sagte sie zu Manitas.

Sie konnte es kaum erwarten, das Schiff zu entern und den ersten Schlag gegen Felipe auszuführen. Außerdem hatte sie ihre Fechtstunden mit Monsieur Draycot vermisst, und der Arm, mit dem sie den Säbel führte, brauchte dringend Übung. Der Gedanke, an Bord eines mit Schätzen beladenen Schiffes zu gehen und spanische Seeleute im Kampf zu besiegen, wirkte äußerst anregend auf sie. Auf den Gedanken, Angst zu empfinden, kam sie erst gar nicht.

Manitas zuckte mit den Achseln.

«Ich nehme an, es wäre sinnlos, dich an die Gefährlichkeit dieses Unterfangens zu erinnern? Dachte ich mir schon. Dann versuche ich besser gar nicht erst, dich zu überreden, auf dem Schiff zu bleiben. Du fährst also im ersten Beiboot mit. Da bist du sicherer. Aber du musst mir versprechen, dich herauszuhalten, bis die Galeone in unserer Hand ist.»

«Das klingt ja fast so, als würdest du dir Sorgen um mich machen», entgegnete sie strahlend. «Und ich dachte, du legst nur Wert auf meinen Körper.»

«Ich behüte nur den Schlüssel zu meinen Schätzen», konterte er trocken. «Das ist nicht zum Scherzen, Carlotta. Dein Leben ist in Gefahr. Versprichst du mir, dass du mir in diesem Punkt gehorchen wirst?»

«Wie du willst», sagte sie.

Sie senkte den Blick, damit er nicht das Funkeln der Erregung in ihren Augen sah. Sie hatte ganz bestimmt nicht die Absicht, ihm zu gehorchen. Seine Sorge um sie war rührend, aber unnötig. Sie war doch kein Püppchen, das beim ersten Anblick von Blut gleich in Ohnmacht fiel! Aber das konnte Manitas natürlich nicht wissen. Er hatte sie nie fechten sehen. Andernfalls hätte er sich weniger Sorgen um ihre Sicherheit gemacht.

Manitas musterte sie noch immer, und sie lächelte, um ihn in Sicherheit zu wiegen. Das Letzte, was sie wollte, war, dass er sie gewaltsam auf der *Esmeralda* festhalten ließ.

«Hmmm», brummte er. «Du solltest besser was anderes anziehen. In diesen Röcken kannst du nicht klettern. Und binde dein Haar hoch, damit du nicht so auffällst, sonst gehen auf der Galeone gleich alle auf dich los.»

Carlotta sah ein, dass er recht hatte. Bislang hatte die Mannschaft sie und Juanita mit einer nicht ganz unproblematischen Mischung aus Respekt und abergläubischer Angst behandelt. Da man sie als Manitas' Frau betrachtete, wurde sie geduldet, mehr aber auch nicht. Sie hatte sich an die mürrischen Blicke und gemurmelten Verwünschungen gewöhnt und sich tunlichst gehütet, die Männer zu provozieren.

Also überließ sie Manitas seiner Seekarte und begab sich in seine Kabine. In seiner Kleidertruhe fand sie eine lederne Kniehose, ein grobgewebtes Leinenhemd und ein mit Nieten verziertes ledernes Wams, alles ungefähr in ihrer Größe. Sie fragte sich, woher er die Sachen wohl hatte; offenbar hatte er sie für den Augenblick aufbewahrt, in dem sie sie benötigen würde. Seine Umsichtigkeit verblüffte sie.

Sie zog sich bis auf die Strümpfe aus und legte die Männerkleider an. Die Kniehose glitt ihr über Schenkel und Hüften und war an der Taille zu weit. Carlotta hielt sie mit einem Gürtel zusammen, den sie fest über dem Hemd zuzog, flocht dann ihr Haar zu einem Zopf und stopfte es unter eine enganliegende Mütze. Es war ein eigenartiges, aber befreiendes Gefühl, das Leinen und das Leder auf ihrer nackten Haut zu spüren. Die meiste Zeit ihres Lebens hatte sie ein Korsett getragen und es nur weggelassen, wenn sie nicht befürchten musste, von Dienstmägden oder Gouvernanten dabei ertappt zu werden.

Es galt als äußerst anstößig, wenn eine Frau sich nicht von mehreren Schichten von Unterröcken und einem starren, mit Fischbein verstärkten Korsett in ihrer Bewegungsfreiheit einschränken ließ. Die Kirche warnte eindringlich vor den Gefahren, die von entblößten Gliedmaßen ausgingen. Floss das Blut allzu ungehindert, so hieß es, sammelten sich die schlechten Körpersäfte an, was wiederum zu übermäßiger Lüsternheit führen sollte. Carlotta aber hatte auf Konventionen oder die Warnungen der Priester nie etwas gegeben. Sie fragte sich lediglich, wie die Schiffsbesatzung auf ihr neues

Äußeres reagieren würde, als sie sich den Gürtel umschnallte, an dem ihr Säbel hing. Zum ersten Mal trug sie ihn über der Kleidung.

Das Gewicht der Waffe an ihrer Hüfte gab ihr ein Gefühl der Sicherheit, und sie konnte sich ein Lächeln nicht verkneifen. Zweifellos würde die Mannschaft den Anblick einer bewaffneten Frau doppelt schockierend finden. Dennoch war es höchste Zeit, dass sie sich nicht mehr nur hinter Manitas versteckte.

Ihre Vorahnung bestätigte sich, als sie an Deck ging. Obwohl sie sich auf den Salzgeruch in der Luft konzentrierte und auf die Gischt, die der Wind mit sich führte, konnte sie das missbilligende Gemurmel zweier Männer, die gerade das Deck mit Eimern voller Meerwasser scheuerten, beim besten Willen nicht überhören. Beide waren offenbar Landsleute von Manitas, die sich seit geraumer Zeit auf Hispaniola als Freibeuter betätigten.

«Mir scheint, mit Manitas stimmt etwas nicht», sagte einer der beiden so laut, dass sie es hören konnte. «Nicht genug damit, dass er das Schicksal herausfordert, indem er zwei Weiber an Bord lässt; jetzt stellt sich auch noch heraus, dass die eine sich für einen Mann hält! Zum Teufel mit ihr. Das ist doch widernatürlich!»

Der andere antwortete mit einem schmutzigen Lachen. Er war mittelgroß und hatte schmale, beinahe verkrüppelt wirkende Schultern, doch ansonsten einen sehr muskulösen Körper. Sie hatte gehört, wie andere ihn Julio genannt hatten. Mehr als einmal hatte sie gespürt, dass er sie heimlich beobachtete, doch immer, wenn sie sich umgedreht hatte, war er davongeschlichen.

Julios kleine Augen funkelten vor Begierde, als er ihre langen Beine und ihre runden Hüften anstarrte. Zum ersten Mal trat er ihr offen gegenüber, und sie spürte, dass dies eine

Art Prüfung sein sollte. Als sie ihm fest in die Augen blickte, verzog sich sein Mund zu einem verächtlichen Grinsen.

«Vielleicht sollten wir ja mal einen Blick in diese Hose werfen», spottete er. «Sie hat zwar die Titten einer Frau, aber ich wette, dass zwischen diesen weißen Schenkeln ein klitzekleiner Pimmel hängt!»

«Blödsinn! Sie hat bestimmt eine süße kleine Fotze. Manitas ist doch kein Knabenschänder!»

Carlotta ließ sich nicht zu einer Reaktion hinreißen, obwohl die Wut in ihr hochkochte. Sie hatte sich schon wegen geringfügigerer Beleidigungen duelliert. Sie hob das Kinn. Diese Männer waren Dummköpfe und hatten keinen Platz in ihrem Leben. Warum sollte sie ihnen überhaupt Beachtung schenken? Sie wollte sich bereits zurückziehen, als Julio auf sie zutrat.

«Eine süße Fotze, meinst du also? Da wollen wir doch mal nachsehen», sagte er und enthüllte dabei seine abgebrochenen, verfärbten Zähne. «Komm schon, meine Hübsche, zeig uns, was du da in deiner Hose versteckst. Denn die Brüder der Küste teilen alles ehrlich zwischen sich auf. Manitas hat dich schon viel zu lange für sich allein beansprucht.»

Beide kicherten und wechselten verschwörerische Blicke. Dann kamen weitere Männer herbei, die das Gespräch mit angehört hatten. Julio stellte seinen Eimer zur Seite und machte einen weiteren Schritt auf sie zu. Carlotta spürte, wie die Spannung stieg, und bereitete sich innerlich auf eine Auseinandersetzung mit Julio vor. Wie es schien, blieb ihr nichts anderes übrig, als an ihm ein Exempel zu statuieren. Aber Derartiges war wohl nicht zu vermeiden. In Manitas' Gegenwart hätten die Männer nie gewagt, so zu reden, doch nun war er unter Deck in die Seekarten vertieft.

Sie versuchte, ihren wachsenden Zorn im Zaum zu halten. Die Worte von Monsieur Draycot klangen ihr in den Ohren:

«Die Wut ist Euer Feind, ein kühler Kopf dagegen Euer Freund. Lasst niemals zu, dass die Leidenschaft den Arm beeinflusst, mit dem Ihr Euren Säbel führt.»

Seine Instruktionen, die ihr im Zuge unzähliger Wiederholungen längst in Fleisch und Blut übergegangen waren, kamen ihr nun zu Hilfe. Obwohl ihr eigener Herzschlag ihr in den Ohren dröhnte, war sie im Kopf vollkommen ruhig. Sie krümmte die Finger und legte sie auf den Knauf ihres Säbels, wobei sie unbewusst das Gewicht auf die Fußballen verlagerte.

Julio entging diese Bewegung nicht, und einen Moment lang schien seine Fassade der Selbstsicherheit zu bröckeln. Sie lächelte ihn herausfordernd an.

«Komm schon, zieh mir die Hose aus – wenn du es schaffst. Mir fehlt vielleicht ein Stück baumelndes Fleisch, aber ansonsten bin ich womöglich der bessere Mann.»

Die anderen Seeleute brachen in schallendes Gelächter aus.

«Mut hat die Kleine ja!», rief jemand anerkennend.

«Ja, viel zu viel für eine anständige Frau. Erteile ihr eine Lektion, Julio», forderte ein anderer.

Carlotta zog ihren Stoßsäbel und richtete die in der Sonne gefährlich funkelnde Spitze nach unten. Julios Lächeln erstarb, aber er schien nicht die Absicht zu haben, sich geschlagen zu geben. Die anderen feuerten ihn an. Er drehte sich mit besorgter Miene zu ihnen um.

«Und was ist mit dem Sauspieß in ihrer Hand? Ich halte nicht viel von Blutvergießen.»

«Nicht wenn es sich um dein eigenes Blut handelt, was? Sonst gehst du doch auch keiner Herausforderung aus dem Weg!», rief ein anderer Mann und warf ihm ein Entermesser zu. «Hier, kitzle sie damit. Aber pass auf; Manitas wird nicht begeistert sein, wenn du sein Eigentum beschädigst.»

Julio fing das Entermesser lässig auf und ließ die solide wirkende Waffe von einer Hand in die andere wandern, während er auf Carlotta zuging. Wenige Schritte vor ihr blieb er stehen. Seine kleinen Augen verengten sich zu schmalen Schlitzen. Sie hatten die Farbe von schlammigem Wasser.

«Na schön, Kleine», sagte er leise. «Kein Grund zur Aufregung. Ich habe nicht die Absicht, deine glatte Haut zu zerkratzen. Lass die Hose fallen und zeig mir, was ich sehen will, dann krümme ich dir kein einziges Haar.»

«Die Pocken sollen dich holen, du hundsföttischer Kerl!», rief Carlotta und ging mit ihrer schmalen silbrigen Klinge zum Angriff über. «Dir werde ich Manieren beibringen! Es wird mir eine Freude sein, dir die Ohrläppchen abzuhauen und an die Haie zu verfüttern!»

Verblüfft von ihrer kämpferischen Antwort, wich Julio zurück. Er hob zwar den Arm zur Verteidigung, doch das schwere Entermesser war einfach zu unhandlich und eher dazu geeignet, auf einen Gegner einzuschlagen, als damit zu fechten. Schwerfällig wehrte er ihre Schläge ab, und der Schweiß trat ihm auf die Stirn.

Carlotta stieß zu und parierte so schnell, dass Julio ihren Bewegungen kaum folgen konnte. Schon bald war offensichtlich, dass er ihr nichts entgegenzusetzen hatte. Sie beschloss dennoch, ihn nicht zu verschonen, sondern ihren Vorteil gnadenlos auszunutzen. Sie durfte jetzt keinen Fußbreit nachgeben, denn sie musste die Mannschaft dazu bringen, sie von nun an als eine der ihren zu akzeptieren.

Die Männer beobachteten sie, fasziniert von ihrer Eleganz und ihrer Fechtkunst.

«Mein Gott, die Kleine kämpft ja wie der Leibhaftige», murmelte einer der Seeleute ehrfürchtig.

Julio schlug verzweifelt mit dem Entermesser um sich. Bevor er sich's versah, hatte Carlotta unter seiner Deckung hindurch zwei Schlitze in die Vorderseite seines Wamses geschlagen, sodass ihm ein Streifen Leder über die Kniehose hing.

«Na, hast du genug?», fragte sie kalt und trat zurück.

Sie atmete nicht einmal besonders heftig – im Gegensatz zu Julio, der schwer schnaufend seine Waffe sinken ließ und verblüfft an sich herabsah. Er fuhr sich über die Brust und betrachtete dann seine Finger, als erwarte er, Blut zu sehen. Sein Gesicht war braunrot, sein schmaler Mund zuckte.

«Dafür bringe ich dich um, ob du nun ein Weib bist oder nicht», stieß er hervor und begann, sich im Kreis um sie herum zu bewegen.

Carlotta beobachtete ihn genau, um herauszufinden, was er als Nächstes vorhatte. Julios Gesichtszüge waren verzerrt, und er hatte Schaum vor dem Mund. Sie zweifelte keinen Augenblick daran, dass er die Absicht hatte, seine Drohung wahr zu machen, fürchtete sich aber nicht. Sie hatte die Situation vollständig unter Kontrolle.

Die Seeleute waren verstummt. Sie warteten auf das, was nun kommen würde; einige hatten offensichtlich ihren Spaß, während andere eher nachdenklich wirkten. Carlotta wusste genau, was sie in diesem Augenblick dachten. Was wäre, wenn Julio sie tötete? Manitas würde ihn hängen oder noch Schlimmeres mit ihm anstellen, und auch alle anderen würden einen hohen Preis dafür zahlen.

Unter rasendem Gebrüll stürzte sich Julio auf sie, das Entermesser hoch erhoben. Mit einem schnellen Schritt zur Seite ließ sie ihn ins Leere laufen. Eine kleine Bewegung ihres Handgelenks genügte, um ihm mit der Spitze ihres Säbels den Gürtel durchzuschneiden. Noch während er nach vorn taumelte, rutschte ihm die weite Hose bis auf die Knöchel herab, und Julio krachte mit dem Kinn voraus auf die frischgescheuerten Planken.

Die Mannschaft brüllte vor Lachen, als Julios magere Hinterbacken zum Vorschein kamen. Einer der Männer rief Carlotta etwas zu.

«Gut gemacht, Kleine! Jetzt ist er fertig.»

«Nie eine Frau gesehen, die so kämpfen konnte.»

«Gib's auf, Julio. Du bist kein Gegner für sie.»

Julio drehte sich langsam um, und aus einer Wunde an seinem Kinn tropfte Blut. Er zog hastig seine Kniehose hoch, aber nicht schnell genug, um zu verhindern, dass Carlotta seinen schlaffen Penis sah. Es war das kleinste Glied, das sie je gesehen hatte, nicht größer als das eines Knaben. Ein paar kümmerliche Schamhaare umgaben es, und seine Hoden waren so winzig wie Weintrauben.

Aus ihrem spöttischen Blick sprach auch eine Spur von Mitleid. Kein Wunder, dass Julio so sehr das Bedürfnis verspürte, seine Männlichkeit unter Beweis zu stellen. Julio wusste ihre Miene zu deuten. Seine Äuglein verhärteten sich und funkelten wie Pechkohle.

«Ich verfluche dich, *putana*», zischte er leise, nur für ihre Ohren bestimmt. «Das zahle ich dir eines Tages heim, verlass dich drauf. Pass bloß auf, dass du dich von jetzt an oft genug umdrehst.»

Ihr lief es eiskalt den Rücken herunter. Am liebsten hätte sie seine Drohung mit einem Lachen abgetan, doch sie wusste, dass sie sich soeben einen Todfeind geschaffen hatte. Er würde ihr diese Demütigung nie verzeihen.

Einer der Seeleute trat vor und reichte Julio die Hand, um ihm aufzuhelfen. Julio schlug sie weg und rappelte sich schwerfällig auf. Das Entermesser lag ein paar Fuß von ihm entfernt. Er hob es auf, warf es seinem Besitzer zu und ging von Deck.

«Möchte vielleicht noch jemand seine Männlichkeit unter Beweis stellen?», fragte Carlotta nachdrücklich. «Na los, wenigstens einer von euch wird doch wohl den Mut haben, es mit einer Frau aufzunehmen.»

Ein oder zwei Männer scharrten mit den Füßen, aber keiner wagte es, auf sie zuzutreten.

«Ich ganz bestimmt nicht, Señora.»

«Ich auch nicht.»

Sie steckte ihren Säbel wieder in die Scheide. «Dann würde ich vorschlagen, dass ihr alle wieder an die Arbeit geht. Manitas ist vielleicht Kapitän dieses Schiffes, aber ich bin seine ebenbürtige Partnerin. Von jetzt an erweist ihr mir denselben Respekt wie ihm, verstanden?»

Die Mannschaft antwortete mit zustimmendem Gemurmel, und einige versuchten sich sogar in unbeholfenen Verbeugungen. Als die Männer sich dann zurückzogen, warfen sie ihr bewundernde, beinahe ehrfurchtsvolle Blicke zu. Zumindest hatten sie nun gesehen, dass sie im Fall eines Kampfes alles andere als nutzloser Ballast war.

In diesem Augenblick kam Manitas an Deck. Er schätzte die Situation mit einem einzigen Blick richtig ein.

«Was ist denn hier passiert?», fragte er.

Carlotta bedachte ihn mit einem liebreizenden Lächeln. «Es ist schon vorüber, und keinem wurde ein Haar gekrümmt.»

Manitas blickte wild in die Runde. «Falls dich jemand bedroht hat, bekommen die es mit mir zu tun.»

Einer der Männer musste lachen. «Du hast uns gar nicht erzählt, was für eine Wildkatze du uns da untergejubelt hast. *Wir* brauchen hier Schutz, nicht die!»

Lachend gingen die Männer wieder an ihre Arbeit. Manitas warf ihr einen verwirrten Blick zu.

«Was meint er damit?»

«Nur dass ich ihnen ein wenig meine Krallen gezeigt habe», erwiderte sie lächelnd und mit herausfordernd hochgezogenen Augenbrauen. «Wie es scheint, bleibt mir manchmal nichts anderes übrig. Ich lasse es nicht zu, dass man mich wie nutzloses Beiwerk behandelt!»

Manitas warf lachend den Kopf zurück. «Wie ich am eigenen Leib erfahren musste!» Seine Stimme wurde rauer, sein Blick träumerisch. «Ich vermute allerdings, dass es ihnen weit weniger Spaß gemacht hat als mir, das herauszufinden.»

Dann legte er den Arm um ihre Taille und begleitete sie unter Deck.

Manitas kauerte im Bug der Pinasse, die auf die Galeone zusteuerte.

Das kleine Boot schwankte in der aufgewühlten See bedrohlich hin und her. Es schien, als würden sie jeden Augenblick von einer Wand aus Wasser verschluckt, aber irgendwie überwand das Beiboot jede noch so hohe Welle wie ein Stück Kork in einem Mühlteich.

Trotz ihrer tapferen Beteuerungen an Bord der *Esmeralda* war Carlottas Gesicht aschfahl, während ihr ein galliger Geschmack in den Mund stieg. Das gnadenlose Auf und Ab des graugrünen Wassers, die beißende Gischt, die sie bis auf die Haut durchnässte, und der immer näher kommende Bug der riesigen Galeone flößten ihr eine Heidenangst ein.

Manitas war zu sehr auf die bevorstehende Aufgabe konzentriert, als dass er Carlottas Zustand bemerkt hätte. So blieb ihr nichts anderes übrig, als ganz allein gegen ihre Furcht anzukämpfen.

«Segel einholen», rief Manitas, als sie sich ihrem Ziel näherten.

Fast unsichtbar für die Besatzung der Galeone glitt die Pinasse unter den furchterregenden Kanonen hindurch. Über ihr ragte das mehrstöckige, vergoldete Hinterdeck auf, so dicht an ihnen, dass Carlotta die Schiffslaterne sehen konnte und den mit Schnitzereien verzierten Balkon vor der Kabine des Kapitäns. Die Galeone verdeckte die Sonne und ließ die Pinasse geradezu winzig erscheinen.

Carlotta unterdrückte ihre Angst und klammerte sich so fest an die Seitenwände des Bootes, dass ihre Fingerknöchel weiß hervortraten. Neben ihr zielte Manitas mit seiner Muskete auf den spanischen Steuermann und traf ihn mit tödlicher Genauigkeit. Andere Besatzungsmitglieder schossen derweil auf die Männer an den Segeln, während die übrigen auf die Bullaugen feuerten, damit keine neugierigen Seeleute herausschauen konnten.

«Ganz ruhig jetzt», befahl Manitas. «Wartet, bis das andere Boot das Ruder der Spanier festgeklemmt hat.»

Als der Rudergänger außer Gefecht gesetzt und das Schiff manövrierunfähig gemacht worden war, gab Manitas den Befehl zum Entern. Seine Männer schleuderten Enterhaken über die Reling und zogen sich blitzschnell an den daran befestigten Tauen hoch.

«Du bleibst erst mal hier», befahl er Carlotta über die Schulter. «Ich schicke einen Mann nach dir, wenn das Schlimmste vorbei ist.»

Sie nickte und wartete, bis er hochgeklettert war, hatte aber weitaus mehr Angst davor, in der Pinasse zu bleiben. Das Wasser schwappte in solchen Mengen herein, dass es ihr schien, als könnte das Boot jeden Augenblick sinken. Die Galeone kam ihr dagegen wie ein sicherer Ort vor, und sie fürchtete einen Kampf weit weniger als ein nasses Grab.

Bevor einer der Männer sie daran hindern konnte, packte sie das nächste Tau und begann zu klettern. Die glitschigen Schiffsplanken hinterließen grünliche Schleimspuren an ihren Kleidern, als sie sie streifte. Sie biss die Zähne zusammen und zog sich hoch, ohne auf ihre kalten, verkrampften Hände und ihre schmerzenden Muskeln zu achten. An der Reling angekommen, atmete sie schwer. Der runde Balken drückte gegen ihren Bauch, als sie das Bein hinüberschwang.

Trotz ihrer zitternden Glieder zog sie in einer einzigen geschmeidigen Bewegung ihren Säbel und stürzte sich in den Kampf. Als ein spanischer Offizier mit seiner Pistole auf sie zielte, trat sie einen Schritt zur Seite und duckte sich. Eine Kugel zischte knapp an ihrem Ohr vorbei.

Bevor der Offizier nachladen konnte, stieß sie mit ihrem Säbel auf seinen Oberarm vor und durchtrennte seine Muskeln mit einem glatten Schnitt. Rasch machte sie auch seinen anderen Arm kampfunfähig, und er sackte gegen den Hauptmast. Kaum hatte sie ihr Gleichgewicht wiedergefunden, kam auch schon ein stämmiger Seemann auf sie zu. Auch mit ihm war sie schnell fertig, und dem nächsten erging es nicht besser. Plötzlich tauchte Manitas neben ihr auf.

«Verflucht, befolgst du eigentlich nie einen Befehl?», fauchte er mit heiserer Stimme.

Sie grinste ihn an, und ihre Augen funkelten vor freudiger Erregung.

«Niemals!», erwiderte sie. «Wusstest du das noch nicht?»

Dann drehte sie sich auf den Fußballen um und griff einen Mann an, der ein Entermesser schwang. Der Kampf war vorüber, kaum dass er begonnen hatte. Carlotta bewegte sich gekonnt, angestachelt von den Schmerzensschreien und dem Geruch nach Schweiß und Blut. Ihr war, als zische das Blut in ihren Adern.

Das Ganze dauerte nicht lange, denn die spanischen Seeleute waren auf den plötzlichen Angriff nicht vorbereitet gewesen. Viele von ihnen sprangen über Bord und versuchten, schwimmend die nächste Insel zu erreichen. Schwer atmend wischte sich Carlotta den Schweiß von der Stirn und senkte den Säbel. Das Deck war rutschig vom Blut, und sie befahl einem der gefangengenommenen spanischen Matrosen, es zu schrubben.

«Du da, Guido! Geh ans Ruder!», befahl Manitas. «Steuere das Schiff zu der Insel, wo die *Esmeralda* vor Anker liegt.»

«Aye, Kapitän.»

Die anderen Piraten nahmen ihre Posten ein. Carlotta wollte gerade zur Hauptluke, um unter Deck nach ihrer Beute zu sehen, als Manitas sie am Arm packte.

«Warte. Wir sollten kein unnötiges Risiko eingehen», erklärte er. «Du bleibst hinter mir. Und diesmal wirst du mir gehorchen.»

Sie wusste, wann Widerspruch sinnlos war, und folgte ihm die Treppe hinunter. Er hatte für den Fall, dass jemand Gegenwehr leisten sollte, seine Muskete gespannt, doch die verbliebenen spanischen Seeleute hatten nicht mehr den Willen zu kämpfen. Die Offiziere, die sich am Kampf nicht beteiligt hatten, fand er in der Kabine des Kapitäns vor. Sie ergaben sich widerstandslos.

Hinter den Offizieren hatte sich ein feister Mann mit einem roten Gesicht verkrochen. Die tiefen Falten zwischen Nase und Mund deuteten auf ein ausschweifendes Leben hin. Gekleidet war er in gemustertem blauen Brokat, und sein Wams wies die modische Erbsenschotenform auf. Über seinem Batisthemd trug er eine Halskrause aus feiner Spitze. Die stämmigen Beine des Mannes steckten in dazu passenden, ebenfalls reichverzierten blauen Strümpfen.

Die eleganten Kleider wirkten an dem sehr kleinen und stark übergewichtigen Mann geradezu lächerlich. Carlotta erkannte ihn sofort. In dem Dokument, das sie Alberto, Felipes Vertrautem, gestohlen hatte, waren sämtliche Geschäftsfreunde Felipes genau beschrieben. Sie lächelte innerlich, als sie sich fragte, was Antonio Alva wohl von dem Eintrag bezüglich seiner Person gehalten hätte. Er lautete:

«Antonio Alva, Bankier. Ein Mann, der dem übermäßigen Genuss von Essen und leiblichen Freuden frönt. Fett wie ein Schwein und mit einer entsprechenden Visage. Seine Augen stehen eng beieinander, und seine Ohren sehen aus wie die Henkel eines Kruges.»

Sie entbot ihm eine spöttische Verbeugung und zog ihre Mütze, sodass ihr das Haar über den Rücken fiel.

«Sehr erfreut, Eure Bekanntschaft zu machen, Señor Alva. Was für eine freudige Überraschung, Euch hier an Bord anzutreffen.»

Antonio Alva schien es die Sprache verschlagen zu haben. Er stand mit offenem Mund da, während sein Doppelkinn erschrocken vor sich hin zitterte.

«Mein Gott, das ist ja eine Frau!», stieß er schließlich hervor. «Wer … wer seid Ihr? Und was … was habt Ihr mit mir vor?»

Carlotta antwortete nicht; er sollte sich das selbst zusammenreimen. Sie wandte sich Manitas zu, der sich gerade mit den Offizieren unterhielt.

«Um Gottes willen, tut uns nichts, Señor», flehte der Kapitän. «Wir alle haben Frauen und Kinder. Ihr könnt ein hohes Lösegeld für uns fordern. Es wird ganz bestimmt bezahlt.»

«Euer Schiff mit seiner gesamten Ladung genügt uns», erklärte Manitas. «Von Euch will ich nichts. Somit steht Euch frei, *mein* Schiff jederzeit zu verlassen.»

«Aber vorher will ich Euch dies hier geben», sagte Carlotta und händigte dem Kapitän eine mit Wachs versiegelte Schriftrolle aus. «Nehmt dies mit zurück nach Spanien und überbringt es Don Felipe Escada, der jetzt die Mendoza-Ländereien besitzt. Er soll wissen, wer seinen Teilhaber ausraubt und sein Geld stiehlt.»

«Don Felipe!», brach es aus Antonio heraus. «Was hat denn der damit zu tun?»

«Ruhe!», gebot ihm Carlotta. «Ihr habt hier nichts zu fragen, sondern allenfalls um Gnade zu flehen.»

Antonios Gesicht lief tiefrot an. «Unverschämtes Weib! Du ... du schamloses Miststück! Du wagst es, mich herumzukommandieren? Wie kannst du dich über den Platz erheben, den Gott der Herr euch Frauen zugewiesen hat? Die Behörden werden erfahren, dass du hier die Finger im Spiel hattest. Ich werde höchstpersönlich dafür sorgen, dass du in den Strafstock gespannt und ausgepeitscht wirst, bis dir die Haut in Fetzen herunterhängt. Bei Gott, warte nur, bis ich wieder in Spanien bin, dann -»

«Halt dein Maul, Mann. Du bleibst hier», unterbrach ihn Carlotta. «Mit dir habe ich etwas ganz Besonderes vor.»

«Oh ...» Antonio ließ sich unter besorgtem Wackeln seines Doppelkinns auf eine Bank sinken. Dann blickte er mit einem flehentlichen Ausdruck in seinen blutunterlaufenen Augen zu Manitas hoch. «Und was sagt Ihr dazu, Señor? Dieses Weib spricht doch wohl nicht für Euch?»

«Doch», antwortete Manitas mild. «Und ich rate Euch dringend, ihr etwas mehr Respekt entgegenzubringen. Eure Zukunft liegt nämlich in ihren schlanken weißen Händen. Nachdem sie mir eine so wertvolle Beute beschafft hat, kann ich ihr einfach nichts abschlagen.»

«Dann kann ich also mit diesem fetten Geldsack verfahren, wie mir beliebt?», erkundigte sich Carlotta.

«Meinetwegen kannst du ihn in heißem Öl braten – solange ich dabei zusehen darf.» Er zwinkerte ihr zu, um ihr klarzumachen, dass er Antonio nur Angst einjagen wollte, und sie grinste zurück.

«Ich habe mit ihm etwas sehr viel Interessanteres im Sinn.»

Antonio klappte der Unterkiefer herunter. Schweißtropfen liefen ihm über die dicken Wangen und landeten in seinem Spitzenkragen. Er fiel auf die Knie und hob flehend die Hände.

«Ich flehe Euch an, Señor, lasst mich gehen. Ich bin ein reicher Mann. Wieviel wollt Ihr haben?»

Manitas seufzte gelangweilt und gab einem seiner Männer ein Zeichen.

«Wirf diesen Kretin in den Schiffskerker. Wir kümmern uns später um ihn. Und jetzt, Carlotta, sehen wir uns erst mal die Schatzkammer an. Und dann müssen wir noch über deinen Ungehorsam reden.»

Die Schatzkammer befand sich auf dem Orlopdeck, unmittelbar unter dem Kanonendeck. Die Decke war niedrig, der kleine Raum finster und nur von einer einzigen flackernden Laterne erleuchtet.

Manitas öffnete eine versiegelte Truhe, und Carlotta entfuhr angesichts des vielen Goldes, das sich auf den Fußboden ergoss, ein Ausruf des Entzückens. Nachdem sie weitere Truhen aufgebrochen hatten, erfüllte der Glanz des Goldes den ganzen Raum.

«Im Lagerraum finden wir bestimmt noch andere Waren», sagte Manitas. «Fässer mit Zucker, seltene Hölzer, Ambra und Tabak. Vielleicht sogar kostbare Lamawolle. Jetzt müssen wir nie mehr Hunger leiden.»

Carlotta nahm eine Halskette in die Hand, gefertigt aus Federn und gefassten Türkisen. Des weiteren waren da Ohrringe, reichverzierte Kolliers und Ringe, alle aus Gold und mit Edelsteinen geschmückt. In einer anderen Truhe fanden sie Seide, Samt und gemusterten Brokat. Der intensive Duft nach seltenen Gewürzen wie Zimt, Muskatnuss und Pfeffer schwebte im Raum, als Manitas mit der Sichtung ihrer Beute fortfuhr.

Bis zu diesem Augenblick war Carlotta gar nicht bewusst

gewesen, wie sehr ihr der Anblick solcher Luxusgüter gefehlt hatte. Etwas in ihr reagierte auf die greifbare Schönheit der wertvollen Stoffe. Sie ließ sich gehen, drapierte ganze Bahnen violetter, gelber und smaragdgrüner Seide um ihren Körper und bedeckte die rauen Dielen mit einem Wasserfall leuchtender Farben.

Das Gewirr aus Samt und kostbarem, zum Teil mit Goldfäden durchwirktem Brokat lag wie ein exotischer Teppich auf den derben Schiffsplanken. In einem anderen Behältnis fand sie bauchige Flaschen aus bemaltem Glas, von denen eine mit einem Stopfen aus einem einzigen geschliffenen Rubin verschlossen war. Sie erbrach das Siegel und benetzte sich mit dem Parfüm Kehle und Handgelenke und die Haut zwischen ihren Brüsten.

Das Parfüm war anders als jedes, das sie je gerochen hatte, intensiv und geheimnisvoll. Ein Duft der Neuen Welt, stark und moschusartig, aber mit einer undefinierbaren, nachhaltigen Note. Jedenfalls verfehlte er seine Wirkung auf sie nicht, als sie die Augen schloss und tief das sinnliche Aroma in sich einsog, das sich beim Kontakt mit ihrer Haut erst richtig zu entfalten schien. Auf einmal kam ihr der Duft irgendwie vertraut vor und rief eine äußerst sinnliche Reaktion in ihr hervor, verbunden mit einem merkwürdigen Gefühl des … Verlustes?

Ihr schien es, als würde die Luft sich verdichten und Schatten sich auf sie zubewegen. Ihr wurde schwindlig. Der süße Duft verursachte in ihrer Nase ein Gefühl der Übersättigung. Etwas – eine Erinnerung – schien knapp außerhalb ihrer Reichweite. Sie hatte den Eindruck, als wäre ganz in der Nähe eine Frau, die auf sie wartete, doch das Bild war unscharf wie eine Bewegung, die man aus den Augenwinkeln wahrnimmt.

Als Carlotta sich ruckartig umdrehte, schien die Gestalt

für einen Augenblick leibhaftig vor ihr zu stehen. Sie sah das Bild ihrer selbst wie in einem Spiegel, doch ihr Gesicht war von dunklerer Hautfarbe, und auch ihr Haar sah anders aus, glatt und glänzend. Carlotta bekam es mit der Angst zu tun. Was war nur mit ihr los?

Es musste mit dem Parfüm zu tun haben. Sie spürte förmlich, wie sich die intensiven, geheimnisvollen Aromen des Duftes in ihrem Körper verbreiteten, ihr Blut wärmten und ihr Bewusstsein erweiterten. Vielleicht hatte ein Hohepriester der Heiden das Fläschchen mit einem Zauber belegt. Die Wilden der Neuen Welt warum dafür berüchtigt, Götzenbilder anzubeten und Menschenfleisch zu verzehren; warum sollten sie nicht auch Hexerei praktizieren? Ein erschrockener Aufschrei entfuhr ihr, bevor sie das Fläschchen in die Truhe zurückwarf.

«Was ist mit dir, Liebste?», fragte Manitas besorgt. «Du bist so blass.»

Noch ganz durcheinander von dem seltsamen Erlebnis, suchte Carlotta nach einer Antwort.

«Ach, nichts. Ich hatte nur so ein komisches Gefühl. Das kommt wahrscheinlich nur daher, dass mir kalt ist. Meine Kleidung ist ganz nass.»

Sie öffnete den geschnürten Ausschnitt ihres Hemdes. Durch die Bewegung wurde der schwere Duft teilweise vertrieben und ihr Kopf klarer. Sie atmete tief durch und drehte sich nach dem schattenhaften Bild der Frau um, doch da war nichts. Abgesehen von ihr und Manitas war niemand im Raum. Hatte sie sich das alles nur eingebildet?

Als sie sich mit den Fingerspitzen über die Brust fuhr, merkte sie erst, wie kalt und feucht sich ihre Haut anfühlte. Vielleicht hatte sie sich tatsächlich verkühlt. Je schneller sie ihre nassen Kleider auszog, desto besser. Sie stanken nach feuchtem Leder und Meerwasser.

Plötzlich merkte sie, dass Manitas sie aufmerksam und mit einem fragenden Blick in seinen dunklen Augen beobachtete. Er kam auf sie zu und trat hinter sie. Seine Arme legten sich um ihre Taille, und er zog sie zurück gegen die harte Wand seiner Bauchmuskulatur. Seine Wärme und sein kräftiger Körper waren tröstlich fest in der Realität verwurzelt. Fast hätte sie laut über sich selbst gelacht, weil sie solch merkwürdige Phantasien hatte. Das passte eigentlich gar nicht zu ihr.

Manitas schien den kleinen Raum mit seiner physischen Präsenz vollständig auszufüllen. Sie sog seine Kraft und seine Männlichkeit in sich auf und konnte bald an nichts anderes mehr denken als an ihn.

Die Härte seiner Erektion drückte in sie hinein, als er die Hüften kreisen ließ. Auf der Stelle sah sie sein Glied vor sich, hoch aufgerichtet und mächtig. Wie gern sie es in sich gespürt und gefühlt hätte, wie es ihre empfindlichen Häutchen dehnte. Seine schiere Größe erregte ihre Sinne.

Unter dem verschmutzten Leinenhemd kribbelten ihre Brustwarzen vor Vorfreude. Sie erschauderte, als sie sich vorstellte, wie Manitas sie nackt auszog, ihre langen weißen Gliedmaßen entblößte, sie auf den Teppich aus Stoffen legte und in sie eindrang, ohne darauf zu warten, dass sie ihm ihre Bereitschaft bedeutete.

Sie drückte sich gegen ihn, und er lachte heiser.

«So wild auf Vergnügen, meine Schöne? Wir haben aber vorher noch etwas zu besprechen, weißt du noch? Wie ich dich dafür bestrafen soll, dass du dein Leben aufs Spiel gesetzt hast?»

«Warum verlangst du nicht einfach ein Pfand?», fragte sie mit fröhlicher Stimme.

«Genau das habe ich vor», antwortete er mit einem kalten Funkeln in den Augen.

Seine Arme lagen wie ein Schraubstock um sie. Hinter seiner spielerischen Art entdeckte sie dieselbe Entschlossenheit, die er auch schon bei anderen Gelegenheiten an den Tag gelegt hatte. Manchmal war er bereit, ihr die Führungsrolle zu überlassen, doch diesmal nicht. Sie war sich seiner enormen Kraft und seiner Größe im Verhältnis zu der ihren sehr wohl bewusst. Nur eine sehr mutige Frau würde sich ihm verweigern, wenn er in dieser Stimmung war. Doch sie hatte gar nicht die Absicht, ihm zu widerstehen. Die Andeutung von Gefahr erregte sie nur noch mehr.

Er erlaubte ihr, sich aus seiner Umklammerung zu lösen, und sie wandte sich ihm zu.

«Und welches Pfand willst du?», fragte sie in einem verheißungsvollen Tonfall. «Ich stehe dir ganz zur Verfügung.»

Er gab ein leises, kehliges Geräusch von sich, das ebenso begierig wie ungeduldig klang. Sie schien den Widerhall zwischen den Schenkeln zu spüren, wo ihre Scheide weich wurde und anschwoll und die Schamlippen dick und feucht wurden.

«Zieh die nassen Sachen aus. Alle. Ich will dich nackt und auf den Knien vor mir haben.»

Leicht zitternd zog sie die Stiefel aus und ließ sie auf den Boden fallen. Dann kam ihr wattiertes Wams. Als sie das nasse Hemd über den Kopf zog, streichelte die warme Luft in der Kammer ihre Haut. Sie rieb sich die kalten Arme, bis die Gänsehaut verschwunden war.

Manitas beobachtete sie, während sie ihre übrigen Kleider auszog. Bald stand sie splitternackt vor ihm. Unter ständigem Blickkontakt zu ihm kniete sie sich in das Durcheinander aus kostbaren Stoffen. Sie war in seiner Gegenwart schon häufiger nackt gewesen, doch noch nie war er so versessen darauf erschienen, ihre Verletzlichkeit auszukosten.

Er war sichtlich aufgewühlt. Ihr war es, als könne sie

seine Gedanken beinahe sehen. Was würde er wohl von ihr verlangen? Etwas Demütigendes – etwas, das sie so sehr kränken würde, dass sie vor verletztem Stolz beben würde? O ja – bitte!

Sie errötete und wusste, dass sich ein zartes Rosa über ihren Nacken, ihre Schultern und ihre Brüste ausbreitete. Nur mit Mühe konnte sie dem Drang widerstehen, ihre Hände auf ihren Venushügel zu legen. Manitas schaute sie mit einer solchen Leidenschaft und Intensität an, dass sein Blick ihre Haut zu durchdringen schien und sie das Bedürfnis verspürte, einen Teil ihrer selbst vor ihm abzuschirmen.

In ihrer Kindheit war sie fasziniert gewesen von der Geschichte über einen Riesen, der unartige Kinder fraß. Genau diese Geschichte fiel ihr jetzt wieder ein, und sie verspürte eine Erregung, die bis in ihr tiefstes Innerstes reichte. Hinter ihren geschlossenen Schamlippen sammelte sich die Feuchtigkeit ihres Körpers. Sie spürte förmlich, wie die heiße, glitschige Flüssigkeit darauf wartete, auf eine Berührung durch seine Hand hin herauszusickern.

Manitas fuhr mit den Händen durch die dichten dunklen Wellen ihres Haares und breitete es wie einen Fächer über ihrem Rücken aus. Die dunklen Strähnen kitzelten sie an den Brüsten. Er ließ seine schwieligen Handflächen über ihre Schultern und Oberarme gleiten, dass die raue Oberfläche seiner Hände auf ihrer Haut kratzte und sie innerlich aufseufzen ließ.

«Was für eine Haut, weiß wie eine Perle», murmelte er. «Du brauchst keinen anderen Schmuck als das lockige schwarze Fell über deiner Scheide, aber ich will meiner Leidenschaft nachgeben. Du bist ja so bezaubernd, wenn du folgsam bist.»

«Ich bin, was immer ich sein soll, mein Herr und Gebieter», erklärte sie mit rauchiger Stimme, während sie das

Aufflammen der Lust aus seinen tiefliegenden Augen in sich aufsog.

«Dann wirst du jetzt tun, was ich dir sage, und zwar sofort. Ohne Widerspruch. Denn ich werde dich bestrafen, wenn du aufbegehrst. Hast du mich verstanden?»

Sie nickte beim Gedanken an das brennende Gefühl in ihren Hinterbacken, das sie nach den Schlägen bei ihrem ersten Mal empfunden hatte. Die Art und Weise, wie er in die seidige Falte zwischen ihren Backen vorgestoßen war und sich befriedigt hatte, während er ihrer gierigen Vagina ihren Teil verweigert hatte. Noch Stunden danach hatte sie seine Berührung gespürt, sowohl auf ihrer Haut als auch im Schmerz auf ihrer äußeren Spalte und auf der festverschlossenen Mündung ihres Afters.

Wie köstlich grausam er doch sein konnte, und wie sehr ein Teil von ihr auf die dunkle Seite seiner Leidenschaft reagierte! Die Bereitschaft zur vollkommenen Unterwerfung überschwemmte ihren gesamten Körper, während das Verlangen sich in ihr entfaltete wie eine feuchte rote Blume, deren Blütenblätter erbebten und anschwollen.

Wenn Manitas in dieser Stimmung war, jagte er ihr Angst ein. Zugleich aber war er auch unwiderstehlich und unvorhersehbar – eine Kombination, die auf ihre Sinne wirkte wie heißer, gewürzter Wein. Ihre Haut erbebte, als er mit taxierendem Blick um sie herumging. Das Warten darauf, dass er ihr endlich sagte, was sie zu tun hatte, erfüllte sie mit Spannung. Nun stand er neben ihr. Sein Gesicht konnte sie nicht sehen. Gerade als sie sich ihm zuwenden wollte, begann er zu sprechen.

«Habe ich dir gesagt, dass du dich bewegen sollst? Du bleibst genau so stehen», befahl er streng. «Streck den Rücken durch, halte die Schultern gerade und streck die Brüste vor. Stell dich für mich zur Schau.»

Sie tat, wie ihr geheißen, während ihre Brustwarzen fest wurden und das Fleisch um sie herum vor Erregung bebte. Ihre Vagina war heiß und schwer und gierte nach seiner Berührung, während sie mit angehaltenem Atem auf seine nächsten Worte wartete.

«Knie auseinander», befahl er, nun unmittelbar vor ihr. «Ich will, dass du deinen Körper für mich öffnest.»

Und sie tat es, langsam, während sein Blick von ihrem Schamhaar allmählich nach unten wanderte zu ihrer Vagina, die ein wenig zwischen ihren gespreizten Schenkeln herabhing. Der Druck in ihrem Innern war so gewaltig, dass sie das Gefühl hatte, als müsste sie die rosigen Falten nach außen pressen, damit sie ihm wollüstig entgegenragten.

«Köstlich», sagte er, strich ihr über den Bauch und zog sanft an den glänzenden Locken über ihrer Scheide.

Ihre Fügsamkeit schien ihn zu faszinieren. Zweifellos hatte er zumindest einen gewissen Widerstand von ihr erwartet, zumal sie bis dahin immer gegen seine Dominanz angekämpft hatte; nun aber wartete sie unterwürfig auf das, was er mit ihr zu tun gedachte.

«So viel Gehorsam verdient eine Belohnung», erklärte er.

Dann verschwand er aus ihrem Blickfeld, und sie hörte ihn durch den Raum gehen. Sie konnte nicht sehen, was er tat, und zitterte innerlich. Die erotische Spannung in ihr war nahezu unerträglich. Manitas schien etwas zu suchen. Sie hörte, wie sich eine Schatulle öffnete und Metall gegen Metall schlug.

Er hatte es nicht einmal eilig, dieser arrogante Bastard. Dabei wusste er ganz genau, wie schwer ihr das Warten fiel. Ängstlich wartete sie auf seine Rückkehr.

Diesmal hatte er etwas ganz Besonderes im Sinn.

Kapitel neun

Manitas griff in die kleine, mit schillerndem Perl-
mutt verzierte Schatztruhe aus dunklem Holz und
holte einige Handvoll goldener Ketten sowie Schnüre aus
Perlen und grobgeschliffenen, in Gold gefassten Edelsteinen
heraus.

«Das ist es», sagte er, brachte die Truhe mit und stellte sie
neben Carlotta ab.

Sie blieb reglos, während er ihr die Halsketten über den
Kopf und eng um ihren Busen legte. Er hob die schweren
Brüste an und arrangierte die Perlenschnüre und Goldketten
so, dass sie die prallen Kugeln stützten und zwangen, verführerisch aus dem Schmuck zu ragen.

Das Gold fühlte sich auf ihrer Haut kühl und erregend an.
Es schien, als wolle er sie mit Edelsteinen bedecken wie eine
barbarische Prinzessin aus der Neuen Welt. Ihr gefiel das
Bild, und sie stellte sich vor, wie in einem tropischen Regen-
wald das Sonnenlicht durch die Bäume auf sie fiel, während
sie vor einem steinernen Götzenbild kniete.

Doch was hatte ihr diesen Gedanken eingegeben?

«Welches Parfüm benutzt du da?», fragte Manitas, als er
vor ihr kniete und eine ihrer Brustwarzen kniff, bis sie sich
aufrichtete.

«Das ... das war in einem der Fläschchen ...», begann sie und hielt den Atem an, als er etwas Speichel auf die kleine fleischige Kuppe aufbrachte und begann, sie durch eines der Kettenglieder zu zwingen.

Als sich die Kette um ihre Brustwarze geschlossen hatte, rieb er mit den Handflächen über und um ihre Brüste, um ihren süßen Duft einzufangen. Dann formte er die Hände zu einer Schale, hielt sie ans Gesicht und atmete tief ein.

«Was für ein fremdartiger, betörender Duft», staunte er. «Ganz wie für dich gemacht.»

Ihre eingeklemmte Brustwarze brannte und bebte, und eine warme Wolke des würzigen Parfüms umgab sie. Es stieg von Manitas' Händen auf, während er ihr immer mehr Schmuck um den Hals legte. Wie schon zuvor beschleunigte sich ihr Herzschlag, und tief in ihrer Kehle spürte sie ein so intensives Pochen, dass sie das Gefühl hatte, Manitas müsste es durch ihre Haut hindurch sehen können.

Wie schwer das Parfüm doch war und wie merkwürdig durchdringend! Das Licht im Raum wurde schwächer, und die Luft fühlte sich beinahe dickflüssig und irgendwie körnig an. Sie schloss die Augen einen Moment lang, verwirrt von den unterschiedlichen Gefühlen, die sie bestürmten.

Manitas zwickte nun ihre andere Brustwarze, feuchtete sie an und klemmte sie in ein weiteres Kettenglied. Dumpf pulsierte die Erregung in ihrem Unterleib, als der Metallring ihr hervorstehendes Fleisch umschloss. Manitas murmelte ihr etwas zu, aber sie hörte nicht, was er sagte. Seine Stimme klang weit entfernt, als erneut das merkwürdige Schwindelgefühl über sie kam.

Irgendwie hatte sie diesmal keine Angst mehr. In ihrem Kopf drehte sich alles, doch es war ein angenehmes Gefühl, vermischt mit der sexuellen Erregung, die in ihr aufblühte. Sie genoss den lustvollen Schmerz in ihren Brustwarzen und die Kälte des Schmucks auf ihrer Haut und wurde das Gefühl nicht los, schon einmal auf diese Weise ausstaffiert worden zu sein.

Auch der so märchenhaft wie barbarisch anmutende Schmuck selbst kam ihr seltsam bekannt vor. Wie war das möglich?

Die Bilder in ihrem Kopf wurden klarer. Wieder sah sie die Frau, die ihr so sehr ähnelte, aber nicht sie war. Als bestünde eine körperliche Verbindung zwischen ihnen, flossen ihre Sinne ineinander und wurden eins. Das Bild verschwamm und wurde erneut schärfer. Sie schien sich von einem Punkt in der Mitte ihrer Stirn nach außen zu bewegen.

Während sie sich ihrer körperlichen Erregung und der im Zentrum ihrer Weiblichkeit konzentrierten Wärme noch immer sehr bewusst war, nahm ihr Geist den Klang von Trommeln wahr und das Aufeinanderschlagen metallischer Instrumente …

Und nun lag um ihre Schultern ein Umhang aus zahllosen winzigen Vogelfedern – Hunderte einander überlappende Federn, von denen jede einzelne in silbrigen Blau- und Grüntönen schimmerte. Am oberen Ende des Umhangs waren Rückenschilde seltener Käfer angenäht und bildeten einen glitzernden Kragen. In ihren Ohrläppchen steckten Bolzen aus glattem Hämatit, in dem Goldpartikel schimmerten.

Vom feuchten Waldboden stieg tropischer Nebel auf, und die Gerüche nach Vanille, Farn und fruchtbarer Erde lagen in der Luft. Das Gras unter ihren Knien war weich, und das steinerne Bildnis von Quetzalcoatl, dem Vatergott, blickte gütig auf sie herab.

In den Händen des Götzenbildes lag eine kreisrunde Platte aus poliertem Metall, in der sich ihr dichtes, glatt herabfallendes Haar spiegelte – ein Wasserfall unter dem Diadem aus getriebenen Goldblättern.

Als sie an sich hinabblickte, sah sie, dass ihre Haut in einem dunklen Goldton glänzte und ihre Brustwarzen groß und rotbraun waren. Um ihre Taille trug sie einen Gürtel aus den geflochtenen Fasern einer heiligen Pflanze. Ihre Dienerinnen feierten singend ihr fleischliches Opfer für ihren neuen Herrn, der unweit von ihnen stand.

Sie sollte ihm als Geschenk dargeboten werden, denn er war ein Gott von jenseits des großen Meeres. Er war von Osten gekommen, wie die Propheten es vorausgesagt hatten, und brachte dem aztekischen Volk Glück. Er fiel durch seine weiße Haut und seinen mit donnernder Stimme sprechenden Stock auf, und sie war nur allzu bereit, ihm zu dienen.

Die kundigen Finger ihrer Dienerinnen zupften an ihren Brüsten und strichen ihr über die Schenkel. Sie überhäuften sie mit goldenen Ketten und kniffen ihre Brustwarzen, bis sie zu dunklen Spitzen wurden, um sie auf das Begehren des weißen Gottes vorzubereiten. Kleine Schockwellen der Erregung schwappten über ihre dunkle Haut. Das Gesicht ihres neuen Herrn war scharf geschnitten und grausam, doch trotz seiner Adlernase und seiner schmalen Lippen reagierte ihr Blut auf die Finsternis in seinem Innern.

Unter dem glänzenden Helm mit seinem nach oben gebogenen Rand hatte ihr Herr hohe Wangenknochen und einen sorgfältig gestutzten Bart. Sein merkwürdig geformter Körperpanzer funkelte in der Sonne, und seine wattierte Kniehose war mit silbernen Fäden bestickt. Seine Beine steckten in hohen Lederstiefeln.

Die Vision begann zu verschwimmen, und Carlotta riss sich von ihr los. Eigentlich hätte sie verängstigt sein müssen, und so wunderte sie sich darüber, wie gelassen sie dieses merkwürdige Geschehen hinnahm. Ein Priester hätte ihr wohl erklärt, derartige Visionen seien vom Teufel geschickt, doch sie war immer schon viel zu eigensinnig gewesen, um sich von den Warnungen bigotter Narren einschüchtern zu lassen.

Diese Erinnerungen konnten ihr nichts anhaben. Schließlich waren sie nur von dem eigenartigen Duft des Parfüms und dem kalten Kuss des heidnischen Metalls heraufbeschworen worden. Die Luft um sie herum zerfloss in einem Farbschleier, und Carlotta nahm wieder den Raum wahr, in dem sie sich befand.

Ein leises Stöhnen kam über ihre Lippen, als Manitas ihr einen Gürtel aus getriebenem Gold um die Hüften legte. Carlotta hob ihre schweren Lider und blickte zu ihm auf. Sie fühlte sich wie unter Drogen, als habe sie einen mit reichlich Hippokras versetzten heißen Molketrank zu sich genommen.

«Mein Gott, bist du schön», stieß Manitas mit tiefer, rauer Stimme hervor. «Deine Augen sind wie dunkles Feuer. Das Barbarische steht dir. Du würdest eine außergewöhnlich gut aussehende Heidin abgeben.»

Carlottas Lippen umspielte ein geheimnisvolles Lächeln. Sie wollte nur zu gern wissen, ob die Prinzessin mit ihrem Liebhaber und Eroberer Spaß gehabt hatte, würde aber womöglich niemals weitere Einblicke in diese schattenhafte Vergangenheit erhalten. Doch das machte nichts. Was zählte, war Manitas' Anwesenheit in der Gegenwart, seine Hände auf ihrer Haut waren nicht weniger kundig als die der Dienerinnen in ihrer Vision. Und sein Gesicht war nicht weniger faszinierend als das des Eroberers der Prinzessin.

«Ah …», hauchte sie, als Manitas' Hand durch die seidigen schwarzen Locken auf ihrem Venushügel fuhr.

Die Spitzen seiner Finger glitten über das feuchte, pralle Fleisch der geöffneten Furche ihrer Vulva. Die Knospe ihrer Lust war heiß und hart und schien unter seiner Berührung zu zittern.

Carlotta bebte buchstäblich vor Leidenschaft. Es war, als hätte die Vision ihre Erregung um ein neues Element bereichert. In ihr steckte etwas, das vibrierte und darauf drängte, befriedigt zu werden.

O Gott, gib, dass Manitas mich bald erlöst. Der aber schien sich ihres verzweifelten Verlangens gar nicht bewusst, und wenn er es war, kümmerte es ihn nicht.

Manitas ließ sich Zeit und behängte ihre durchstochenen Ohrläppchen mit Ohrringen, deren Gewicht an der zarten Haut zog. Er legte ihr weitere Ketten um die Taille, band sie fest zusammen und arrangierte sie so, dass Medaillons aus geschliffenen Edelsteinen ihr Schambein ganz bedeckten.

Als er ihr schwere Armreife über die Handgelenke streifte, stöhnte sie leise auf und bog den Rücken durch. Dann stieß sie die Hüften vor, damit die Kälte der Medaillons ihre prallen Schamlippen berührte. Schon diese leichte Berührung sandte einen Schauder der Erregung durch ihr Fleisch und bewirkte, dass ihre aufgerichtete Knospe sich zu einer kleinen Nuss verhärtete, die wie ein winziges Herz pulsierte.

«Oh, bitte ...», flüsterte sie.

«Du bist zu ungeduldig», mahnte Manitas. «Dir wird erst Erlösung zuteil, wenn ich sie dir gewähre. Wenn du so weitermachst, weißt du ja, was geschehen wird. Was hast du dazu zu sagen?»

«Vergib mir», murmelte sie und kaute an ihrer Unterlippe.

Die Worte waren ihr schwergefallen. In ängstlicher Erwartung dessen, was er nun tun würde, wagte sie kaum, sich zu bewegen. Ihre größte Angst aber war, dass er gar nichts tat. Es war durchaus möglich, dass er einfach zusah, wie sie sich vor unerfülltem Verlangen verzehrte.

Manitas wies Carlotta an, die Position zu ändern und nacheinander die Fußknöchel zu heben, damit er ihr noch mehr Gold umhängen konnte. Selbst ihre Zehen wurden geschmückt, er steckte auf jede einzelne einen winzigen goldenen Ring. Als Manitas' Finger während seiner bedächtigen Verzierung ihres Körpers über ihre eingeklemmten Brustwarzen fuhren, versuchte sie verzweifelt, ihr Begehren zu verbergen. Doch es war unmöglich. Sie streckte ihm ihre Nippel entgegen – zwei wollüstige rotbraune Spitzen, eingefasst vom Schimmer des Goldes.

Endlich schien Manitas sich zufriedenzugeben. Er lehnte sich zurück, um das Ergebnis seiner Arbeit zu begutachten. Das ungewohnte Gewicht auf den verschiedenen Teilen ihres Körpers lenkte Carlottas Aufmerksamkeit ein wenig von der prallen Fülle ihrer sehnsüchtigen Scheide ab.

Merkwürdigerweise wurde sie dadurch nur noch gieriger nach Manitas' Berührung. Jede Faser ihres Körpers schien zu kribbeln und nach ihm zu verlangen, doch sie hatte kaum Zeit, sich dies bewusst zu machen, denn er begann zu sprechen.

«Vergib mir, ich habe dich nicht gehört …», wisperte sie, die Augen vor Schock geweitet. In Wahrheit hatte sie ihn sehr wohl gehört, aber nicht glauben können, was er von ihr verlangte.

«Ich sagte, leg dich auf den Rücken, nimm die Schenkel in die Hände und streck mir deine Hinterbacken entgegen», wiederholte er in jenem Tonfall, der, wie sie wusste, keinen Widerspruch duldete. «Ich möchte diesen Edelstein zwischen deinen Schenkeln betrachten.»

Zögerlich legte sie sich auf den Rücken. Samt und Seide verrutschten unter ihr, als sie die Hände unter ihre Schenkel schob. Sie hob die Beine an die Brust und schloss dabei die Augen, denn sie wusste, dass ihr Geschlecht seinen Blicken nun vollkommen ausgeliefert war. Die Ketten und Medaillons rutschten zu beiden Seiten der Wölbung ihrer Vulva.

«O nein», stöhnte sie, als geschah, was sie befürchtet hatte.

Ein Tropfen cremiger Flüssigkeit glitt aus ihr und rann auf die Falte zwischen ihren Hinterbacken zu.

«Öffne dich noch mehr», befahl Manitas, während er den Tropfen aufwischte und auf der Knospe ihrer Lust verrieb. «Ich möchte sehen, dass du bereit bist, mir zu gehorchen. Ah, du bist schon feucht, aber ich werde dich noch feuchter machen.»

Trotz ihrer Wut über diese Demütigung tat sie, wie ihr geheißen. Sie konnte die gierigen Vorstöße ihrer Hüften nicht verhindern, als seine Finger über das herausgestreckte Fleisch wirbelten und ihre empfindlichste Stelle einkreisten, bis sie glaubte, vor schierem Entzücken losschreien zu müssen.

O Maria, Mutter Gottes, wenn nun jemand in den kleinen Raum käme und sie in einer derart demütigenden Stellung vorfände … Schließlich war es gut möglich, dass einer der Freibeuter nachsehen wollte, ob der erhoffte Schatz so umfangreich war wie erwartet. Als könne er ihre Gedanken lesen, erklärte Manitas:

«Keine Angst, ich habe einen Wachposten vor der Tür aufgestellt. Niemand wird uns stören, auch wenn dein lustvolles Stöhnen dem armen Kerl schwerste Qualen bereiten dürfte … Aber auch du wirst nicht erlöst. Du bleibst so, wie du bist, bis ich meinen Spaß mit dir gehabt habe.»

Er kniete neben ihr nieder, und sie spürte die kalte Liebkosung einer schweren Goldkette, als er sie über die Innenseite ihrer Schenkel gleiten ließ. Als Carlotta sich leicht bewegte, streiften ihre Schenkel ihre Brüste, und ihre schmerzenden Brustwarzen erwachten zu neuem Leben; sie brannten und bebten und gierten nach seiner Berührung.

«Und jetzt wirst du dich mir zum Geschenk machen», erklärte er. «Ich will zusehen, wie du dich auflöst und den Widerhall davon in deinem tiefsten Innern spürst.»

«Ich kann nicht …», stöhnte sie. Dabei wollte sie sagen: «Ich kann nicht verhindern, was hier geschieht. Ich werde zerbrechen – bald, ganz bald.»

Doch sie war schon jenseits aller Worte. Die Welt war nur noch reines Fühlen für sie, ihre Seele selbst schien ausschließlich auf Manitas konzentriert, das Werkzeug ihrer Lust und ihrer Schande. Er legte je eine der Goldketten auf den äußeren, behaarten Lippen ihrer Vagina so zurecht, dass sie sich strafften. Ihr Gewicht trug dazu bei, dass sie sich weiter öffnete, und die feuchten inneren Oberflächen ihrer Schamlippen zogen sich zurück, bis sie beinahe flach auf den Innenseiten ihrer Schenkel lagen.

Ihre Wangen wurden heiß, als sie sich vorstellte, was er nun sah.

Ihre zarten inneren Falten waren vollständig freigelegt, und die Öffnung ihres Körpers bot sich seinem Blick dar, das Gewicht der Ketten ließ sie ein wenig auseinanderklaffen. Tränen der Scham rannen ihr aus den Augenwinkeln und tropften auf ihr zerwühltes Haar. Es war schrecklich, auf diese Weise exponiert und so hilflos zu sein, aber in gewisser Weise auch aufschlussreich, feststellen zu müssen, dass sie einem derart starken Stimulus nicht widerstehen konnte.

Als Manitas die harte rosige Perle auf dem höchsten Punkt ihrer Vulva zwickte, erbebte sie am Rande des Orgasmus, bevor sie mit aller Macht kam. Noch bevor das Pulsieren in ihrem Innern nachließ, empfand sie ein neues, schockierendes Gefühl. Ihre Hüften warfen sich hin und her, und sie stöhnte, als ihre Lust verebbte und sich wandelte.

Was machte er da mit ihr? Etwas Kühles, Rundes wurde in ihre geöffnete Mitte geschoben, dann noch etwas und noch etwas, und bevor sie sich's versah, drückte einer dieser Gegenstände gegen den engeren Ausgang zwischen ihren gespreizten Hinterbacken.

Besorgt angesichts dieser neuerlichen Zudringlichkeit, versuchte sie zunächst auszuweichen, doch Manitas' warme Finger fingen mehr von ihren dickflüssigen Säften auf und glitten damit über ihren Anus, bis der Ringmuskel sich entspannte. Dann spürte sie, wie die glatte Kühle in sie glitt, als er die letzte Perle durch die schmale Öffnung schob.

«Bitte nicht … nicht mehr …», keuchte sie, überwältigt von den kitzelnden Bewegungen in ihrem Innern.

Sie hielt es kaum mehr aus. Die Demütigung, den Schmuck in ihren Körper geschoben zu bekommen, trieb ihr noch mehr Tränen in die Augen. Sie schluchzte und weinte, während Lust- und Schamgefühle sich derart miteinander vermischten, dass sie beide nicht mehr voneinander trennen konnte. Wie konnte er es nur wagen, sie so zu behandeln? Und wie konnte sie das auch noch genießen?

Als Manitas seine großen, warmen Finger in sie eindringen ließ und begann, ihre nachgiebigen inneren Wände zu streicheln, indem er die Perlen durch die Finger gleiten ließ und gegeneinanderrieb, schrie sie auf und kam noch einmal.

«Oh … Manitas … oh …»

Ihr Orgasmus war nicht weniger intensiv als beim ersten Mal, raubte ihr den Atem und ließ ihr Gesicht in gequälter Lust erstarren.

Sie bohrte die Finger in die Schenkel und zog sie noch dichter an ihre Brust. Dann presste sie ihr Geschlecht heraus, um gegen die Ketten anzukämpfen, die sich in das Fleisch in ihrem Innern bohrten und sie für ihn offen hielten, und stieß ihr Gesäß unter ohnmächtigen Zuckungen ihres Anus nach oben.

Die Perlen rollten feucht gegeneinander. Wieder und wieder erreichte sie den Höhepunkt, während seine Finger auf so köstliche Weise in ihr kreisten. Manitas beugte sich über sie, küsste sie und steckte den Daumen in ihren Anus, bis er auf seine Finger in ihrer Scheide traf.

Diese letzte, sanfte Schändung trieb sie an den Rand des Wahnsinns. Als Manitas die Finger krümmte und ihre Spitzen gegen seinen Daumen rieb, bekam er die Perlen zu fassen und drückte sie gegen ihr hochempfindliches Fleisch. Sie schluchzte und weinte und spürte ihre eigenen Tränen in seinem Mund, ohne sich noch Gedanken darüber zu machen, ob jemand sie hören konnte.

Schließlich war es zu viel, und sie ließ ihre Beine los und streckte sie auf dem Fußboden aus. Ihre Haut bebte noch von den letzten Schockwellen der Lust, und ihre Scheide sowie ihr ganzer Unterleib fühlten sich heiß und schwer an. Sie konnte sich nicht vorstellen, jemals wieder etwas Vergleichbares zu erleben. Dann bemerkte sie, dass Manitas sich von ihr zurückgezogen hatte und die Hose öffnete, bis sein riesiges Glied zum Vorschein kam.

«Jetzt bin ich dran», sagte er, rollte sie zur Seite und hob eines ihrer Beine. Langsam zog er die Perlenkette aus ihrer Vagina heraus, machte sich aber nicht die Mühe, die Ketten zu entfernen, die ihr Geschlecht offen hielten, und sie stieß einen Laut des Protestes aus, als sie die zarte Haut quetschten. Manitas kümmerte sich nicht darum, stieß ungerührt in sie hinein und erfüllte sie mit der harten Keule seiner Männlichkeit.

Sie stöhnte und biss sich in die Hand, als er wieder und wieder zustieß und seine schweren Hoden gegen die Innenseiten ihrer Hinterbacken schlugen. Seine Finger hatten bewirkt, dass ihr die seidenweichen Säfte aus dem Körper liefen, und sie hörte die leisen, glucksenden Geräusche, als er in ihre nassen Falten hinein- und wieder herausglitt und bei jedem Stoß die große Eichel gegen ihr Inneres drückte.

Carlotta bog den Rücken durch und verringerte so den

Druck der Ketten, die sie offen hielten. Sie wollte die Beine zusammenpressen und ihren Körper verschließen, um ihn in der Enge ihrer hervorstehenden Vulva zu umfassen, doch die Ketten verhinderten das. Mit seiner Hand hielt er einen ihrer Schenkel hoch, während das Gewicht seines Körpers den anderen an Ort und Stelle hielt. Er nahm sie, wie er wollte, und sie war jeder Möglichkeit beraubt, auch nur einen Teil von sich vor seinen stürmischen Angriffen zu schützen.

Ihre Nässe floss über das steife Glied hinab und befeuchtete die Innenseite ihrer Schenkel. Als Manitas weiter in sie stieß, wurden die glucksenden Geräusche lauter und mischten sich in ihr gehauchtes Stöhnen.

«Hör auf … nicht weitermachen, bitte …», wimmerte sie, maßlos beschämt von der Unersättlichkeit ihres Körpers, die aus ihrer Stimme überdeutlich herauszuhören war.

Doch Manitas lachte nur und biss sie sanft in den Nacken. Dann griff er unter sie, fuhr mit den Fingern über ihre klaffende Furche und kniff den kleinen fleischigen Knoten, der so hart war wie ein winziges Glied. Als er auch noch an ihm zupfte, trieb er sie auf einen beinahe schmerzhaften Höhepunkt.

«O doch, meine Schöne», flüsterte er, zog den einen Finger zurück und bearbeitete das schmerzende Ende ihrer Klitoris mit dem anderen. «Ich liebe deine Scham. Ich sehne mich danach. Jetzt noch einmal. Greife nach dem Gipfel. Gib dich mir hin. Hörst du nicht, wie deine Büchse um Erlösung bettelt?»

«Nein. Bitte. O Gott …»

Es war unglaublich – sie kam schon wieder, und diesmal war ihr Orgasmus länger und irgendwie noch schöner. Manitas stöhnte leise und fuhr ihr mit den Fingern durch die Wellen ihres Haares, als ihre Vulva sich um seinen Schaft schloss und ihn molk.

«Ah, Schöne, du wringst mich aus», stöhnte er und stieß so tief in sie hinein, dass sie aufschrie, so nah an der Schmerzgrenze war sein Vorstoß.

Manitas zog sich aus ihr zurück und spritzte seinen Samen auf ihr gespreiztes Geschlecht. Sie spürte, wie seine Finger sich in ihrem Haar verkrampften, und fühlte die Wärme seiner Handfläche an ihrem Kopf. Sein Bauch drückte gegen ihre Hinterbacken, und die harten Muskelstränge spannten sich an und entspannten sich wieder. Es dauerte einige Zeit, bevor er mit seinen zuckenden Bewegungen aufhörte.

Nach einer Weile zog Manitas sie zärtlich an seine Brust. Sie griff nach seinen Armen und legte sie um ihre Taille. Schwer atmend lagen sie ineinander verschlungen da.

Carlotta registrierte kaum etwas außer seiner Nähe, seinem Geruch und dem Gefühl seiner Haut auf der ihren. In den Geruch von Schweiß und Lust mischte sich schwach das Aroma des exotischen Parfüms.

Sie ließ ihren Gedanken freien Lauf, bekam aber das Bild der heidnischen Prinzessin nicht mehr ganz zu fassen. Zufrieden lächelnd fragte sie sich, ob der Eroberer wohl ein ebenso leidenschaftlicher Liebhaber gewesen war wie Manitas.

Nach einer Weile bewegte sich Manitas. Er küsste ihr Haar, bevor sie die Wärme seiner Lippen an ihrem Ohr spürte.

«Meine süße kleine Dirne, eine wie dich gibt es kein zweites Mal – eine solche Mischung aus Stärke und Unterwürfigkeit. Ich baue dir eine Festung auf einer Insel, wo wir gemeinsam regieren. Dann kannst du deine spanischen Gefangenen nach Lust und Laune foltern. Mach, was du willst, mir ist alles egal … nur …»

Er hielt inne, und seine Stimme wurde weicher. Sie glaubte, ihn sagen zu hören: «Nur verlasse mich nicht.»

Später fragte sie sich, ob sie ihn richtig verstanden hatte, so außergewöhnlich war ihr dieser letzte Satz erschienen.

War Manitas etwa dabei, sich in sie zu verlieben?

Antonio Alva versuchte, durch den Spalt in der Holzwand zu linsen. Bei Gott, was machte der Pirat da mit seinem Flittchen? Die jaulte ja wie eine rollige Katze!

Er stöhnte enttäuscht auf. Als die Frau sich ausgezogen und unterwürfig vor dem Mann gekniet hatte, war sie genau in Antonios Blickwinkel gewesen, doch seit sie sich auf den Boden hatten sinken lassen, hatte er nicht mehr sehen können, was sie tat.

Es war äußerst frustrierend. So wie es klang, besorgte es ihr der Pirat richtig hart. Antonios Hand ging an seine Hose, wo sein kurzes, dickes Glied zuckte und pochte. Er griff hinein, holte seine Männlichkeit heraus und begann, sich genüsslich Befriedigung zu verschaffen.

Allmächtiger, wie gern hätte er diese schwarzhaarige Schönheit einmal selber in die Finger bekommen! Sie hatte den Körper eines Engels und das Auftreten eines Kriegers. Noch nie hatte er eine derartig gekleidete Frau gesehen, geschweige denn erwartet, jemals einer Frau zu begegnen, die einen von Blut triefenden Säbel schwang. Er hatte schon den Verdacht gehegt, sie sei ein völlig widernatürliches Wesen, eine Frau, die sich danach sehnte, ein Mann zu sein. So hübsch ihr Gesicht auch sein mochte, hatte er doch den Verdacht gehegt, dass sich unter ihrem Wams und ihrer Hose ein dürrer, flachbrüstiger Körper mit unförmigen Gliedmaßen verbarg.

Entsprechend verblüfft war er dann, als er durch den Spalt in der Wand gelinst und ihre üppigen Rundungen erblickt hatte – erst recht, als er sah, wie bedingungslos sie sich diesem überdimensionierten Piraten unterwarf.

Gerade Letzteres hatte Antonio ganz und gar nicht erwartet. Er war verwirrt. Was war sie nur für ein Wesen? Sie hatte zu ihm – einem reichen und mächtigen Mann – gesprochen, als sei er nicht würdig, ihr Kuhdung von den Schuhen zu wischen. Und der Pirat – möge Gott ihn dafür bestrafen – hatte sie dabei auch noch unterstützt. Nun war ihm alles klar. Der Pirat war ihr hörig, gab deshalb allen Launen seiner Geliebten nach und ließ sie sogar in Männerkleidern herumlaufen. Dennoch stellte sie keine echte Bedrohung für seine eigene oder eines anderen Mannes Männlichkeit dar.

Antonios ohnehin bereits rosigen Wangen verdunkelten sich noch mehr. Er brannte darauf, es dieser vorlauten Dirne zu zeigen. Schon bald würde er ihr Manieren beibringen. Der Pirat, so fand er, räumte ihr allzu viele Freiheiten ein. Der fehlten nur ein paar Peitschenhiebe, und schon wäre sie so sanftmütig, charmant und schmeichlerisch, wie er die Frauen liebte. Jeder wahre Mann wusste, dass eine Frau nie ungefragt den Mund aufmachen durfte; ihre Aufgabe war ausschließlich, den Anweisungen der Männer Folge zu leisten.

Während Antonio sich befriedigte, ging sein Atem immer schneller. Er quetschte seinen Schaft und schob die Vorhaut über seine flammende Eichel. Beim Gedanken an Bestrafung fiel ihm wieder die eingeborene Dienstmagd ein, die er in der Küstenstadt Veracruz gezüchtigt hatte, als er und seine Freunde in einer Taverne auf die Maultierkarawane mit dem Gold warteten.

Das dumme Stück hatte Wein über den Ärmel seines nagelneuen Wamses geschüttet. Er war erzürnt aufgesprungen und hatte sie an den Haaren ins Hinterzimmer geschleift, wo er ihr unter den Anfeuerungen seiner Freunde ihr einziges Kleidungsstück vom Leib gerissen und sie mit einem Stock verprügelt hatte.

Antonios Atem beschleunigte sich gleichzeitig mit den Lustschreien aus dem Nebenraum. Ein einzelner Tropfen Schmiermittel sickerte aus der Öffnung seines Gliedes, und er verrieb es mit der Handfläche auf seiner Eichel.

Die Dienstmagd hatte gejault und sich gewunden, als er sie auf den hölzernen Tisch drückte und auf ihre Schenkel und Hinterbacken schlug. Sie war gut gebaut, und ihre Brüste wackelten verlockend, als sie versuchte, sich seinen Schlägen zu entziehen. Er genoss es, wie die goldbraune Haut der Eingeborenen tiefrot anlief, wenn sie gezüchtigt wurden.

Er hatte innegehalten und ihr über die heißen, bebenden Hinterbacken gestrichen, als ihm ihr Moschusduft in die Nase stieg und seine Leidenschaft weckte. Er grinste bei der Erinnerung daran, wie die Kleine ihn angsterfüllt angeblickt hatte, als er sie bestieg, doch sie hatte aufgehört zu heulen. Sie erwartete wohl, dass er sie bezahlen würde, wenn er mit ihr fertig war.

Ah, was für eine Wonne es doch gewesen war, zwischen diese Hinterbacken zu stoßen, die prallen Halbkugeln auseinanderzuziehen und in den heißen roten Mittelpunkt der Frau vorzudringen. Danach hatte er sie weggestoßen und ihr befohlen, sich wieder anzuziehen. Mit mürrischer Miene war sie an ihm vorbei zurück in den Schankraum gestürzt. Undankbare Hure. Sie hätte eigentlich froh sein müssen, dass er ihr überhaupt noch Haut auf dem Rücken gelassen hatte. Manch anderer hätte sie auspeitschen lassen, bis sie halb tot gewesen wäre, oder seinen Freunden erlaubt, sie nacheinander zu bearbeiten.

Sein mittlerweile harter Penis bebte vor Verlangen. Die Lust in seinem fetten Körper strebte ihrem Höhepunkt entgegen und prickelte in seiner roten Eichel. Er schob die Hand an seinem Schaft vor und zurück, als das Stöhnen aus dem Nebenraum immer lauter wurde.

In seiner Phantasie ersetzte er die Eingeborene durch das dunkelhaarige Piratenflittchen. Die glühend heißen Hinterbacken, die er auseinanderdrückte, waren jetzt prall und weiß, die zitternde, nasse Vulva von üppigen dunklen Locken umrahmt. Er beugte sich über sie und nahm sie hart.

Seine Hoden spannten sich an, er stöhnte, und sein Samen ergoss sich auf den Boden. Im Nebenraum war der Pirat noch immer mit der Frau zugange. Ausdauernd ist er ja, der Kerl, musste ihm Antonio widerwillig zugestehen.

Er richtete seine Kleidung und setzte sich wieder auf das Fass, den einzigen Gegenstand im Raum neben einem Stapel schmutziger Säcke.

Die Laute von nebenan beruhigten ihn ein wenig. Die Frau schluchzte vor Lust und bat ihren Geliebten um Erlösung. Als sie ihn, Antonio, an Bord bedroht hatte, war er wütend gewesen und unsicher, wie er reagieren sollte. Nun aber schien es, als habe der hünenhafte Pirat sein Weib doch fest im Griff. Antonio war sicher – mit einem Mann würde er vernünftig reden können. Frauen dagegen waren wankelmütig, nur zu einer Sache nütze und nicht vertrauenswürdig. So kam Antonio zu dem Schluss, dass er sich keineswegs in einer so aussichtslosen Lage befand, wie er zunächst befürchtet hatte.

Kapitel zehn

Juanita stand am weißen Sandstrand und ließ den Blick über die Wellen schweifen, die sich über dem Riff brachen. Die *Esmeralda* ankerte im tiefen Wasser der Bucht. Während sie hinüberblickte, kam die spanische Galeone in Sicht. Sie segelte auf die *Esmeralda* zu und legte längsseit an dem weitaus kleineren Schiff an.

Juanita stieß einen Seufzer der Erleichterung aus. Gott sei Dank war es ihnen gelungen, das spanische Schiff zu kapern; ob es Carlotta aber gutging oder sie überhaupt noch am Leben war, wusste sie noch immer nicht. Juanita hatte sich in den vergangenen Stunden schreckliche Sorgen gemacht.

Mit keinem ihrer Argumente hatte sie ihre Herrin dazu bewegen können, Manitas die Galeone ohne sie entern zu lassen, aber zumindest hatte Carlotta diesmal nicht darauf bestanden, dass Juanita mit von der Partie war.

«Das wäre viel zu gefährlich. Du wartest auf der Insel auf mich», hatte Carlotta ihr beschieden. «Ein paar der Männer gehen an Land, um frisches Wasser zu holen und zu jagen. Bei denen bist du sicherer. Aber pass auf Julio auf, denn der ist auf dich und mich nicht gut zu sprechen, und Manitas will nicht, dass er mit uns kommt. Aber Bartholomew Stow ist ein anständiger Kerl. Halte dich immer in seiner Nähe.»

Juanita bezweifelte, dass es auf der Insel tatsächlich sicherer für sie war, aber es beruhigte sie, dass sie bei dem Angriff auf die Galeone nicht dabei sein musste. Sie war weder übermäßig mutig, noch konnte sie fechten wie ihre Herrin. Und jetzt war sie doppelt froh darüber, dass sie auf der Insel geblieben war, denn sonst hätte sie keine Gelegenheit gehabt, mit Bartholomew Stow allein zu sein – einem Mann, von dessen attraktivem Äußeren und ruhiger Art sie bereits seit einiger Zeit eingenommen war.

Neben Julio, Stow und ihr selbst waren noch zwei weitere Besatzungsmitglieder mit zur nächstgelegenen Insel gerudert. Juanita klammerte sich ängstlich an den Seitenwänden des Bootes fest, als die Männer durch die Untiefen um das Riff navigierten. Vor ihnen lag ein Stück weißer Sandstrand, vor dem die Wellen sich mit ohrenbetäubendem Lärm und weißem Schaum an einem vorgelagerten Riff brachen. Leichenblass kauerte sie im Boot, bis die Männer ins flache Wasser sprangen und es an Land zogen.

Stow hatte sie ans trockene Land getragen, während die Wellen an seinen kräftigen Schenkeln leckten. Die körperliche Nähe zu ihm ließ Juanita bis unter die Haarwurzeln erröten. Seine Hände auf ihrer Taille und unter ihren Knien waren stark und warm. Sein kräftiges männliches Aroma stieg ihr in die Nase – ein zugleich beruhigender und aufregender Geruch nach sauberem Schweiß, Tabak und teergetränktem Leder.

Als die anderen drei Männer anzügliche Kommentare abgaben, errötete Juanita nur noch mehr.

«Hast dir wohl eine Meerjungfrau geschnappt, Stow?», zog ihn einer von ihnen auf.

«Nein, besser. Denn was nützt schon eine Frau, der man nicht die Beine breit machen kann, stimmt's, Stow?», rief ein anderer.

«Nimm sie besser gleich und schmeiß sie dann zurück ins Boot», murmelte Julio und warf ihr einen feindseligen Blick zu. «Die bringt uns doch nur Ärger, genau wie ihre Hexe von Herrin.»

«Halt den Mund, Julio», warnte Stow ihn mit ruhiger Stimme.

«An deiner Stelle würde ich auf die Kleine gut aufpassen, Stow», giftete Julio weiter. «Wir wollen doch nicht, dass ihr etwas zustößt. An einem so wilden Ort wie hier kann das leicht mal passieren.»

«Ich habe dir gesagt, du sollst dein Maul halten», drohte Stow. «Sonst kriegst du es gleich mit mir zu tun.»

Julio brummte, sagte aber nichts mehr.

Die Bösartigkeit in Julios Stimme ließ Juanita zusammenzucken. Seine schlammfarbenen Augen waren hart und unbarmherzig. Seit seiner Demütigung im Kampf gegen Carlotta hatte Julio keine Gelegenheit ausgelassen, entweder gegen ihre Herrin oder gegen sie selbst zu hetzen. Sie hegte schon den Verdacht, dass er grundsätzlich alle Frauen hasste.

Dicht an Stow gedrückt, die Arme um seinen Nacken, wandte sie ihm das Gesicht zu. Er war kräftig gebaut, und sie bedauerte es sehr, als er sie auf dem nassen Sand absetzte. In seinen Armen hatte sie sich geborgen gefühlt.

Nachdem sie sich kurz am Strand umgesehen hatten, machten sich die Männer auf zu dem Gewirr aus Rotbirke, Palmen und Blauholzbäumen, das bis an den weißen Sand reichte. Juanita hob ihre Röcke und wollte ihnen folgen, doch Stow legte ihr eine Hand auf den Arm.

«Nein, Señora. Der Dschungel ist kein Ort für eine Dame. Wir beide bleiben hier.»

Er grinste, und in ihrem Unterleib regte sich etwas. Verwirrt von ihrer Reaktion auf ihn, blickte sie auf ihre Schuhe hinab. Einerseits freute sie sich, ihn zum Beschützer zu haben; andererseits aber machte es sie nervös, mit ihm allein zu sein. Er war so stark und so vital und sah viel zu gut aus.

«Ich brauche Hilfe beim Feuermachen», fuhr Stow fort, ohne sich ihrer wachsenden Unruhe bewusst zu sein. «Wir grillen uns heute ein Wildschwein, wenn die Männer Jagdglück haben.»

Also sammelte sie Treibholz, während er im Sand eine Grube aushob. Die Arbeit war anstrengend, und als sie von der Holzsuche zurückkehrte, hatte er Hemd und Wams ausgezogen und trug nur noch seine lederne Kniehose und die Stiefel.

Sie wandte den Blick ab und ließ das Bündel ausgebleichten, knorrigen Holzes auf den Sand fallen, um anschließend die dünneren, zum Anzünden geeigneten Zweige auszusortieren. Ohne dass er es bemerkte, musterte sie ihn. Die Männer arbeiteten oft mit bloßem Oberkörper, doch keiner hatte sie je so beeindruckt wie Stow in diesem Augenblick.

Er hatte breite Schultern und einen mächtigen, muskulösen Brustkorb. Sein hellbraunes Haar, das vorne mit blonden, von der Sonne ausgebleichten Strähnen durchsetzt war, fiel ihm bis auf die Schultern. Ihr Mund wurde trocken, als sie seinen flachen Bauch und seine schmalen Hüften betrachtete. Eine Linie blonder Haare zog sich vom Nabel abwärts und verschwand unter dem Gürtel seiner Hose.

Sie wagte nur einen kurzen Blick auf seine Leistengegend, wo das Leder eine kräftige Ausbuchtung bedeckte und das, was darunter lag, eher betonte als verbarg. Ihr Blick schweifte weiter nach unten über seine langen, wohlgeformten Beine. An seinem ganzen Körper war kein überflüssiges Gramm Fett zu entdecken.

Verblüfft erkannte Juanita, wie schön er war – wenn auch nicht auf die prahlerische Art wie die meisten Seeleute, sondern eher auf eine nachdenkliche, zurückhaltende Weise. Während er die Grube aushob, presste er die Lippen aufeinander und zog konzentriert seine blonden Brauen zusammen.

Ihr gefiel, wie seine Muskeln unter der sonnengebräunten, leicht glänzenden Haut spielten. Sie fragte sich, wie sich diese Haut wohl unter ihren Fingern anfühlen würde. In diesem Moment blickte Stow auf und sah, dass sie ihn beobachtete. Es war zu spät, um den Blick abzuwenden, und so lächelte sie unsicher. Er grinste zurück. Mein Gott, er sah aus, als wüsste er genau, was sie gerade dachte.

Sie arbeiteten Seite an Seite, und Juanitas Herz schlug jedes Mal gegen ihre Rippen, wenn Stow sie ansprach oder mit seinen ruhigen blauen Augen betrachtete. Auch das Wetter schien einen merkwürdigen Einfluss auf sie auszuüben. Die Hitze brannte unter ihren Armen und am Rückgrat entlang. Selbst zwischen ihren Schenkeln fühlte sie eine pulsierende Wärme, und damit nicht genug; sie spürte etwas Feuchtes, Glitschiges in den Falten ihrer Vulva, das ihr mit jeder ihrer Bewegungen bewusster wurde.

Irritiert zupfte sie an den schweren Stoffen ihrer Kleidung, die auf ihrer Haut scheuerten. Unter ihren Armen und um ihren Ausschnitt zeichneten sich dunkle Flecken ab.

«Warum legt Ihr nicht einfach Euer Mieder ab?», meinte Stow. «Eure Bluse wird Eure Sittsamkeit schon ausreichend wahren.»

Das klang durchaus vernünftig. Die beinerne Versteifung ihres ledernen Mieders bohrte sich schmerzhaft in ihre Rippen. Dennoch war es zweifellos unanständig, es einfach so auszuziehen, zumal sie darunter nur ihre Bluse trug, da sie wegen der Hitze auf ihr Schnürleibchen verzichtet hatte. Noch nie zuvor war sie in Gegenwart eines jungen Mannes unvollständig bekleidet gewesen.

Dennoch brannte es auf ihrer Haut, als stünde sie neben einem glühenden Ofen. Der untere Bereich ihres Bauches fühlte sich heiß und geschwollen an. Sie bekam kaum mehr Luft. Vielleicht schadete es ja wirklich nicht, einen Teil ihrer Oberbekleidung abzulegen. Sie konnte die Sachen ja rechtzeitig wieder anziehen, bevor die anderen zurückkamen.

Sie warf Stow, der sich auf das Graben konzentrierte, einen verstohlenen Blick zu. Dann rang sie sich zu einem Entschluss durch: Sie schnürte das Mieder auf, legte es beiseite und rollte dann die weiten Ärmel ihrer Bluse hoch. Ihre Brüste drückten nun ungehindert gegen den dünnen, feuchten Stoff. Sie hoffte nur, dass ihre Brustwarzen nicht zu sehen waren. Befreit von ihren Fesseln, wurden sie rasch zu festen Spitzen, die durch den Stoff drückten.

Ist mir doch egal, ob er es sieht, dachte sie beherzt, wenn auch ein wenig entsetzt über sich selbst. Stows Blick verweilte kurz auf ihr, und er wirkte dabei durchaus interessiert. Wie es schien, fand er sie alles andere als hässlich. Das gefiel ihr so sehr, dass sie stolz die Brust herausstreckte. Sollte er doch gucken, wenn er unbedingt wollte.

Dann setzte sie sich und schnallte die Schuhe auf. Sie spürte Stows Blicke auf sich ruhen, als sie ihre Strümpfe herunterrollte und auszog. Sie bohrte die Zehen in den heißen Sand und schloss genießerisch die Augen. Als sie sie wieder öffnete, schaute Stow sie an.

«Wir brauchen noch ein paar Steine für den Boden der Grube», sagte er, während er es offenbar genoss, ihre nackten Waden und ihre schlanken Knöchel zu betrachten.

Seine Stimme klingt ein wenig heiser, dachte sie befriedigt. Ein gewisses Gespür für ihre eigene Macht überkam sie. Unter seinem musternden Blick fühlte sie sich auf einmal weiblicher. Zum ersten Mal stand *sie* im Mittelpunkt der Aufmerksamkeit, während sonst immer nur Carlotta alle

Blicke auf sich zog. Nicht, dass Juanita ihr das übelgenommen hätte; es war eben so, wie es war. Carlotta war wie die Sonne, deren Schönheit und Vitalität alle in ihrem Umfeld blendete. Da musste schon ein ganz besonderer Mann kommen, um zu entdecken, wie sehr es auch hinter ihrem weniger strahlenden Äußeren glühte.

«Ich hole die Steine», hauchte sie, von Glücksgefühlen überwältigt.

Der heiße Sand rann ihr durch die Zehen, als sie über den Strand ging. Sie schwenkte beim Gehen die Hüften und wusste ganz genau, dass Stow ihr nachblickte. Als sie ein paar Schritte zurückgelegt hatte, drehte sie sich um und sah, dass er aus der Grube gestiegen war und auf den Wald zuging. Vor ihren Augen kletterte er auf die erstbeste Palme und schüttelte die Krone. Etliche Kokosnüsse fielen in ihren grünen Schalen zu Boden.

Als sie mit einem Arm voller Steine zurückkam, saß er auf einen Ellbogen gestützt da. Er hatte ein Loch in eine der eiförmigen Früchte geschlagen und trank nun aus ihr. Seine glatte Kehle bewegte sich beim Trinken. Als Juanita ihm zusah, merkte sie erst, wie durstig sie war.

«Hier, ich habe eine für Euch geöffnet», erklärte er.

Sie trank so gierig, dass ihr die erfrischende Flüssigkeit übers Kinn lief und die Vorderseite ihrer Bluse benetzte. Beide lachten über diese Verschwendung, und Stow schlug eine weitere Kokosnuss für sie auf. Sie verschränkte die Arme vor der Brust und versuchte, nicht daran zu denken, dass ihre nasse Bluse fest an ihren Brüsten klebte und der Stoff beinahe durchsichtig war. Stow musste ihre aufgerichteten bräunlich rosafarbenen Brustwarzen sehen können.

«Die Arbeit macht ganz schön durstig, was?», meinte Stow mit ruhiger Stimme, obgleich sich in seinen Augen andere, wildere Gedanken spiegelten.

Sie nickte glückselig, bog den Rücken durch und wandte ihr Gesicht der Sonne zu. Die Wärme würde ihre Sommersprossen zum Vorschein bringen, doch das kümmerte sie nicht im Geringsten. Ihr kam es vor, als seien Stow und sie die einzigen Menschen auf der ganzen weiten Welt. Die beiden Schiffe in der Bucht erschienen ihr klein wie Spielzeug. Nichts konnte der Schönheit des weißen Sandstrands, des blauen Himmels oder der sanften Meeresbrise, die sich in den Wedeln der Kokospalmen fing, Abbruch tun.

Vögel zogen ihre Kreise über ihnen und ließen sich von den warmen Luftströmungen in die Höhe tragen. Als sie fragte, welche Vogelarten das seien, erklärte Stow ihr, dass es sich um Seeschwalben und Fregattvögel handelte.

Obwohl er wenig sprach und sich nicht mit unnützem Geschwätz aufhielt, fühlte sie sich in seiner Gegenwart ausgesprochen wohl. Aus ihrer Sicht redeten die meisten Männer ohnehin zu viel, und das meiste davon war das Zuhören nicht wert. Sie nippte noch einmal an der Kokosnuss und wischte sich den Mund mit dem Handrücken ab.

«Wie seid Ihr eigentlich auf die *Esmeralda* gekommen, Stow?», erkundigte sie sich.

Er zuckte mit den Achseln. «Ich habe gehört, dass Manitas eine Mannschaft zusammenstellte. Kennengelernt habe ich ihn auf der Insel St. Kitts, wo ich auf einer Tabakpflanzung arbeitete – bevor die verdammten Spanier alles niedergebrannt haben. Ich kenne ihn als anständigen Menschen und arbeite gern für ihn.»

«Aber Ihr seid nicht die Art von Mann, die ich in einer solchen Schiffsbesatzung erwartet hätte. Die meisten anderen sind so ungeschliffen und ordinär in ihrer Ausdrucksweise und stinken schlimmer als eine Abtrittgrube im Hochsommer …» Sie hielt inne in der Hoffnung, nichts Falsches gesagt zu haben. Schließlich war es nicht unwahrscheinlich, dass Stow unter den Mitgliedern der Mannschaft Freunde hatte.

«Verzeiht mir, ich wollte damit nicht sagen … ich halte mich keineswegs für etwas Besseres. Schließlich bin ich selber nur eine Dienstmagd … aber Ihr seid eben anders, irgendwie sanftmütiger als diese Männer.»

Er warf ihr einen fragenden Blick zu und lachte dann. Er hatte gesunde weiße Zähne ohne Lücken dazwischen. Wieder verspürte sie dieses merkwürdige, leichte Beben in ihrer Brust. Seine Augen waren so klar und blau, dass sie den Blick abwenden musste.

«Freut mich, dass ich Eure Zustimmung finde», erklärte Stow und deutete eine spöttische Verbeugung an. Als er sich aber wieder aufrichtete, sprach aus seiner Miene etwas, das sie vorher noch nicht gesehen hatte. «Es freut mich ganz ehrlich», wiederholte er leise.

Juanita errötete und brachte lediglich ein «Oh …» heraus.

Stow legte die Kokosnuss ab, die er in der Hand hielt. Dann rückte er näher an sie heran, bis er unmittelbar vor ihr kniete. Etwas an seinem Verhalten machte ihr Angst, aber sie wollte sich nicht vor ihm fürchten. Sie musste all ihren Mut zusammennehmen, nicht von ihm wegzurücken.

Er war nicht so groß wie Manitas, doch das waren die wenigsten. Dennoch war er ein imposanter Mann. Sie zitterte vor unterdrückter Erregung, als er nach ihren Händen griff und sie auf die Knie zog. Als sie einander in die Augen blickten, war ihr Kopf auf der Höhe seiner Schultern. Juanita wusste nicht, wie sie das verlegene Schweigen zwischen ihnen brechen sollte. Carlotta hätte zweifellos gewusst, was man in einer solchen Situation sagte; Juanita zweifelte, ob ihrer Herrin überhaupt jemals die Worte fehlten.

«Stow … ich …», begann sie. «Verzeiht mir, ich habe noch nie …»

Er legte einen Finger an die Lippen und brachte sie zum Schweigen. Sie schluckte hörbar. Dann packte er sie an den Schultern und zog sie zu sich heran. Sie stieß eine leisen, überraschten Schrei aus, den er auf der Stelle dadurch unterdrückte, dass er seinen Mund auf den ihren presste.

Sie leistete noch kurz Widerstand und drückte die Hände gegen seine Brust, doch das war mehr eine Folge ihrer Verblüffung. Genau das hatte sie gewollt – von dem Augenblick an, als er sie vom Boot ans Ufer getragen hatte. Sie erschauderte kurz und öffnete ihre Lippen unter den seinen. Seine Zunge glitt in ihren Mund, stark und fordernd.

Als er sie schmeckte und erforschte, gaben ihr die Beine nach, und sie sank ihm entgegen. Ihre Brüste schwollen an und drückten gegen seinen nackten Brustkorb. Seine Haut war fest und warm und roch nach Salz und Sonne und den unergründlichen, berauschenden Moschusaromen männlicher Erregung.

Seine Hände glitten nach oben über die Kurve ihrer Taille, als sein Kuss intensiver wurde. Sie spürte, wie seine Daumen ihre Brustwarzen streiften, und ihr Verlangen setzte sich augenblicklich an der weichen Stelle zwischen ihren Schenkeln fest. Als ihr ein kaum hörbarer Laut des Begehrens entfuhr, hörte Stow auf, sie zu küssen, und rückte ein wenig von ihr ab. Sie blickte mit glasigen Augen zu ihm auf, während sich die Sehnsucht nach ihm durch ihren ganzen Körper ausbreitete.

Sie wollte nur noch, dass er sie in den Sand legte, ihre Röcke hob und sie nahm – jetzt, auf der Stelle. Vor diesem Augenblick hatte sie nicht gewusst, was wahres Verlangen bedeutete. Ihre Reaktion auf das ungeschickte Gefummel angetrunkener Adliger zählte nicht. Die schlabbrigen Küsse dieser Männer und ihre täppisch suchenden Finger hatten sie ungerührt gelassen. Stow dagegen hatte sie kaum berührt und dennoch ihr Begehren geweckt.

Sie war nur allzu bereit, den Ballast ihrer Jungfräulichkeit über Bord zu werfen. Zweifellos merkte auch er, wie willig sie war. Aber warum küsste er sie dann nicht weiter? Er lächelte zu ihr hinab, als amüsierte ihn der Sturm, den er in ihr entfesselt hatte.

Die Hände hinter seinem Nacken verschränkt, drückte sie ihre Brüste gegen ihn. Die Art und Weise, wie er den Atem durch die Zähne einsog, gefiel ihr. Offenbar war er nicht weniger erregt als sie.

Mit einem leisen Stöhnen beugte er den Kopf zu ihrem Ausschnitt hinab und vergrub den Mund zwischen ihren vollen Brüsten. Dann schob er ihr die weite Bluse über die Schultern und legte ihren Busen frei, der sich ihm wie eine Opfergabe darbot. Die Handflächen auf ihren Schulterblättern, hielt er sie fest an sich gedrückt und beugte sich zu ihren Brustwarzen hinab.

Als er begann, an ihnen zu saugen, seufzte sie vor Lust auf. Das angenehm ziehende Gefühl war köstlich. Seine Zähne knabberten sanft an ihrem prallen Fleisch, und in ihrem Unterleib blitzte glühend heiß die Begierde auf. Sie schloss die Augen und gab sich ganz ihren Empfindungen hin. Stow ließ von ihrer Brustwarze ab und wandte sich der anderen zu. Mit der Hand kniff er die eine und rollte sie zwischen seinen Fingern hin und her, während er an der zweiten saugte. Seine Lippen waren dabei weich und entspannt, während seine Zunge in einem Rhythmus vor und zurück schnellte, der sie fast in den Wahnsinn trieb.

«Oh, Stow …», murmelte sie und vergrub die Finger in seinem Haar, dessen von der Sonne gewärmte Strähnen über ihre Hand fielen.

Sie bog den Rücken durch und schob ihm ihren Unterleib entgegen. Die Härte seines Gliedes drückte gegen ihren Bauch. Als sie sich an ihn presste, spürte sie, wie der heiße

Schaft zuckte und bebte. Ihr Innerstes schien zu empfänglicher rotglühender Lava dahinzuschmelzen, und der Tau aus ihrer Scheide lief ihr über die Innenseiten der Schenkel.

Ihre Vulva war so angeschwollen und begehrlich, dass es schon fast schmerzte, und die harte kleine Knospe, umschlossen von ihren prallen Schamlippen, pochte wie wild.

Hinter ihren geschlossenen Lidern stieg ein goldener Dunstschleier auf. Sie war wie in Trance – ein hilfloses, zitterndes Bündel purer Lust. Gott im Himmel, noch nie hatte sie etwas so sehr gewollt.

Mit einem Mal wich Stow zurück. Sie spürte, wie sich sein Körper versteifte, bevor er sie von sich wegschob. Leise protestierend griff sie nach ihm.

«Zieh dich wieder an», forderte er sie mit belegter Stimme auf.

«Aber warum denn? Warum machst du nicht weiter?», fragte sie, selbst entsetzt über den flehentlichen Beiklang in ihrer Stimme.

Anstelle einer Antwort deutete er mit einer Kopfbewegung auf die Bäume, die den Strand säumten. Dann sah sie drei Gestalten aus dem Dickicht kommen. Sie zogen eine kleine, aus Ästen gefertigte Bahre hinter sich her, auf der ein totes Wildschwein lag. Als sie Stow und Juanita so dicht beieinander sahen, reagierten sie mit anzüglichen Gesten und Zurufen.

«Jetzt kommt aber der Nächste dran, und der bin ich!», brüllte Julio.

«Und dann bin ich an der Reihe. Mmmh – ein Weib, das schon geölt ist!»

Die anderen griffen sich grölend und mit lüsternen Blicken an die Leistengegend.

«Pack bloß diese Titten nicht ein, Kleine! Hier sind noch ein paar Männer, die daran lutschen wollen!»

Juanita knöpfte ebenso hastig wie angewidert ihr Hemd zu. Die wunderschöne Erfahrung wurde durch die ordinäre Art Julios und der anderen in den Schmutz gezogen. Die hielten sie jetzt bestimmt für eine gemeine Hure, und Stow glaubte das wahrscheinlich auch. Was hatte sie sich eigentlich dabei gedacht, als sie zugelassen hatte, dass er sie auf diese Weise berührte?

Sie wäre vor Scham am liebsten im Erdboden versunken und war den Tränen nahe. Als sie den Ausschnitt ihrer Bluse zuschnürte, hielt sie den Kopf gesenkt, damit Stow ihr Gesicht nicht sehen konnte.

Seine Finger legten sich um ihr Handgelenk, als er ihr auf die Beine half, bevor er sich bückte und ihr ledernes Mieder aufhob. Ihre Finger zitterten so sehr, als sie es anlegte, dass sie die Verschnürung nicht schließen konnte und er ihr helfen musste.

«Schau mich an», forderte Stow sie leise auf. «Achte einfach nicht auf die anderen.»

Langsam hob sie das Kinn und blickte ihm in die Augen. In solchen Augen könnte eine Frau glatt ertrinken, dachte sie sehnsüchtig. Dann studierte sie sein Gesicht. Tief gerührt stellte sie fest, dass er gar nicht erst versuchte, seine Gefühle für sie zu verbergen. Er schien sie wirklich zu lieben.

«Willst du meine Frau werden?», fragte er leise.

Sie stieß einen kleinen Freudenschrei aus und legte ihre Wange an seine Brust. Sein Herz schlug gleichmäßig und stark.

«O ja. Ja, das will ich», murmelte sie, ohne sich darum zu kümmern, was die anderen denken mochten.

Verächtlich grinsend gesellte sich Julio zu ihnen. «Wie rührend. Stow scheint ja schwer beeindruckt von der Kleinen. Vielleicht wird er jetzt ihr Zuhälter. Sag schon, was verlangst du für deine Hure?»

Stow schob Juanita zur Seite und ging auf Julio los. Bevor die anderen wussten, was geschah, hatte er ihn bereits mit einem einzigen Schlag niedergestreckt. Benommen blinzelnd lag Julio vor ihm. Mit geballten Fäusten warf Stow den anderen warnende Blicke zu, woraufhin die beiden unverzüglich zurücktraten.

«Hat vielleicht noch jemand was zu sagen?»

Sie schüttelten den Kopf. Julio stand auf und hielt sich seine aufgeplatzte Lippe. Er starrte Juanita hasserfüllt an.

«Weiber», zischte er und spuckte Blut in den Sand. «Mit Weibern gibt es immer nur Ärger. Du wirst schon sehen, Stow. Die und die andere bringen uns nur Unglück.»

Als Stow mit hocherhobener Faust drohend auf ihn zuging, zog Julio sich zurück. Zum ersten Mal hatte Juanita keine Angst vor Julios Aggressivität. Während sie half, die Grube für das Feuer vorzubereiten, konnte sie an nichts anderes denken als an das unerfüllte Begehren, das in ihr nagte.

Wann, fragte sie sich, würden sie und Stow wohl endlich Gelegenheit haben, allein zu sein?

Als der Schlüssel sich im Schloss drehte, stand Antonio auf und wischte sich das schmutzige Stroh von den Kleidern.

«Verfluchte Piraten», murmelte er vor sich hin.

Nach mehreren Stunden in der dunklen, stinkenden Kammer war er äußerst ungehalten. Wussten diese Leute denn nicht, dass er eine hochgestellte Persönlichkeit war? Wie konnten sie es nur wagen, ihn wie einen gemeinen Taschendieb zu behandeln?

Nun kam er endlich, der Oberpirat, um mit ihm zu verhandeln. Antonio war sich sicher, bald freigelassen zu werden, trotz der Widerworte der schwarzhaarigen Schönheit. Bei einem Mann – und erst recht bei einem Piraten – siegte eben erst einmal die Geilheit über den Verstand.

Umso größer war seine Bestürzung, als nicht Manitas den kleinen Raum betrat, sondern Carlotta. Sie trug nun trockene Kleider – eine Kniehose aus schwarzem Samt, ein Wams aus wattiertem rotem Leder sowie eine strahlend weiße Halskrause. Ihr Haar war zu einem Zopf geflochten und über ihrem Scheitel hochgesteckt. Sie war eine eindrucksvolle Erscheinung.

Antonio spürte, wie sich in seinen Lenden etwas regte. Ihre Aufmachung stand in krassem Gegensatz zu dem Bild der Zügellosigkeit, das sie noch vor kurzem abgegeben hatte. Dieses neue, zurückhaltende Äußere wirkte in seinen Augen auf subtilere, aber nicht weniger eindringliche Weise erregend. War das wirklich dieselbe Frau, die ihrem Liebhaber ihre von reifen Kirschen gekrönten Brüste entgegengestreckt und ihn angefleht hatte, es ihr zu besorgen, die pechschwarzen Locken über dem nackten Rücken?

«Wie geht's, Bankier?», erkundigte sie sich. «Ich nehme an, Ihr habt Euch ein wenig beruhigt. Höchste Zeit, dass wir uns ein bisschen unterhalten.»

Antonio sträubten sich die Haare. Das Luder hatte ihren unverschämten Tonfall nicht abgelegt. Nach allem, was er im Nebenraum gesehen hatte, war er nicht gewillt, sich noch mehr von ihren Frechheiten anzuhören.

«Hol deinen Herrn», forderte er hochnäsig. «Ich verhandle nur mit dem Abrichter und nicht mit der Hündin, die ihre Tricks vorführt! Obgleich ich gestehen muss, dass du eine recht ordentliche Vorstellung geboten hast, wenn meine Augen und Ohren mich nicht getäuscht haben. Da war nämlich ein sehr praktischer Spalt in der Wand.»

Carlottas Augen verengten sich zu gefährlich funkelnden Schlitzen.

«Ihr habt uns also beobachtet? Ich bin überrascht, dass Ihr das so offen eingesteht.»

Er lachte kurz auf. «Ihr habt euch ja auch keine große Mühe gegeben, diskret zu sein. Das halbe Schiff muss euer Stöhnen gehört haben. Eines muss man dir lassen, schlecht gebaut bist du wahrhaftig nicht. Und wenn du die Rolle spielst, die Gott dir zugeteilt hat, ist nichts an dir auszusetzen. Der Pirat hat es dir ganz schön besorgt, was? Und jetzt sei ein braves Mädchen und hör endlich auf, den Mann zu mimen. Der Scherz wird allmählich schal.»

«Freut mich, dass Ihr Euren Spaß daran hattet, uns zu beobachten», erwiderte Carlotta sarkastisch. «Aber was meine Rolle auf diesem Schiff anbelangt, so täuscht Ihr Euch. Manitas ist zwar mein Liebhaber, aber auch mein Geschäftspartner. Ich habe keinen Herrn außer mir selbst.»

Antonio schnitt eine Grimasse und machte eine anzügliche Geste. «Der Mann ist immer Herr über die Frau, Gott hat das so bestimmt.»

Carlottas Wangen röteten sich.

«Meint Ihr? Dann muss ich Euch wohl eine Lektion erteilen. Zumal ich noch eine Rechnung offen habe, denn ohne Euer Zutun wäre es Don Felipe Escada nie gelungen, mich um meinen Besitz zu betrügen.»

«Don Felipe hat dich betrogen? Dann hast du das zweifellos verdient, und ich bedaure nicht, ihm geholfen zu haben.»

«Du aufgeblasener kleiner Wicht», zischte Carlotta durch zusammengebissene Zähne und zog ihren Säbel.

Das Licht der einzigen Laterne im Raum spiegelte sich in der rasiermesserscharfen Klinge. Sie ging in Fechtstellung und ließ die Waffe mit einer gekonnten Bewegung aus dem Handgelenk durch die Luft zischen.

Antonio zuckte zusammen. «He, was hast du vor? Dein freibeuterischer Liebhaber wird es dir nicht danken, wenn du mich tötest! Lebend bin ich für ihn weitaus wertvoller!»

«Ich habe nicht die Absicht, dich zu töten. Mit dir habe ich etwas viel Interessanteres vor. Du sollst lernen, wie es ist, wenn jemand über dich herrscht. Mal sehen, wie es dir gefällt, den Diener zu spielen. Vielleicht gelingt es mir ja, dir beizubringen, wie man sich benimmt.»

Mit einem blitzschnellen Vorstoß zerschnitt sie die vordere Verschnürung seines Wamses und durchtrennte seinen Gürtel.

Unter wütendem Gebrüll griff Antonio nach dem durchschnittenen Stoff, während Carlotta lachend mit einem weiteren Säbelhieb auch noch seine kostbare wattierte Pluderhose an der Taille aufschlitzte, bis büschelweise Rosshaar aus den Schnitten quoll.

«Meine Kleider! Die haben ein Vermögen gekostet!», jammerte Antonio und versuchte verzweifelt, sich zu bedecken.

«Du hast mich nackt gesehen, Bankier, und jetzt drehen wir den Spieß um! Zieh dich aus, aber schnell, bevor mir noch die Hand ausrutscht und ich versehentlich ein Loch in deinen fetten Wanst steche!»

«Das würdest du nie wagen!», entgegnete Antonio und taumelte zurück, um dem zuckenden Säbel zu entgehen.

Er riss sich die Kleider vom Leib und warf sie auf den Boden. Bald hatte er nur noch ein weites Hemd und eine batistene Unterhose an.

Unter seinem überhängenden Bauch beulte sein stummelartiges Glied seine Unterhose aus. Der steht ja schon fast, dachte Carlotta amüsiert, während Antonio seine Erregung zu verbergen suchte. Sie warf ihm einen vernichtenden Blick zu, und Antonio bedeckte leise fluchend seine Scham mit den Händen.

«Also gut, Señor. Wie es scheint, seid Ihr mehr als bereit, meinen Sklaven zu spielen.»

«Einen Teufel werde ich tun!», erklärte Antonio entschieden, aber in einem nicht gerade überzeugenden Tonfall. «Eher friert die Hölle ein, bevor ich die Befehle einer Frau befolge!»

«Dir bleibt gar nichts anderes übrig, als mir zu gehorchen», erklärte Carlotta sanft. «Aber ich will großmütig sein. Du entscheidest selbst. Du hast die Wahl – entweder du befriedigst mich, oder ich peitsche dich aus.»

Antonios Augen versanken noch tiefer in ihren fleischigen Taschen, als sie sich vor Begierde verengten. Er nahm die Hände von seinem Gemächt, und sie sah, dass sein Glied mittlerweile vollständig in die Höhe ragte. Antonio richtete sich auf, schob die Brust vor und nahm eine auf lachhafte Weise entschlossen wirkende Haltung ein. Carlotta musste sich zusammennehmen, um nicht laut loszulachen. Er erinnerte sie an einen ausgesprochen ungraziösen, kugelrunden Pfau.

«Ich besorge es dir – wenn es denn sein muss», erklärte er, während das Funkeln in seinen Augen und sein schlaffer Mund seinen zur Schau gestellten Widerwillen Lügen straften. «Keine meiner Geliebten war jemals von meinen Fähigkeiten enttäuscht.»

Carlotta lächelte grimmig. Sie war ganz sicher, dass Antonio als Liebhaber kein bisschen weniger brutal war als sonst auch. Zweifellos hatte es keines seiner Opfer je gewagt, sich zu beklagen. Die Aussicht, sich an deren Stelle an ihm zu rächen, versetzte sie in Hochstimmung. Derweil trat Antonio, ermutigt durch ihr Schweigen, einen Schritt näher. Er hatte Hand an sich gelegt und quetschte seine Männlichkeit, deren Form sie durch den Batiststoff seiner Unterhose sehen konnte. Deutlich zeichneten sich der dicke Schaft und die flammend rote Eichel ab.

Sie musste einen Schauder unterdrücken. Alles an ihm stieß sie ab. Glaubte er ernsthaft, dass sie ihn begehrte? Sie hatte schon mehrfach feststellen müssen, dass zahlreiche hässliche Männer eine übertrieben hohe Meinung von sich hatten und fest davon überzeugt waren, auf Frauen unwiderstehlich zu wirken. Antonio aber sollte bald erfahren, dass er sich in diesem Punkt gründlich irrte.

Seine fleischigen Lippen verzogen sich zu einem Grinsen und gaben den Blick auf abgebrochene, verfärbte Zähne frei.

«Hat es dir die Sprache verschlagen, meine Schöne? So viel Männlichkeit hast du wohl nicht erwartet? Ich habe da etwas für dich», dröhnte er. «Ich bringe dich zum Stöhnen und zum Schreien, genau wie du es bei diesem Riesen von einem Piraten getan hast, als er es dir besorgt hat.»

Carlotta stand breitbeinig da, eine Hand auf der Hüfte. Sie stieß den Säbel in die hölzernen Bodendielen und ließ den Knauf los. Er schwang senkrecht hin und her, jederzeit in ihrer Reichweite. Langsam öffnete sie ihren Gürtel und zog die Kniehose herunter.

Antonio befeuchtete sich die Lippen mit der Zunge, als der untere Teil ihres Bauches und ihre Schenkel zum Vorschein kamen. Die Augen quollen ihm über, als sie die Knie leicht beugte und ihm ihren Unterleib entgegenstreckte.

«Auf den Rücken», befahl er mit rauer Stimme, während er noch heftiger an sich rieb. «Und jetzt spreizt du diese milchweißen Schenkel. Mein Gott, ich kann es kaum erwarten, dich zu besteigen.»

«Jetzt werdet Ihr mir aber zu dreist, Señor», warnte sie mit eiskalter Stimme. «Bildet Ihr Euch etwa ein, ich würde Euch das Privileg gewähren, in mich einzudringen? Auf die Knie, verdammter Narr! Jetzt huldigst du deiner Herrin!»

Bass erstaunt starrte Antonio sie mit offenem Mund an. Einen Moment lang schien es fast, als wolle er sich weigern. Sie war schon kurz davor, nach ihrem Säbel zu greifen, als er sich langsam zu Boden sinken ließ, ohne dabei die seidigen Locken ihres Schamhaars aus den Augen zu lassen. Als seine Knie auf die harten Dielen trafen, zuckte er zusammen.

«Schon besser. Und jetzt senkst du den Kopf, hebst deinen fetten Hintern und kriechst hier herüber.»

Antonio schluckte hörbar. Er zitterte am ganzen Leib. Sie hatte eigentlich erwartet, ihn zum Gehorsam zwingen zu müssen, doch er nahm freiwillig die geforderte Position ein und begann, langsam durch den winzigen Raum zu kriechen. Es war ungeheuer befriedigend, seine unbeholfenen Bewegungen zu beobachten, und Carlotta musste sich ein Lachen verkneifen.

Als er näher kam, lehnte sie sich an die Wand und spreizte die Schenkel. Noch immer auf den Knien, hielt er vor ihr inne, den Kopf auf Höhe ihrer Taille. Sie vergrub die Finger in seinem Haar, zog seinen Kopf zu ihrem Unterleib und rieb sein Kinn an ihrem Schamhaar.

Antonios Hände hingen schlaff herab. Er gab einen Laut von sich, der irgendwo zwischen einem wütenden Stöhnen und einem begehrlichen Grunzen lag.

«Das nicht, bitte, ich habe noch nie ... das ziemt sich nicht ...», stieß er hervor. «O Gott ...»

«Ruhe!», schimpfte sie. «Ich habe eine bessere Arbeit für deinen Mund. Jetzt huldigst du meiner Weiblichkeit, damit deine Zunge endlich einmal zu etwas nütze ist.»

Sie presste sein Gesicht gegen ihr Schambein und drückte ihr nach Moschus duftendes Fleisch an seine Nase und seinen Mund. Antonio schluchzte kurz auf, streckte die Zunge aus und wagte einen ersten behutsamen Vorstoß.

«Das muss aber noch sehr viel besser werden», rügte Carlotta. «Oder soll ich etwa mit dem Säbel nachhelfen?»

Antonio gab ein ersticktes Brummen von sich und begann, an ihrer Vulva zu lecken und zu saugen. Carlotta bekam weiche Knie, als sich die Lustgefühle in ihrem Unterleib ausbreiteten. Nach erstem Zögern gab sich Antonio seiner Aufgabe durchaus willig hin. Seine heiße Zunge erkundete ihre nassen Falten und suchte nach dem allmählich härter werdenden fleischigen Knoten im Zentrum ihrer Vagina.

Ihr Atem ging schneller, als er die Zungenspitze über ihre Knospe der Lust schnellen ließ, auf und ab, immer wieder, bis er die winzige fleischige Haube zurückgedrängt und den höchst sensiblen Kern freigelegt hatte. Mit den Lippen ihre äußeren Falten liebkosend, zog er die Nase über das zarte Fleisch. Nach einiger Zeit drückte er den Kopf tiefer zwischen ihre Schenkel, bis er die festverschlossene Öffnung zwischen ihren Hinterbacken gefunden hatte.

Carlotta ließ sich auf sein Gesicht sinken, als seine Zungenspitze über das enge Loch glitt. Die köstliche Wärme und Nässe seines Mundes ließ sie dem Höhepunkt näher kommen.

Als seine Hände nach ihren Schenkeln griffen, erhob sie keine Einwände. Seine Finger streichelten sie sanft, ja geradezu ehrerbietig und zauberten ein zufriedenes Lächeln auf ihr Gesicht. Antonio war auf dem besten Weg zu lernen, dass es auch Freude bereiten konnte, sich dem Willen eines anderen zu unterwerfen. Vielleicht würden ja seine künftigen Geliebten von diesen erzwungenen Diensten profitieren.

«Sehr gut. So machst du deiner Herrin Freude. Wenn du dich weiter so gut benimmst, erlaube ich dir auch deine eigene Erlösung.»

Antonio murmelte leise, als er die Zähne über ihrer Vulva schloss und seine Lippen in einem höchst erotischen Kuss über ihre geschwollenen Falten bewegte. Carlotta setzte sich fast auf ihn und ließ die Hüften kreisen, während sie ihn skrupellos als Werkzeug ihrer Lust benutzte. Die sahnigen

Säfte flossen aus ihr und benetzten Antonios Lippen und Kinn.

Sie fand die Erfahrung einer Rache auf fleischlichem Gebiet ausgesprochen erregend. Der hochnäsige Bankier hatte sich plötzlich in einen willigen Diener verwandelt, bereit, jedes ihrer Bedürfnisse zu befriedigen. Sie erschauderte auf seinem Mund, während die Spannung in ihrem Innern sich mehr und mehr aufbaute.

Als er sich erneut der Knospe ihrer Lust widmete und sie mit der Zunge sanft massierte, stürzte sie endgültig in eine Welle pulsierenden Gefühls. Sie stöhnte laut auf, als sich ihr Unterleib zusammenzog und sich der köstliche, rhythmische Druck in ihrem Bauch ausbreitete. Sie warf den Kopf zurück und riss den Mund auf, während ihre Klimax den Höhepunkt erreichte und dann langsam wieder abebbte.

«Genug», sagte sie, nun mit sanfterer Stimme. «Bleib genau in dieser Stellung.»

Sie stieß Antonio weg, der in kniender Position verharrte und mit einem Ausdruck des Stolzes, ja der Überheblichkeit zu ihr aufblickte. Was bin ich doch für ein Liebhaber, sollte seine Miene bedeuten, und sie musste einräumen, dass er ausgesprochen willig gewesen war und durchaus gründliche Arbeit geleistet hatte – zumal sie sicher war, dass er zum ersten Mal eine Frau mit dem Mund befriedigt hatte. Es erschien ihr beinahe schändlich, ihn noch weiter zu missbrauchen, und doch zwang sie sich dazu. Seine Lektion war noch nicht zu Ende.

Sie zog ihre Kniehose wieder an und schloss den Gürtel um ihre Taille. Antonio betrachtete sie entsetzt, als sie um ihn herumschritt. Sein erigiertes Glied beulte noch immer seine batistene Unterhose aus, und ein kleiner nasser Fleck verriet die Stelle, wo aus der winzigen Mündung ein paar Tropfen glitschiger Flüssigkeit ausgetreten waren.

«Aber … du hast doch gesagt, ich könnte …», begann er. Sein aufgedunsenes Gesicht wirkte niedergeschlagen.

«Ich sagte, ich würde dir deine eigene Erlösung erlauben», korrigierte sie ihn. «Also, verschaff sie dir. Und ich schaue dir dabei zu.»

Eine tiefe Röte überzog seine Wangen, als er verstand, was sie damit sagen wollte.

«Du willst zusehen, während ich die Sünde des Onan begehe? Das hat ja die Welt noch nicht gehört. Was für eine Sorte Frau bist du eigentlich?»

Sein Gesicht verhärtete sich, und seine Lippen wurden schmal vor Zorn. Er schüttelte den Kopf und wollte aufstehen, doch Carlotta legte ihm die Hände auf die fleischigen Schultern und drückte ihn wieder hinab.

«Ich bin meine eigene Sorte Frau – so, wie ich sein will», erklärte sie bestimmt. «Außerdem war das eben keine Bitte. Du tust jetzt, was ich dir befohlen habe. Bleib auf den Knien und zieh deine Unterhose runter.»

Er widersetzte sich noch einen Augenblick, wobei sein Mund sich zu ohnmächtigen Grimassen verzog, bevor seine Hände zu seiner nichtvorhandenen Taille gingen und er das Kleidungsstück aufschnürte. Die weite Unterhose glitt an seinen Oberschenkeln hinunter und blieb am Boden liegen. Zwischen seinen dicken Schenkeln ragte sein steifes Organ hervor.

Antonio zuckte sichtbar zusammen, als Carlotta seinen Penis musterte. Er war kurz und dick und zuckte unter ihren Blicken.

«Nimm deinen Schwanz in die Hand», befahl Carlotta, «und zeig mir, wie du dir in deiner Schlafkammer selber Freude bereitest.»

Er schüttelte mit zusammengebissenen Zähnen den Kopf. «Das werde ich nicht tun. Es ist eine Sünde.»

Carlotta warf den Kopf in den Nacken und lachte lauthals. «Es gibt weitaus schlimmere Sünden auf dieser Welt, als sich selbst Befriedigung zu verschaffen. Tu es. Oder brauchst du dazu erst ein bisschen Ermutigung meinerseits?»

Als er sich noch immer nicht regte und die Hände hängen ließ, während seine Erektion allmählich in sich zusammensackte, griff sie nach ihrem Säbel. Antonio riss erschrocken die Augen auf und schrie, als sie ihm mit der flachen Seite der Klinge zwei harte Schläge auf seine fetten Hinterbacken versetzte. Augenblicklich zeigten sich auf dem weichen Fleisch rote Streifen, und sie platzierte die beiden nächsten Hiebe senkrecht zu den ersten.

Urplötzlich schnellte Antonios erschlaffendes Glied wieder in die Höhe und war auf einmal noch steifer als zuvor. Sein Hinterteil wurde derweil immer röter, als sie ihm zwei weitere Schläge versetzte und er den Rücken krümmte und vor Schmerz aufschrie. Sein Atem ging schneller, und er erschauderte, als sie ihn erneut traf und das Geräusch der auf Fleisch treffenden Klinge in dem kleinen Raum deutlich zu hören war.

Seine nächsten Worte verblüfften sie.

«Bitte nicht … bitte. Ich flehe dich an …», stöhnte er. «Bitte nicht aufhören. Schlag mich weiter.»

Seine Lippen bewegten sich tonlos, und er umklammerte den Schaft seines Gliedes mit gierigen Fingern. Er rieb auf und ab, schob die weiche Haut über die Härte darunter. Sein Phallus war rot, die von der Vorhaut teilweise entblößte Eichel dunkles Purpur. Während er masturbierte, begann er zu stöhnen, als müssten die Laute sich gewaltsam ihren Weg durch seine fest zusammengepressten Lippen bahnen.

Antonios Bewegungen wurden immer heftiger, und die mittlerweile vollständig freigelegte Eichel war feucht und prall. Tröpfchen einer silbrigen Flüssigkeit sickerten aus der geschlitzten Mündung seines Penis und blieben dort hängen, bis sie von seinen eifrigen Fingern weggewischt wurden.

Carlotta hörte auf, ihn mit dem Säbel zu schlagen, aber er bettelte, sie möge doch fortfahren, während er mit der einen Hand seine brennenden Hinterbacken quetschte und mit der anderen weiter wie von Sinnen sein Glied rieb. Sie versetzte ihm noch ein paar Schläge, aber jetzt weniger hart. Er beugte sich ein wenig vor und bot ihr das brennende, feuerrote Fleisch seines Hinterteils zur Bestrafung dar.

Sie genoss es sehr, ihn in ihrer Gewalt zu haben, und musste sich zwingen, ihren Arm im Zaum zu halten – und das, obwohl Antonio sie drängte, fester zuzuschlagen. Er schien ganz versessen darauf, dass sie ihn ernsthaft verletzte. Sie aber achtete darauf, nie zweimal dieselbe Stelle zu treffen, und schlug ihn nun auf die Rückseite seiner Schenkel.

Antonio stöhnte laut auf, als auch die bislang verschonten Hautpartien sich allmählich röteten. Das schweißgetränkte Hemd klebte an seinem gewaltigen Bauch, und er hielt es mit einer Hand hoch, während er mit der anderen weiter onanierte.

«Heilige Jungfrau, Mutter Gottes», fluchte er leise, während sich sein Gesicht zu einer Maske der Lust verzerrte.

Plötzlich erstarrte er, und sein Samen ergoss sich in cremigen Tropfen auf den Boden. Carlotta versetzte ihm einen abschließenden Schlag mit der Klinge, während er mit gesenktem Kopf die letzten Tropfen aus seinem Glied molk.

Wenige Augenblicke später setzte er sich und ließ vor Erschöpfung schlaff die Schultern hängen. Carlotta warf ihm einen zufriedenen Blick zu und ging zur Tür.

«Nun gut, Señor Antonio. Eure Lektion in Demut ist hiermit beendet. Ihr könnt gehen. Und zwar ohne Lösegeld. Vielleicht seid Ihr von nun an ein besserer Mann, allerdings habe ich daran meine Zweifel. Jedenfalls wünsche ich Euch alles Gute. Aber vergesst nicht, Don Felipe alles über Eure spezielle Art der Unterweisung zu erzählen, wenn Ihr ihm das nächste Mal begegnet.»

Als Antonio sich ihr zuwandte, war sein massiges Gesicht tränenüberströmt und von tiefer Erschütterung gezeichnet. Seine Haut glänzte vom Schweiß, und er hielt die Hand noch immer an seinen Mund, an dem zweifellos noch die letzten Spuren ihres weiblichen Moschusduftes hingen.

«Keine Frau hat mich jemals so behandelt», hub er an. «Ich wollte nur sagen … ich wollte sagen …»

Carlotta zog die Brauen hoch und warf ihm einen warnenden Blick zu. Sie erwartete schon eine Drohung oder eine Beleidigung und war bereit, ihm eine passende Antwort zu geben.

«Ja?»

«Danke», murmelte er ebenso leise wie leidenschaftlich. «Ich danke Euch aus tiefstem Herzen und werde Don Felipe Eure besten Wünsche ausrichten.»

Carlotta blickte ihn erstaunt an. Er hatte doch tatsächlich alles, was sie mit ihm gemacht hatte, zutiefst genossen. Vielleicht hatte sie ja die falsche Art von Bestrafung gewählt, aber das tat nichts zur Sache. Jedenfalls hatte sie ihren Spaß gehabt, und künftig musste sie eben bei der Wahl ihrer Mittel besser aufpassen.

«Tut das», ermutigte sie ihn. «Ich möchte nämlich, dass Don Felipe weiß, dass ich all das nur um seinetwillen mache. Erklärt ihm, dass ich mit dem größten Vergnügen die Ladung seines Schiffes verkaufen werde – und dass ich noch lange nicht mit ihm fertig bin.»

Als sie den Raum verließ, kam ihr erst richtig zu Bewusstsein, wie absurd die ganze Situation eigentlich war, und sie lachte laut auf.

Kapitel elf

Felipe nippte an einem Becher Hippokras und ging einige Geschäftspapiere durch, als sein Diener ihm den Brief auf einem Silbertablett brachte.

Er erbrach das Siegel und entrollte das Schriftstück. Ah, ein Brief von seinem Bankier – zweifellos eine Auflistung seiner Anteile am Gewinn, der durch den Verkauf der Waren seines kürzlich in Sevilla eingetroffenen Schiffes erzielt worden war.

Aber nein, das war keine Liste, sondern ein persönliches Schreiben. Die verschlungene Handschrift von Antonio Alvas Privatsekretär war unverkennbar.

Als er die Seite überflog, riss er verblüfft die Augen auf. Er konnte es einfach nicht glauben. Der Bankier hatte vor der Küste von Honduras sein mit Schätzen beladenes Schiff an Piraten verloren, und Carlotta sollte eine von ihnen gewesen sein? Unmöglich. Alva musste sich geirrt haben, denn was hatte Carlotta in dieser entlegenen Gegend zu suchen?

Die Tatsache, dass er viel Geld verloren hatte, war dabei nicht seine größte Sorge. Stattdessen musste er an Carlotta denken. Es war nun schon einige Monate her, seit sie aus ihrem Haus gestürmt war und sein Angebot, sie zu beschützen, ausgeschlagen hatte.

Er hatte angenommen, dass sie und Juanita in einer der benachbarten Städte Arbeit gefunden hatten – auch wenn er sich Carlottas widerspenstige schwarze Locken unter einem der weißen Leinentücher, wie sie Verkäuferinnen zu tragen pflegten, nicht recht vorzustellen vermochte. Bislang war es ihm nicht gelungen, Carlotta aufzuspüren, obgleich er jemanden beauftragt hatte, Erkundigungen über sie einzuholen.

Aber unter Piraten! Eine völlig abwegige Vorstellung.

Weiter unten im Brief fand er dann jedoch zusätzliche Hinweise darauf, dass Alva tatsächlich Carlotta begegnet war. Der Bankier hatte mit ihr gesprochen und einige Zeit in ihrer Gesellschaft verbracht. Felipe zweifelte nun nicht mehr, hatte aber das Gefühl, dass Alva gewisse Einzelheiten dieses Zusammentreffens verschwieg.

Aus diesem Teil des Schreibens sprach eine gewisse … war es Verehrung? Ein anderer Mann hätte es vielleicht überlesen, doch Felipe war äußerst empfänglich für alles, was Carlotta betraf. Er wusste nur zu gut, wie sehr ihr Charme einen Mann in seinen Bann schlagen konnte. Gierig griff er nach dem Brief, als könne er damit einen Teil von Carlottas Wesen in sich aufnehmen.

Was hatte Alva sonst noch über sie zu berichten? Er spürte, dass es ihr irgendwie gelungen war, den armen Teufel zu betören. Sie hatte dem Bankier doch wohl nicht das gegeben, was sie ihm, Felipe, verweigert hatte? Seine Hände zitterten. Die Vorstellung von Carlotta, wie sie auf dem Rücken lag, zugedeckt von Antonio Alvas larvenblassem Körper, ließ Übelkeit in ihm aufsteigen.

Er zwang sich weiterzulesen, obwohl er Angst vor dem hatte, was er noch erfahren würde. Ah, da war ja der Teil, den er erwartet, ja beinahe ersehnt hatte. Der Zweck dieses Schreibens bestand nicht etwa nur darin, ihn über seinen finanziellen Verlust in Kenntnis zu setzen; es sollte ihm auch eine Botschaft von Carlotta übermitteln.

«Carlotta wollte, dass ich Euch mitteile, dass sie mit dem größten Vergnügen die Ladung Eures Schiffes verkaufen wird», las er. «Außerdem weist sie darauf hin, dass sie mit Euch noch nicht fertig sei. Ich fürchte, sie will sich gründlich an Euch rächen. Was auch immer Ihr dieser Frau angetan habt – sie wird Euch niemals verzeihen. Sie will Euch in den Ruin treiben, mein Freund. Und nach allem, was ich von ihr gesehen habe, ist sie durchaus in der Lage, Euren Finanzen schwersten Schaden zuzufügen.»

Der Brief mit seinen komplizierten Schleifen und Schnörkeln verschwamm vor Felipes Augen. Es schien fast, als könne er hören, wie Carlotta diese Worte sprach. Bei Gott – das Weibsstück forderte ihn doch tatsächlich heraus!

Felipe ließ sich auf eine hölzerne Sitzbank sinken. Er zweifelte keinen Augenblick daran, dass Carlotta die Absicht hatte, ihre Drohungen wahr zu machen. Sie wollte ihn wirtschaftlich ruinieren. Was für ein lächerlicher Gedanke! Wie sollte eine Frau allein die Macht dazu haben? Dennoch war ihm nie weniger zum Lachen zumute gewesen. Wie sie es im Einzelnen anstellen wollte, sich an ihm zu rächen, konnte er sich zwar nicht recht vorstellen, aber dass sie alles daransetzen würde, war ihm klar. Sie war die stärkste, eigensinnigste und – wenn auch auf geradezu widernatürliche Weise – entschlossenste Frau, die er je kennengelernt hatte.

Und ihr Hass auf ihn trieb sie an.

Es machte ihn traurig, dass sie so zu ihm stand. Hätte sie sich doch nur einverstanden erklärt, in dem kleinen Häuschen auf dem Gut zu leben! Dann hätte sie früher oder später gemerkt, wie gnädig er war, und dass er ihr sogar ihre schroffen Worte, ihre schamlosen Gedanken und ihr obszönes Handeln zu vergeben bereit gewesen wäre. Ein paar Wochen und sorgfältig durchgeführte Bestrafung, und sie wäre so unterwürfig geworden, wie ein Mann sich eine Frau nur wünschen konnte.

Er schloss die Augen und gab sich der Vision in seinem Kopf hin: Carlotta, wie sie vor ihrem gemeinsamen Bett kniete, die Hände zum Gebet gefaltet. Das hauchdünne weiße Nachthemd umspielte ihren Körper, und das Haar hatte sie für die Nacht zu einem Zopf geflochten. Auf ihrem Rücken waren die Striemen von den jüngsten Rutenschlägen deutlich zu erkennen, und auch die Rundungen ihrer prallen Brüste sah er. Ihre aufgerichteten Brustwarzen drückten als rosa Spitzen durch den Stoff.

«Habt Dank dafür, dass Ihr mich bestraft habt. Darf ich mich nun zur Ruhe betten, mein Herr und Gebieter?», fragte sie demütig mit einem Lächeln auf den weichen Lippen. «Oder wünscht Ihr, dass ich Euren Adamsstab in meinem Körper empfange?»

Ihr ovales Gesicht war sanftmütig, während sie ihm mit ihren dunklen, weit geöffneten Augen bewundernde Blicke zuwarf.

Felipe stieß ein abgehacktes Lachen aus, als das Bild sich auflöste. In seinem Unterleib brannte es. Er glaubte die kühle Glätte ihrer Gliedmaßen beinahe zu spüren, ebenso wie den warmen, feuchten Mittelpunkt ihres Körpers. Alles hätte so anders sein können, doch sie hatte es vorgezogen, sein Angebot zurückzuweisen und auf eigene Faust ihr Glück zu suchen. Nur Gott allein wusste, wie es ihr unter Piraten ergehen mochte. Aber sie hatte es nicht anders gewollt. Er jedenfalls hatte sich nichts vorzuwerfen.

Wenige Augenblicke später stand er auf und legte den Brief auf seinen Schreibtisch aus massiver Eiche. Er verspürte ein merkwürdiges Gefühl im Unterleib, ein Gemisch aus Angst und Erregung. Bestand nicht jetzt, da die Fronten geklärt waren, die Aussicht, sie wiederzusehen?

Vielleicht war es an der Zeit zu akzeptieren, dass sie ihn mit ihrer Schönheit und ihrer Sinnlichkeit gebrandmarkt hatte. Nicht eine Stunde verging, in der er nicht an sie dachte. Bilder von ihr geisterten durch seine Träume, und seine Gedanken kehrten immer wieder zu ihrer letzten Begegnung zurück, als sie ihn mit ihrer Nacktheit verhöhnt und gereizt hatte.

«Ich lasse nicht zu, dass sie mich derart beherrscht», stieß er mit geballten Fäusten hervor. «Ich werde mich darüber erheben. Sie ist doch nur eine Frau und ebenso unvollkommen und schwach wie ihr gesamtes Geschlecht.»

Er konnte es einfach nicht zulassen, dass er seinen niedrigsten Trieben nachgab. Wenn er als gegeben hinnahm, dass er sie nie vergessen konnte, würde er wahnsinnig. Doch die körperlichen und geistigen Begierden in ihm waren real, und er konnte nicht vor der Erkenntnis fliehen, dass sie das Kreuz waren, das er zu tragen hatte.

Carlotta war ein Geschöpf des Teufels – sie war Lilith, Isebel und Delila in einer Person, und deshalb konnte man ihm als schwachen, sündigen Mann nicht vorwerfen, dass er ihr verfallen war. Kein Priester würde ihn je dafür verdammen. Er konnte nur weiterhin versuchen, sich von ihrem Einfluss zu befreien.

Als er durch sein Schlafzimmer ging und die Tür zu seiner Privatkapelle öffnete, rang er die Hände. Jedes Mal, bevor er das Gemälde betrachtete, empfand er eine tiefe Freude. Bewusst zögerte er den Augenblick hinaus, in dem er aufblicken und sehen würde, wie Carlotta auf ihn herabschaute, so schön und sprühend vor Leben, während das dichte schwarze Haar ihr über die Schultern fiel und die eine Brust bedeckte, die andere hingegen nicht.

Ohne sich dessen bewusst zu sein, sank er vor dem Altar nieder, bis er auf den Steinplatten kniete. Das Licht der beiden Bienenwachskerzen warf lange Schatten auf den Fußboden hinter ihm. Das Altartuch war weiß wie ihre Haut. Schwacher, pfeffriger Weihrauchduft überdeckte den dumpferen Geruch nach feuchtem Stein.

Langsam, ohne einhalten zu können, hob er das Kinn und blickte zu dem Gemälde auf. Die schönen dunklen Augen schienen sich in die seinen zu bohren, ihr Mund sich zu einem spöttischen Lächeln zu verziehen.

«Warum bin ich nur so schwach», stöhnte er, als er merkte, dass sein Körper schon wieder so reagierte, wie er es bei diesen Gelegenheiten immer tat.

Er streckte die Hand nach dem Bild aus, selbst entsetzt darüber, wie sehr er zitterte. Der Anblick der vollen, runden Brust und der himbeerroten Brustwarze fuhr wie ein Pfeil des Begehrens direkt in die Spitze seines Gliedes. O Gott, da war sie, die schlanke weiße Hand, gekrümmt über ihrem Venushügel, mit der verschwommenen Andeutung von Haaren unter ihren Fingern. Er hatte ihre Vulva in Fleisch und Blut gesehen, und ihre Form schien ebenso in sein Gehirn eingebrannt wie ihr Geruch.

Wie köstlich sie waren, die aufgeworfenen Lippen der Verdammnis, wie zart die feuchten roten Falten des Verderbens, wie durchdringend der Moschusduft seines Untergangs.

«Herr, erlöse mich von der Versuchung», flüsterte er.

Felipe spürte die vertraute Hitze in seinen Lenden, und seine Männlichkeit schwoll an, bis sie fast seinen Bauch berührte. Seine Hoden brannten und schmerzten. Es gab nur einen Weg zur Erlösung. Mit einem rauen Seufzer griff er nach der Verschnürung seines wattierten Wamses und begann, sich zu entkleiden. Der gemusterte Samt öffnete sich, und er zog das Kleidungsstück aus und warf es auf den Steinboden.

Dann folgte sein feines plissiertes Hemd. Darunter war er nackt. Er hob die Knute auf, die für ihn bereitlag, und begann, sie sich über den Rücken zu ziehen. Der stechende Schmerz ließ ihn zusammenzucken, als der verknotete Lederriemen seine alten Wunden auf den Schulterblättern aufriss.

Er lockerte den Gürtel, griff mit der freien Hand in die Hose und suchte nach dem Schlitz in seiner Unterhose. Nein, er würde sein Glied nicht hervorholen. Vielleicht machte das seine Sünde weniger schwerwiegend. Er schloss die Finger um seinen bebenden Schaft und rieb ihn im Rhythmus der Peitschenschläge.

«Gewähre mir Erlösung», flüsterte er mit zittriger Stimme und Tränen in den Augen. «Was muss ich tun, um von ihr freizukommen? Lieber Gott, warum sucht sie mich dermaßen heim?»

Die Kapelle schien ihn mit ihrer Stille zu verspotten. Die einzigen Laute waren sein kehliges Stöhnen und das Klatschen des geknoteten Leders auf seiner Haut. Als Felipes Hand sich immer schneller bewegte, begann sein Glied zu zucken, und unstillbares Verlangen kochte in seinen Lenden.

Dann, inmitten seiner Seelenqualen, fand er einen stillen Ort, und es schien, als seien seine Gebete erhört worden.

Ja, das war es – er würde eine Pilgerfahrt unternehmen und der Kirche Geld spenden. Vielleicht würde er sogar für die Kathedrale von Santiago de Compostela, Ziel vieler Tausender von Pilgern, einen neuen Reliquienschrein kaufen. Er wollte die Schreine des heiligen Theodor und des heiligen Athanasius aufsuchen und dort Buße tun. Dann würde er zweifellos von seiner fleischlichen Lust, seiner unreinen Besessenheit befreit. Gegen die geballte Macht der Heiligen würde selbst dieser Dämon namens Carlotta nichts ausrichten können.

Als sich in seinem gepeinigten Geist Erleichterung ausbreitete, legte sich ein glückseliges Lächeln auf seine Lippen. Etwas schien sich in seinem Innern zu regen, der Rhythmus seines Leidens änderte sich. Seine Hand rieb energisch an seinem Phallus, und seine Hoden zogen sich zusammen und schmiegten sich enger an seinen Rumpf. Der Samen schoss aus ihm heraus, und die einzigartige Wonne ließ ihn laut aufschreien, als die heißen, reinigenden Strahlen seinen Körper verließen.

Bald überkam ihn der Abscheu, aber weniger schlimm als sonst. Er würde die Hilfe von Mutter Kirche in Anspruch nehmen. Sie hatte bestimmt eine Lösung für sein Problem. Bald würde er nicht mehr das Bedürfnis verspüren, sich der Sünde des Onan hinzugeben oder sein Fleisch zu geißeln.

Er ließ die Peitsche auf den Steinboden fallen und sank mit hängenden Schultern auf sein Gesäß, das Kinn auf der Brust.

Was für ein elendes, sündiges Wesen der Mann doch ist, sinnierte er, als er sich erhob. Denn er wusste, dass er trotz aller guten Vorsätze auch weiterhin auf den Trost angewiesen sein würde, den ihm die gelbhaarige Hure bei ihrem nächsten Besuch in ein paar Tagen spenden sollte.

«Glaubst du, wir haben unser Inselparadies gefunden?», fragte Manitas, während er den Blick über die Flanken des dichtbewaldeten Tals schweifen ließ.

Auf der einen Seite erblickte Carlotta das helle Grün von Meertraubenbäumen und dahinter die düster wirkenden schwarzen Mangroven, die bis an die Küste standen. In weiter Ferne, wo die Bucht zu sehen war, lag still wie ein Mühlteich das Meer.

Hier, im höhergelegenen Teil der Insel, gab es alles, was sie brauchten: fruchtbaren Boden, Süßwasser und genug Holz zum Bauen und zum Kochen.

Carlotta umarmte Manitas und blickte zu ihm auf.

«Einen schöneren Ort kann es auf Erden nicht geben», bestätigte sie glücklich.

Der Klang der Äxte beim Holzfällen übertönte das Rauschen fließenden Wassers und die Schreie der Vögel. In einiger Entfernung nahm die Siedlung allmählich Gestalt an. Die Hauptgebäude und die Palisade waren bereits zu erkennen; ihre dunklen Umrisse ragten aus dem Nebel, der die Berggipfel umhüllte und täglich die Morgendämmerung ankündigte.

Die winzige Insel nordwestlich von Hispaniola war für ihre Zwecke wie geschaffen. Manitas wollte eine Festung bauen, die den Freibeutern Schutz gewährte, wenn sie nicht zur See fuhren.

Carlotta sah zu, wie er Maß nahm, Skizzen anfertigte und dann den Befehl gab, passende Bäume zu fällen. Seine Kenntnisse des Bauwesens verblüfften sie. Bartholomew Stow, der Manitas schon seit einigen Jahren kannte, trug zu des Rätsels Lösung bei.

«Warum hast du mir nie erzählt, dass du einmal Pionier beim Militär warst?», fragte sie Manitas.

Er schaute mit einem gutmütigen Lächeln in seinem attraktiven, wettergegerbten Gesicht zu ihr hinab. Dann zog er eine Augenbraue hoch, stemmte eine Hand in die Hüfte und nahm scherzhaft eine Pose ein, die wohl Empörung darstellen sollte.

«Ziehst du etwa Erkundigungen über mich ein? Soll ich dir vielleicht alles erzählen, Weib? Ein Mann muss sich schließlich ein paar Geheimnisse bewahren, damit seine Geliebte nicht so schnell seiner überdrüssig wird!»

Sie stieß ihm spielerisch die Finger in die Rippen.

Es sah ihm ähnlich, sie mit der Art von Bemerkungen zu necken, wie sonst Frauen sie einsetzten, wenn sie mit ihren Männern sprachen. Das war mit das Beste an ihm. Er war sich seiner Männlichkeit so sicher, dass er es sich leisten konnte, sich darüber lustig zu machen. Seine schiere Größe und sein mächtiger Körper, den er auf unerwartet anmutige Weise bewegte, machten ihn zu einem geborenen Anführer.

Während andere Männer den weichen Kern in ihrem Innern verabscheuten, demonstrierte Manitas seine Sanftmut ebenso häufig wie seine Stärke.

Sie erinnerte sich daran, wie sie sich in der Nacht zuvor geliebt hatten, und spürte, wie sich ihr Magen vor Verlangen nach ihm zusammenzog. Die wechselnden Machtverhältnisse zwischen ihnen waren zu einem aufregenden Bestandteil ihres Liebesspiels geworden, und Manitas genoss es nun ebenso wie sie, hin und wieder den Unterwürfigen zu spielen.

Sie verfolgte die Arbeiten noch einen Augenblick länger und lächelte, als sie sah, wie Juanita ihrem geliebten Stow eine Wasserflasche reichte. Juanita schenkte ihm ein keckes Lächeln, bevor sie sich umdrehte, und er klatschte ihr auf den Hintern, woraufhin die anderen lachten und anzügliche Bemerkungen machten. Juanita lief hochrot an, wirkte aber durchaus erfreut.

Carlotta mochte Stow. Er war ein kräftiger, gutaussehender junger Mann, der wusste, was er wollte, und sich nicht scheute, seine Meinung zu sagen. Sie freute sich, dass er und Juanita einander gefunden hatten.

«Du wirkst so nachdenklich», bemerkte Manitas. «Woran denkst du gerade?»

Als sie sich an ihn schmiegte, kam ihr wieder das angenehm wunde Gefühl zwischen ihren Schenkeln zu Bewusstsein. Ihre Liebesnacht hatte auf ihrem Körper einen nachhaltigen Eindruck hinterlassen. Doch auch Manitas hatte zweifellos sichtbare Erinnerungen an ihr Liebesspiel. Er hatte sich mit aller Macht gegen die Ketten gestemmt, die ihn gefangen hielten, während sie auf ihm sitzend ihren Unterleib auf seinen flachen, muskulösen Bauch presste.

«Ich habe mich gefragt», begann sie unschuldig, «ob dir heute vielleicht die Handgelenke schmerzen?»

«Ein bisschen», räumte er grinsend ein. «Aber nicht so sehr, wie dein Steißbein bald schmerzen wird!»

«Ach, du willst also den Spieß umdrehen? Dazu musst du mich aber erst kriegen!»

Sie zog ihren Arm von ihm weg und rannte den Hang eines Kalksteinberges hinauf. Seit sie das Schiff erbeutet hatten, trug sie Männerkleidung. Ohne die hinderlichen Unterröcke gewann sie einen beachtlichen Vorsprung, bevor Manitas sich an die Verfolgung machte. Mit ihren langen Beinen war sie schnell wie der Wind.

Hohe Gräser und Farne streiften ihre Stiefel. Die klare Morgenluft tat ihren Lungen gut, und die schiere Freude am Leben verlieh ihren Füßen Flügel. Manitas würde sie bald einholen, da er aufgrund seiner längeren und stärkeren Beine klar im Vorteil war, aber sie rannte trotzdem weiter.

Sie empfand wieder die Aufgeregtheit eines Kindes, das Fangen spielt und davonläuft, aber zugleich den Augenblick des Gefangenwerdens herbeisehnt. Ihr Haar löste sich aus dem Riemen, mit dem sie es zurückgebunden hatte, und die salzige Brise fuhr ihr zwischen die einzelnen Strähnen.

Als sie einen Abhang hinunterrannte, um im Schutz eines Pinienwäldchens zu verschwinden, flogen Hunderte von Antillenschwalben in den klaren Himmel auf. Manitas erwischte sie, bevor sie in den Bäumen verschwinden konnte. Er fasste sie um die Taille und warf sie zu Boden. Zusammen rollten sie den Hang hinab, bis sie im hohen Gras liegen blieben.

Er drückte sie mit dem Gewicht seines Körpers zu Boden. Sie kicherte und wehrte sich, aber er hielt sie fest.

«Jetzt bin ich dein Herr und Gebieter», erklärte er und sah sie lüstern an.

«Dann nimm mich, wenn du kannst», erwiderte sie mit einem Funkeln in den Augen.

Fest entschlossen, ihm die Eroberung nicht zu leicht zu machen, rang sie mit ihm, während der Geruch zerdrückten Grases um sie herum aufstieg. Es war aufregend, die Härte seiner Muskeln an ihrer Brust zu spüren und die Leichtigkeit, mit der er ihre beiden Handgelenke fest in einer Hand hielt.

Während sie spuckend gegen ihn ankämpfte, zog er ihr mit seiner freien Hand erst den Gürtel aus und schob dann die lederne Hose herunter. Sie trug keine Unterhose, und die kühle Morgenluft strich ihr über die nackte Haut. Er drehte sie mühelos auf den Bauch und ließ schwer atmend die Hand über ihre vollen Hinterbacken gleiten.

Sie stöhnte leise, als seine Finger kecker wurden, ihr die Schenkel auseinanderdrückten und zwischen die Backen glitten, um ihre Vulva zu erreichen. Bevor sie sich's versah, hatte er ihre äußeren Schamlippen geöffnet und zwei Finger tief in sie hineingesteckt. Die Plötzlichkeit und Lüsternheit seines Tuns ließ sie aufschreien.

«Du Schuft! Ich bin noch nicht bereit!»

«Ich aber. Und bei diesem Spielchen bin ich der Herr. Außerdem hast du mich auch nicht verschont, als ich letzte Nacht wehrlos unter dir lag.»

Als er die Finger krümmte und begann, sie vor und zurück zu bewegen, blühte die erzwungene Lust in ihr auf. Sie bog den Rücken durch und ließ sich auf seine Hand sinken. Sein

Daumen drückte auf ihren Anus und unterwarf die enge Öffnung durch gekonnte kreisende Bewegungen.

Sie hatte erwartet, dass er ihr den Hintern versohlen würde, aber das hier war noch besser. Sein Daumen glitt in ihren Anus, während seine Finger sie weiterhin in ihrem Innersten erkundeten und streichelten. Sie wehrte sich noch immer mit heißen roten Wangen, stöhnte und wand sich und stemmte sich gegen die Hand, die sich zugleich von vorn und von hinten in sie bohrte.

«Na schön, Kätzchen», flüsterte Manitas, «habe ich dich genug bestraft?»

«Nein … o nein …», stieß sie gepresst hervor.

Lachend zog er seine Hand zurück und hob sie hoch, um sie mit dem Bauch nach unten über seine Knie zu legen. Dann nahm er ihren Gürtel und schlang ihn um ihre Hände. Mit zusammengebundenen Handgelenken versuchte sie vergeblich, sich zu befreien, während ihre Hinterbacken verführerisch auf und nieder gingen. Die herabgezogene Hose drückte fest gegen ihr Hinterteil, hob es an und bot es Manitas dar.

«Oh …», keuchte sie, als er erneut mit Finger und Daumen in sie drang.

Sie war nun feuchter und eher bereit, doch seine Grobheit ließ sie die Luft anhalten. Der Daumen in ihrem Anus stieß weit in die Tiefe vor, und ihr Unterleib erbebte, als er sie gegen ihren Willen auf einen schnellen Höhepunkt zutrieb.

Während er noch die Finger in ihr hatte, begann er, leicht auf eine ihrer Hinterbacken einzuschlagen. Carlottas Knospe der Lust war hoch aufgerichtet, und sie presste die Schenkel zusammen, um dem pulsierenden Kleinod Erlösung zu verschaffen. Manitas' Hand verhinderte jedoch, dass sie Druck auf die Stelle ausüben konnte, an der sie ihn am meisten ersehnte.

Er wusste, dass sie sich gern selbst gestreichelt hätte, doch ihre gefesselten Handgelenke verhinderten, dass sie sich berührte. Seine Finger und sein Daumen in ihr verstärkten noch ihr grenzenloses Verlangen. Sie wusste nicht, ob sie den Höhepunkt erreichen konnte, ohne an ihrer Knospe zu reiben, und Manitas war sich darüber im Klaren. Er stimulierte sie gerade genug, um sie an den Rand des Orgasmus zu bringen, aber nicht genug, als dass sie ihn erreicht hätte.

«Wie grausam du sein kannst!», stöhnte sie und warf den Kopf in den Nacken, damit ihr nicht das Haar in die Augen fiel. «Du verweigerst mir den ersehnten Trost.»

«Das ist deine Strafe», erklärte er mit rauer Stimme. «Ich behalte mir das Recht vor, über die Art und Weise zu entscheiden. Du musst deinen Trost eben – darin suchen. Und darin.»

Während er das sagte, stieß er seine Finger schnell in sie hinein und zog sie wieder heraus, immer wieder, während sein Daumen ihren engen Anus noch heftiger bearbeitete. Sie stemmte sich mit wild zuckenden Beinen gegen ihn, als er sie, so tief es ging, penetrierte. Zugleich schlug er sie nun heftiger und ließ seine Handfläche immer wieder auf dieselbe Stelle niedersausen.

Sie hatte Tränen in den Augen und musste ein Schluchzen unterdrücken. Sie wusste, dass ihre misshandelte Hinterbacke sich rötete, während die andere noch immer weiß wie Milch war.

Als könne er ihre Gedanken lesen, sagte Manitas: «Was für ein köstlicher Kontrast. Eine errötende Hure und eine bleiche Jungfrau.»

Die viel zu kundigen Finger in ihr trieben sie an den Rand des Wahnsinns. Er streichelte das sensible Kissen hinter ihrem Schambein, bis der ganze untere Teil ihres Bauches von purer Lust erfüllt war.

«Nicht mehr … bitte. Lass mich kommen …», stöhnte sie.

«Wie du willst, wenn du schon so schön darum bettelst», erwiderte er. «Du musst dir nur selber Trost spenden.»

«Streichle mich … da, und ich schmelze dahin. Manitas, bitte. Kneif mich in meinen winzigen Weiberschwanz», flüsterte sie, während die Demütigung sie erröten ließ.

Sie konnte selbst nicht glauben, dass sie das gesagt hatte. Er hatte sie schlimmer bestraft als je ein Mann vor ihm. Nun würde er ihr Flehen ganz bestimmt erhören.

Manitas aber blieb ungerührt. Lachend schüttelte er den Kopf, und seine Finger bewegten sich weiter heftig im warmen Brunnen ihrer hungrigen Öffnung. Ihre seidigen Säfte flossen reichlich um seine Hand, und ihre Vulva reckte sich gierig vor. Trotz der Vernachlässigung ihrer verschmähten Lustknospe spürte sie, wie sie sich der Klimax näherte.

Der brennende Schmerz auf ihrer geschundenen Hinterbacke löste eine Reaktion in ihrem Innern aus, wo sie ebenfalls heiß und äußerst sensibilisiert war. Ihre Eingeweide waren wie aufgewühlt, und sie biss sich auf die Lippe, beinahe bange vor dem schrecklichen Gemisch aus Wollust und Schmerz, das vom Innern ihres Hinterteils ausstrahlte.

Die steife Keule seiner Männlichkeit drückte in ihren Bauch, und mit einem plötzlichen Ruck nach vorn erreichte sie, dass seine Erektion auf der Höhe ihres Schambeins war. Als sie kurz davor war zu kommen, presste sie sich auf sein geschwollenes Glied und verschaffte sich so die ersehnte Erlösung, die er ihr verweigert hatte.

Jetzt habe ich ihn hereingelegt, dachte sie.

Manitas schlug noch heftiger zu, und sie schrie auf, als Erregung und Schmerz ineinanderflossen, bevor sie sich wieder in ihre Einzelteile auflösten und sich im überwältigenden Ansturm ihres Orgasmus verloren. Ihr kehliges Stöhnen durchdrang die Stille, doch das war ihr egal.

Manitas beugte sich hinab und küsste sie auf den Nacken.

«Das war aber böse von dir», murmelte er vor ihrer heißen Haut. «Du wagst es, dich mir zu widersetzen? Das verdient noch mehr Bestrafung, finde ich.»

Sie zitterte vor Begierde, als er sein Glied freilegte. Nun würde er ihr sicher die Hose ganz ausziehen, damit sie die Schenkel spreizen konnte. Er aber stieß geradewegs in ihren engen, nassen Korridor, ungeachtet der Tatsache, das dieser durch ihre geschlossenen Hinterbacken zusammengedrückt war. Seine Größe zu spüren wirkte noch immer wie ein Schock auf sie – ebenso wie die Erkenntnis, wie viel Männerfleisch sie in ihre enge Vulva aufzunehmen imstande war.

Das herrliche Gefühl, gedehnt zu werden, während er in sie drang, ließ ihr einen Schauder über den Rücken laufen.

«Du bist ja so heiß und eng, Liebes», stöhnte er unter heftigen Stößen gegen ihren begierigen Schoß.

Sie kam wieder und wieder und wand sich unter ihm, während er ihr williges Fleisch plünderte. Als er sich aus ihr zurückzog und seinen cremigen Samen zwischen ihre Hinterbacken spritzte, ließ sie sich seufzend aufs Gras sinken. Dann drehte sie sich um und streckte die noch immer gefesselten Arme nach ihm aus, und er legte den Kopf auf das Kissen ihrer Brüste.

Das Gras war weich unter ihrem nackten Hinterteil. Träge sinnierte sie über die unterschiedlichen Gefühle in ihren Hinterbacken: Schmerz in der einen, ein Kitzeln in der anderen. Er hatte sie so ausgiebig versohlt, dass sie es noch nach Tagen spüren würde – ein Geheimnis, das sie stolz bewahren wollte.

Sie fuhr ihm mit den Lippen übers Haar. Manitas war ein ausdauernder, gnadenloser Liebhaber und passte somit bestens zu ihr. Noch nie hatte sie einen Mann so sehr begehrt, und noch nie hatte sie sich so frei gefühlt.

In diesem Augenblick war ihr Glück vollkommen. Hier könnte ich für immer bleiben, dachte sie, und für uns beide in der Siedlung ein Zuhause gründen – wenn ich nicht noch eine Aufgabe zu erfüllen hätte.

Manitas regte sich neben ihr, und sie kuschelte sich zufrieden in seine Umarmung. Körperliche Freuden, so herrlich und so unendlich befriedigend sie auch sein mochten, waren trotz allem vergänglich. Und dennoch sehnte sich ein Teil in ihr danach, ihren Rachefeldzug aufzugeben und jede freie Minute damit zuzubringen, ihre Liebesspiele künftig noch ausgefallener zu gestalten.

Zugleich aber wusste sie, dass sie nie ein normales Leben führen konnte, solange sie sich nicht gerächt hatte. Ihr Hass auf Felipe war abgrundtief, und keiner von ihnen würde je seine Ruhe haben, bis sie ihn endgültig in den Ruin getrieben hatte.

Einen Monat später war die Siedlung bewohnbar.

Carlotta und Juanita wühlten in den Truhen aus der Galeone nach Stoffen, mit denen sie die hölzernen Wände des Hauses auskleiden konnten, in dem Carlotta und Manitas zu wohnen gedachten.

Ein beträchtlicher Teil des bereits im Raum befindlichen Mobiliars – darunter auch ein großes Himmelbett – stammte ebenfalls aus den spanischen Schiff. Die feinen Brokatstoffe und die auf Hochglanz polierten, mit kunstvollen Schnitzereien verzierten Tische und Stühle wollten nicht so recht zu dem blockhüttenartigen Haus passen, aber Carlotta gefiel dieser Kontrast.

Die rötlichen Töne der dunklen Holzmöbel, die leuchtenden Farben der Seidenfäden und der schwere, fast erdrückende Stil der Schnitzereien vermittelten einen Eindruck der Besitztümer, die sie an Don Felipe verloren hatte. Auf der anderen Seite war ihr neues Zuhause einzigartig und symbolisierte eine vollkommene Abkehr von ihrem alten Leben, was ihr mehr als alles andere bewusst machte, wie sehr sie sich – und das nicht nur rein äußerlich – von Spanien entfernt hatte.

Mittlerweile trug sie die meiste Zeit über Männerkleider, und das Haar hatte sie am Nacken mit einem Lederriemen zusammengebunden. Manchmal kamen ihr Kastilien, das verlorene Landgut der Mendozas und selbst Felipe wie ein Traum vor.

«Dieser fette Bankier wollte die Sachen bestimmt einer Geliebten zukommen lassen», mutmaßte Juanita in Carlottas Gedanken hinein. «Derartige Reichtümer hätte er einer Ehefrau garantiert nicht mitgebracht.»

Carlotta nickte zustimmend, während sie beim Wandbehang letzte Hand anlegte. Die meisten Männer und Frauen heirateten nur, um ihren Einfluss zu vergrößern oder den gesellschaftlichen Status ihrer Familie zu erhöhen. Liebe und Vergnügen suchte man außerhalb der Ehe.

«Vielleicht ist Antonios Liebchen, wenn er ganz ohne Geschenke kommt, so enttäuscht, dass sie ihn hinauswirft und ihm von einem Fenster im oberen Stockwerk den Inhalt ihres Nachttopfs über den Kopf schüttet!»

Beide mussten lachen. Juanita steckte ihre schweren Röcke hoch, als sie das Bett machte. Im Gegensatz zu Carlotta trug sie ein ledernes Korsett über einer Bluse sowie mehrere Röcke. Ihr Haar verbarg sich unter einem sauberen Leinentuch, und überhaupt sah sie ausgesprochen frisch und adrett aus.

Carlotta fiel vor allem auf, wie unverdorben Juanita wirkte. Einige der Frauen, die die Männer von Hispaniola mitgebracht hatten, schmückten sich mit grell gefärbten, tief ausgeschnittenen seidenen Kleidern, die zu allem Überfluss auch noch mit glitzernden Edelsteinen besetzt waren. Juanita dagegen hätte in ihrer Schlichtheit eher als Dienstmagd in einem reichen spanischen Haushalt durchgehen können statt als Piratenbraut, die im Schutz einer grob zusammengezimmerten Palisade lebte.

Juanita strich das Leintuch glatt, steckte es fest und schob ein Kopfkissen in einen bestickten Seidenbezug. Obwohl sie das Gesicht von Carlotta abgewandt hatte, spürte Letztere, dass ihrer Freundin etwas durch den Kopf ging. Dennoch sprach sie sie nicht darauf an. Juanita brauchte oft etwas länger, bevor sie sich öffnete, und war überhaupt in der Wahl ihrer Worte und in ihrem Handeln nachdenklicher und besonnener als Carlotta selbst.

Lange musste Carlotta allerdings nicht warten.

«Unter den Männern gehen gewisse Gerüchte um», begann Juanita in einem trotz seiner Unbeschwertheit etwas gezwungen wirkenden Ton.

«Und was sagen sie?»

«Dass ihr beide, Manitas und du, ein weiteres spanisches Schiff ausrauben wollt», erklärte Juanita. «Ich habe Stow erklärt, dass das Unsinn ist. Wozu brauchen wir noch mehr Reichtümer? Die Siedlung bricht doch unter dem Gewicht all der Schätze schon fast zusammen.»

Carlotta, die gerade eine riesige Truhe mit Kleidern durchwühlte, hielt einen Moment inne, blickte aber nicht auf.

«Die Männer sagen die Wahrheit», stellte sie ruhig fest. «In einer Woche kommt eine weitere Galeone vorbei. Die wollen wir entern. Sie ist mit Wolle, Gewürzen und Farben beladen.»

«Aber wozu wollt ihr noch einmal euer Leben aufs Spiel setzen? Wir haben doch schon mehr als genug auf dieser Insel!»

«Du weißt doch, warum ich das alles tun muss», erklärte

Carlotta so langsam, als spräche sie mit einem Kind. «Ein einziger Schlag gegen den Geldbeutel meines Feindes ist nicht genug. Dieser nächste Verlust wird ihn schwer treffen.»

Juanita schnaubte verächtlich. «Don Felipe Escada. Immer geht es nur um den. Möge er in der Hölle schmoren. Selbst hier wirft er dunkle Schatten über unser Glück.»

«Genau deshalb will ich dem ein Ende setzen. Nach diesem Handelsschiff kapern wir noch eines, und ich kann mir nicht vorstellen, dass Felipes Finanzen sich von drei so schweren Verlusten innerhalb so kurzer Zeit erholen werden.»

«Und was dann? Noch ein Schiff und dann noch eines? Du bist ja besessen von diesem Mann. Begreifst du denn nicht, dass er Macht über dich hat, solange du so weitermachst? Warum vergisst du ihn nicht einfach und machst dir mit Manitas ein schönes Leben?»

Das war die längste Ansprache, die Juanita je gehalten hatte. Dass ihre Freundin ihr Vorhaben missbilligte, kränkte Carlotta. Sie war immer davon ausgegangen, Juanitas volle Unterstützung zu genießen. In all ihren gemeinsamen Jahren als Dienstmagd und Herrin war Juanita immer loyal gewesen und hatte nicht ein einziges Mal Carlottas Worte oder Taten in Frage gestellt.

In den vergangenen Wochen aber hatte sich ihr Verhältnis ganz allmählich verändert. Je mehr Zeit Juanita mit Stow verbrachte, desto unbedeutender wurde Carlottas Rolle als Beschützerin ihrer Freundin. Zum ersten Mal hatte sie das Gefühl, dass Juanita über ihre eigene Zukunft nachdachte und sich nicht mehr nur nach den Bedürfnissen ihrer Herrin richtete.

Eine gewisse Enttäuschung und ein für sie selbst überraschender Anfall von Eifersucht führten dazu, dass Carlotta nicht mehr an sich halten konnte.

«Ein schönes Leben mit Manitas – etwa so, wie du es mit Stow hast?», zischte sie, stopfte die Kleider wieder in die Truhe und hockte sich auf die Fersen. «Was für eine vollkommene Vereinigung im Körper wie im Geiste! Oder haben neuerdings alle frisch Verliebten einen so säuerlichen Gesichtsausdruck, wie du ihn seit ein paar Wochen mit dir herumträgst?»

Juanita errötete und presste die Lippen aufeinander.

«Stow geht nur mich etwas an und nicht dich. Ich wäre dir dankbar, wenn du nicht über Dinge reden würdest, von denen du nichts verstehst.»

Carlotta war empört. Noch nie hatte Juanita die Stimme gegen sie erhoben. Am liebsten hätte sie ihr ins Gesicht geschlagen, um sie daran zu erinnern, wer hier die Herrin war und wer die Dienerin. Sie lächelte, aber aus ihren dunklen Augen funkelte die unterdrückte Wut.

«Es ist immer amüsant zuzusehen, wenn ein Kätzchen kratzt, aber vergiss nicht, wohin du gehörst.»

«Und wohin gehöre ich deiner Ansicht nach?», konterte Juanita. «In Kastilien warst du meine Herrin, und ich war immer an deiner Seite. Mein ganzes Leben lang habe ich mich immer nur um deine Bedürfnisse gekümmert. Und als ich mich dann einverstanden erklärt habe, mit dir zu gehen, hatte ich ja keine Ahnung, dass wir jemals mit Piraten gemeinsame Sache machen würden.»

Abgesehen von einer leichten Rötung ihrer Wangen war Juanitas Gesicht aschfahl. Ihre Brüste hoben und senkten sich vor Erregung, und sie fasste sich mit einer Hand ans Herz, als könne sie damit sein heftiges Pochen eindämmen. Dann fuhr sie mit erhobener Stimme fort.

«Ich muss hier zurückbleiben und mir Sorgen machen, während du mit Manitas Schiffe überfällst! Was kann ich schon tun auf dieser Insel, als abzuwarten, ob sie dich tot oder lebendig zurückbringen? Warum sollte ich weiterhin deine Wäsche waschen, deine Halskrausen stärken und die Säbelschnitte in deiner Hose flicken?»

«Weil du sonst zu kaum etwas nütze bist!», gab Carlotta nicht weniger wütend zurück. «Außer zum Jammern. Wo wärst du denn heute, wenn ich mich nicht um dich gekümmert hätte? Wahrscheinlich verheiratet mit irgendeinem stinkenden Nichtsnutz, der dir kaum etwas zu essen gäbe, dich die ganze Woche über prügeln und dann am Tag des Herrn mit seinem übelriechenden Körper besteigen würde. Wärst du vielleicht lieber wieder in Kastilien mit einem rotznäsigen Gör, das sich an deine abgetragenen Röcke klammert? Dann geh, wenn du willst!»

«Du möchtest, dass ich dich verlasse?», flüsterte Juanita entsetzt.

Als Carlotta merkte, wie sehr sie ihre Freundin getroffen hatte, verebbte ihr Zorn. Die bloße Vorstellung, ohne Juanita leben zu müssen, war ihr unerträglich.

«Vergib mir, Juanita, ich wollte dich nicht so anschreien. Du bist doch meine liebste Freundin, und ich war ja so selbstsüchtig. Ich habe wirklich nicht gemerkt, dass du unglücklich bist. Ich dachte, du würdest dich allmählich hier eingewöhnen, und habe dich in meinem Zorn verletzt. Dabei freue ich mich doch, dass du mit Stow glücklich bist –»

Sie hielt inne, als Juanita ein ersticktes Stöhnen ausstieß und die Hand vor den Mund schlug. Ihre Lider flatterten, als sie versuchte, die Tränen zu unterdrücken. Carlotta sprang auf und legte Juanita den Arm um die Schultern.

«Was ist denn? Er hat dir doch nicht etwa wehgetan? Wenn ja, dann …»

«Nein!», brach es aus Juanita heraus, und ihr Gesicht spiegelte ihr Leid. «Er hat mir gar nichts getan … noch nicht. Ich meine … das ist ja das Problem …»

Als Carlotta Juanitas hochrotes Gesicht musterte, während ihrer Freundin die Tränen über die Wangen kullerten, glaubte sie zu verstehen. In gewisser Weise war sie sogar erleichtert darüber, dass Juanita nicht nur ihretwegen so unglücklich war. Sie zog Juanita zu einem der hochlehnigen Mahagonistühle und forderte sie auf, sich zu setzen.

Juanita nahm das Kopftuch ab, und ihr weiches Haar fiel ihr auf die Schultern. So saß sie da, die Hände fest im Schoß zusammengepresst. Der Anblick der verschlossenen Miene ihrer Freundin schmerzte Carlotta.

«Na komm schon, meine Liebe, du kannst mir ruhig alles erzählen», ermunterte sie Juanita und strich ihr über das hellbraune Haar.

Schluchzend gestand Juanita, was an ihr zehrte. Wie es schien, hatte Stow ihr zwar seine Liebe gestanden, doch zögerte er offenbar, mit ihr zu schlafen. Juanita brannte vor unerfülltem Begehren.

Das Kinn auf die Brust gesenkt, um Carlottas Blick auszuweichen, erklärte Juanita ihr, wie sehr sie sich danach sehnte, dass Stow sie endlich liebkosen und ihr die Last ihrer Jungfräulichkeit nehmen möge.

«Auf … auf dieser gottverlassenen Insel, wo wir auf die Jagd gegangen sind, als ihr das Schiff überfallen habt, da hat er mich geküsst und meine Brüste gestreichelt. Er hat mir die Bluse über die Schultern gezogen, und ich war stolz, dort vor ihm zu stehen, ganz nackt und mit Brustwarzen, die ganz hart waren vor Verlangen. Ich sah seinem Blick an, dass … dass ihm meine Brüste gefielen, und ich war froh darüber. Als er an ihnen lutschte, bin ich schwach geworden, so schön war es, seinen warmen Mund zu spüren …»

Sie hielt inne und biss sich auf die Unterlippe. Carlotta strich ihr zärtlich übers Haar, während in ihrem Innern unterschiedliche Regungen miteinander kämpften. Traurig und schuldbewusst musste sie feststellen, dass Juanita zur Frau gereift war, ohne dass sie, Carlotta, es gemerkt hatte. Sie hatte das Gefühl, ihre Freundin beschützen zu müssen, deren erste, fast unschuldige Erfahrungen und deren unerfülltes Begehren in krassem Gegensatz zu ihren eigenen, vergleichsweise derben Liebesspielen mit Manitas und all ihren vorherigen Liebhabern standen.

Nur zu gern wollte sie ihren Teil dazu beitragen, dass endlich auch Juanita die Freuden der Liebe kennenlernte. Und sie wollte, dass ihre erste Erfahrung nicht nur wunderschön, sondern auch gänzlich frei von Schuldgefühlen war. Viel zu viele Frauen fanden im Liebesakt niemals Erfüllung.

«Na komm schon», ermutigte sie sie sanft. «Erzähl mir alles, was geschehen ist, und verschweige mir nichts.»

Juanita nickte und blickte auf. Sie rang sich ein schwaches Lächeln ab.

«Kein Mann hat mich je so erregt. Da war so eine Art Wärme in meinem Bauch und ein angenehmer Schmerz zwischen meinen Schenkeln. Ich war bereit, ihn einzulassen, auf der Stelle. Meine … meine Scheide war ganz angeschwollen und sehnte sich nach ihm, wie ich es noch nie erlebt hatte. Ich wollte Stow in mir haben. Er war so schön, so stark mit seiner von der Sonne gebräunten Haut. Wären die anderen nicht gerade zurückgekommen, hätten wir …» Sie seufzte. «Er hat mich gefragt, ob ich seine Frau werden will, und ich habe ja gesagt. Ich konnte es kaum erwarten, mit ihm wieder allein zu sein. Ich dachte, das nächste Mal würde er … du weißt schon … aber nichts ist passiert, und ich wage es nicht, ihn um das zu bitten, was ich so gerne hätte.»

Carlotta war aufrichtig entsetzt. «Er hat dich seither nie wieder berührt? Aber ich dachte … alle denken doch …»

«Ich weiß», seufzte Juanita mit leidender Miene. «Das macht es nur noch schlimmer. Jeder geht davon aus, dass

wir ein richtiges Liebespaar sind, aber Stow hat einen reichlich wundersamen Ehrbegriff. Die Frau, die er einmal heiratet, soll unbedingt noch Jungfrau sein. Dafür liebe ich ihn,
Carlotta, aber zugleich verzehrt mich mein Begehren so sehr,
dass ich keinen Schlaf mehr finde. Ich kann immer nur an
ihn denken, an seinen Geruch, seinen Körper. Ich kann einfach nicht vergessen, wie sein Mund geschmeckt hat, als er
ihn auf meinen drückte.»

«Dann küsst er dich immerhin? Das beruhigt mich. Ich
dachte schon, er wäre eine Art Mönch! Und hast du die Hand
auf seine Hose gelegt und seine steife Rute gespürt? Es soll
ja Männer geben, deren Glied einfach nicht hart wird – auch
wenn ich zugeben muss, selber nie einen solchen getroffen
zu haben. Das Problem bei meinen Liebhabern besteht eher
darin, dass sich ihr Adamsstab gar nicht wieder legen will!»

Juanita warf ihr einen vorwurfsvollen Blick zu.

«Mir ist nicht zum Scherzen zumute. Und Stow ist Manns
genug für jede Frau. Ich habe gespürt, wie hart er war.»

«Natürlich, verzeih mir.» Carlotta nahm Juanitas Hände
zwischen die ihren und drückte sie mitfühlend. «Ich
wünschte nur, ich könnte dir irgendwie helfen. In Kastilien
hätten wir einfach die weise Frau des Dorfes gebeten, einen
Liebestrank zu brauen. Die Dummheit mancher Männer ist
wirklich grenzenlos. Worauf wartet dieser Stow eigentlich?»

Juanita schniefte laut und schüttelte den Kopf.

«Weiß der Herr. Ich muss gestehen, dass ich mit meiner
Weisheit am Ende bin.»

«Gott bewahre mich vor ehrbaren Männern», erklärte
Carlotta voller Anteilnahme.

Dann schwiegen sie eine Weile, und Juanita wischte sich
mit dem Saum ihres Unterrocks die Tränen aus den Augen.
An ihrer linken Hand trug sie einen großen goldenen Ring
mit Rubinen und Perlen – Stows Anteil an der Beute. Die

Edelsteine glitzerten im Sonnenlicht, das durchs offene Fenster ins Haus fiel.

Beim Anblick des Ringes kam Carlotta eine Idee.

«Er will unbedingt eine Jungfrau heiraten, sagst du? Dann weiß ich, was wir zu tun haben. Wir arrangieren eine Hochzeit. Eine Piratenhochzeit. Wie ich gehört habe, ist unter Manitas' Leuten auch ein ehemaliger Mann der Kirche, der vom rechten Wege abgekommen ist. Er ist zwar Hugenotte, aber vielleicht lässt er sich ja dazu überreden, euch im heiligen Bund der Ehe zu vereinen. Das liefe natürlich darauf hinaus, dass ein Ketzer euch verheiraten würde, aber das würde dir doch bestimmt nichts ausmachen, oder?»

Juanita wirkte gleich eine Spur weniger niedergeschlagen.

«Was kümmern mich die Priester? Ich habe ja dich als meine Hirtin. Meinetwegen kann uns der letzte Pastetenverkäufer seinen Segen geben – solange Stow nur glaubt, dass wir dann wirklich verheiratet sind. Meine unsterbliche Seele hat in den vergangenen Monaten mehr Schaden genommen als jemals zuvor, und dennoch sind wir gesund und munter. Mögen die Bäume über unseren Köpfen unsere Kirche sein und Wein unser Weihwasser.»

Mit einem kehligen Lachen umarmte Carlotta ihre Freundin.

«O Juanita, wir sind vielleicht zwei Katholikinnen! Ich glaube fast, wir sind die glücklichsten Ketzerinnen der Christenheit! Also gut, dann halten wir unsere Piratenhochzeit ab!»

Als Carlotta Manitas die Neuigkeit überbrachte, machte sich dieser sofort begeistert an die Vorbereitungen.

«Das ist ein gutes Omen. Eine Hochzeit ist genau das Richtige, um unsere neue Siedlung einzuweihen. Was meinst du – sollten wir beide nicht neben Juanita und Stow stehen und wie sie den heiligen Bund der Ehe schließen?»

Carlotta lächelte ihn verblüfft an.

«Stow braucht offenbar den Anschein von Ehrbarkeit, bevor er mit Juanita ins Bett steigt, aber seit wann hast du solche Skrupel?»

Er grinste. «Es gibt ja auch noch andere Gründe zu heiraten.»

«Aber keine guten, jedenfalls nicht aus meiner Sicht», entgegnete Carlotta entschieden. «Die Männer behandeln ihre Ehefrauen wie ausgetrocknete Sklavinnen und ihre Geliebten wie Göttinnen. Ich habe schon beide Rollen gespielt und weiß, welche mir besser gefällt!»

Manitas hob sie hoch und gab ihr einen schmatzenden Kuss auf die Wange. Er stützte ihren Hinterkopf mit einer Hand und strich ihr mit seinen starken Fingern liebevoll durchs Haar.

«Ich beklage mich ja gar nicht, Liebste. Du bist die angenehmste Bettgenossin, die sich ein Mann nur wünschen kann. Vielleicht solltest du Juanita ein bisschen Unterricht geben, damit Stow von seiner Braut nicht enttäuscht ist. Ein Mann mag es, wenn seine Frau ein wenig kratzt und beißt. Juanita ist eher eine graue Maus; meinst du, dass sie so kalt ist, wie sie aussieht?»

Carlotta schlug ihm spielerisch gegen die Brust und wand sich, als er ihr mit dem Mund über den Nacken fuhr und sie fester in die Arme nahm.

«Stow wird keinen Grund haben, sich zu beklagen», erwiderte sie. Ihr Atem ging schneller, als Manitas' Liebkosungen kühner wurden. «Juanita ist ein reifer Pfirsich, der nur darauf wartet, gepflückt zu werden. Und sie ist unsterblich verliebt in ihn. Richten wir ihnen eine Hochzeit aus, die sie nie vergessen werden, und überlassen wir das, was zwischen den Laken geschieht, einfach der Natur.»

Kapitel zwölf

Innerhalb der Palisaden brodelte es vor Betriebsamkeit. Die Idee, Stows Hochzeit mit Juanita zu feiern, hatte die Phantasie der Freibeuter angeregt, und jeder wollte seinen Beitrag leisten.

Drei riesige Stapel Brennholz standen bereit, um bis spät in die Nacht Freudenfeuer lodern lassen zu können. Der Geruch nach Gebackenem lag in der Luft, als der Schiffskoch sich selbst übertraf und die unterschiedlichsten gewürzten Kuchen, leckere Torten sowie verschiedene Arten von Pudding zubereitete. Die Frauen brachten Blumengirlanden an den Haustüren an und knüpften farbige Bänder in die Bäume innerhalb des wehrhaften Zaunes.

Am späten Nachmittag verteilte man all die vorbereiteten Köstlichkeiten auf eine Reihe langer, auf Böcken stehender Tischplatten. Neben Brot, gegrilltem Fleisch und Fisch gab es auch Körbe voller Obst und Krüge mit Bier und Rum. Auf einem der Tische stand eine riesige Schüssel mit einer Art Punsch aus Mangosaft und Limetten sowie einem Likör aus vergorener Kokosmilch.

Nachdem alle Vorbereitungen abgeschlossen waren, legten die Frauen ihre festlichste Kleidung an. Zum ersten Mal an diesem Tag war es ruhig in der Siedlung, und Juanita, der nichts anderes zu tun blieb, als sich schön zu machen, hatte Zeit nachzudenken.

Auf dem Fußboden des einzigen Raumes, aus dem Carlottas Haus bestand, lagen Frauenkleider verstreut – überall Seide, Samt und Spitze. Auf einer Truhe standen mehrere offene Schmuckkästchen. Auch wenn sie nur eine Piratenbraut war, sollte Juanita so schön sein wie eine Königin.

Nun, da der große Augenblick nahte, war sie nervös. Würde Stow es sich womöglich noch anders überlegen? Vielleicht wollte er sie ja gar nicht heiraten, und hinter seiner Weigerung, mit ihr zu schlafen, steckte mehr als nur Schüchternheit. Liebte er am Ende gar Männer? Unter Seeleuten kam das angeblich oft genug vor. Sie hatte geschmacklose Witze darüber gehört, wie die jüngsten und hübschesten Knaben über ein Fass gelegt wurden.

Aufgeregt lief sie durch den Raum und schaute aus dem Fenster. Das ist alles Unsinn, sagte sie sich. Stow war genauso versessen darauf zu heiraten wie sie. Am Vorabend hatte er ihr beim Abschied, ganz nah an ihren Lippen, zugemurmelt: «Dann also bis morgen, meine künftige Ehefrau.» Nur noch wenige Stunden, und sie würde neben ihm in ihrem neuen Bett liegen.

Einige Männer schlenderten vorbei, darunter auch Julio. Seine niederträchtigen kleinen Augen funkelten, und sein wieselartiges Gesicht war gerötet vom Alkohol. Viele der Piraten tranken bereits seit dem frühen Morgen, und alle waren reichlich ausgelassen. Sie trugen Wämser aus geschlitzter Seide oder wattiertem Samt, einige von ihnen auch aufwendig gearbeitete Umhänge im spanischen Stil. So manches kostbare Batisthemd war von Weinflecken übersät, und mehr als eine Halskrause aus Spitze hing geöffnet herunter.

Ihre protzige Eleganz entlockte Juanita ein Lächeln. Sie

fand es rührend, dass sie sich eigens für ihr Fest so zurechtgemacht hatten. Jetzt sangen sie, und einige von ihnen tanzten sogar mit verschränkten Armen im Kreis zu den Klängen einer Rohrflöte und einer Trommel.

Als sie mit den Händen über die steife Vorderseite ihres Korsetts fuhr, merkte Juanita, dass sie zitterte. Sie blickte über die Schulter zu Carlotta und erklärte wehmütig:

«So habe ich mir meine Hochzeit nicht vorgestellt. Ich wünschte mir, meine Familie könnte hier sein. Diese Insel ist so wild und voller Gefahren, und die Männer sind so … so … barbarisch. Ich weiß, sie können nichts dafür …» Sie hielt inne, als schäme sie sich, die Freibeuter kritisiert zu haben.

Carlotta trat lächelnd an ihre Seite.

«Die Männer sind zwar ziemlich grobschlächtig, aber sie wünschen dir von Herzen alles Gute. Sie feiern eben auf ihre Weise. Eine Hochzeit ist schließlich ein Segen für uns alle. Und vergiss nicht – du wirst einen von ihnen heiraten. Bist du ganz sicher, dass du das willst? Noch kannst du es dir anders überlegen.»

Juanita schüttelte lächelnd den Kopf.

«Ich habe noch nie jemanden so sehr begehrt wie Stow. Ich weiß, was mich hier erwartet, und das ist ein besseres Leben, als viele es sich erhoffen können. Wenn unsere Kirche das Blätterdach der Bäume ist und unsere Trauzeugen Piraten und Huren, dann soll es so sein. Zumindest sind sie ehrbare Diebe und haben mir nichts getan.»

«Nein, das haben sie nicht», bekräftigte Carlotta nachdenklich.

An Carlottas Blick merkte Juanita, dass ihre Freundin wieder einmal an Don Felipe denken musste. Dieser Mann war die andere Art von Dieb – einer von denen, die einem unter dem Deckmantel der Ehrbarkeit den Dolch in den Rücken stießen. Aus Juanitas Sicht war er weitaus schlimmer als die Freibeuter, die nur zu Piraten geworden waren, weil die Spanier sie verfolgt und ihnen ihr Land weggenommen hatten.

Sie wollte etwas sagen, um Carlotta abzulenken. Wann immer ihre Freundin an Don Felipe dachte, verhärtete sich Carlottas Blick, und ein grausamer Zug legte sich um ihren Mund. Juanita aber wollte nicht, dass finstere Gedanken ihr den Tag verdarben.

«Ich sollte allmählich mit dem Ankleiden fertig werden», sagte sie. «Willst du mir helfen, mich schön zu machen? Ich will Stow überraschen und ihm zeigen, welch feine Dame ich mit den richtigen Kleidern sein kann.»

Carlotta lächelte liebevoll, als sie den lästigen Reifrock um Juanitas Taille befestigte. Die schweren äußeren Röcke aus gemustertem Samt mussten möglichst glatt über den Rahmen gelegt werden, um die gewünschte Glockenform zu erzielen. Es brauchte seine Zeit, bis Mieder und Ärmel angelegt und durch Bänder befestigt und dann an den Verbindungsstellen mit dekorativen, wattierten Kordeln abgedeckt waren.

Nur noch ein wenig Schmuck, und Juanita war aufs prächtigste eingekleidet.

«Na also, du siehst großartig aus. Stow wird dir nicht widerstehen können.» Carlotta küsste sie auf die Wange. «Aber sieh selbst. Dieses dunkle Blau steht dir ganz ausgezeichnet.»

Juanita schaute in den wunderschön gearbeiteten Spiegel, den Carlotta aus Antonio Alvas Kabine an Bord der Galeone mitgebracht hatte. In den ungleichmäßigen blassgrünen Tiefen des venezianischen Glases sah sie ihr Spiegelbild.

Carlotta hatte ihr Haar vorne nach oben gebürstet, zu einer weichen Welle hochgesteckt und mit einem Haarnetz bedeckt, das über und über mit Perlen bestickt war. Das restliche Haar fiel ihr offen über den Rücken. Die gazeartige weiße Halskrause rahmte das blasse Oval ihres Gesichts ein und reflektierte das Licht hoch zu ihren feingeschnittenen Gesichtszügen. Ihr Kleid aus geschlitztem und besticktem Samt war tief ausgeschnitten, und ihr Korsett drückte ihre vollen Brüste nach oben.

In der Hand hielt sie einen Fächer aus gefärbten Federn, den Carlotta ihr zur Hochzeit geschenkt hatte. Als sie sich wieder Carlotta zuwandte, lächelte sie unsicher.

«Meine Heirat wird unser Verhältnis verändern. Stört dich das nicht?»

Carlotta antwortete mit ihrem ansteckenden, rauen Lachen.

«Unser Verhältnis hat sich schon vor einiger Zeit geändert. Deshalb bezweifle ich, dass ich allzu sehr darunter leiden werde, wenn du jetzt einen Großteil deiner Zeit für Ehemann und Haushalt opferst.»

Obwohl keine von beiden es aussprach, war ihnen klar, dass Carlotta häufig nicht auf der Insel sein würde. Nichts würde sie davon abhalten, abermals mit Manitas ein Schiff zu überfallen, wenn sich die Gelegenheit dazu bot.

Vor dem Fenster ging es in der Siedlung wieder hoch her. Vor dem mit Blumen und Bändern geschmückten hölzernen Türbogen hatten sich zahlreiche Menschen versammelt. Jubel brach aus, als Manitas und Stow auf den Bogen zutraten.

«Ich denke, sie sind bereit. Komm, meine Liebe, dein Gatte erwartet dich.»

Mit weichen Knien trat Juanita auf Stow zu. Die Jubelrufe registrierte sie kaum, so sehr war sie auf ihn fixiert. Er trug Kniehosen aus weichem rostfarbenem Leder, und durch die Schlitze seines Wamses waren die Ärmel seines Hemds zu sehen. Mit seinem frischgewaschenen, sonnengebleichten

Haar, das er zurückgekämmt hatte, sah er ausgesprochen attraktiv aus.

Sie trat neben ihn, er nahm ihre Hand und drückte sie sanft, als wüsste er, dass sie ein wenig Angst hatte. Als sie in seine ruhigen blauen Augen blickte, spürte sie einen solchen Ansturm der Gefühle, dass ihre Kehle ganz trocken wurde und sie kaum schlucken konnte.

Die Zeremonie war kurz und die religiösen Wendungen weniger erhaben und wohlklingend als diejenigen, die sie ihr ganzes Leben lang gehört hatte. An die Stelle des Weihrauchdufts trat der pfeffrige Geruch exotischer Blumen. Die Sonne schien auf das grüne Blattwerk und spiegelte sich im fernen Meer, und die Farben waren so klar wie in einem bunten Kirchenfenster. Für Juanita war es ein perfekter Gottesdienst.

Sie hob das Kinn, damit Stow sie küssen konnte, und eine bezaubernde Röte stieg in ihre Wangen, als die Piraten die Szene mit Anfeuerungsrufen begleiteten. Der Nachmittag verging bei Essen, Trinken und Glückwünschen. Von irgendwoher hatte jemand eine Viole und eine Laute besorgt, und als das Tageslicht in ein dämmriges Violett überging und die orangefarbenen Flammen der Freudenfeuer gen Himmel loderten, begann man mit dem Tanzen.

Juanita war viel zu nervös gewesen, um all die Leckerbissen hinreichend würdigen zu können. Sie legte eine würzige Pastete beiseite, die sie lediglich angeknabbert hatte, und nippte an ihrem dritten Becher Punsch. Sie verspürte ein warmes Prickeln im Unterleib und ein Leichtes Schwindelgefühl im Kopf. Und obwohl sie Letzteres als durchaus angenehm empfand, beschloss sie, nach diesem Becher mit dem Punsch Schluss zu machen, um später im Bett Herrin ihrer Sinne zu bleiben.

Carlotta winkte ihr zu, als sie in Manitas' Armen in karmesinrotem Samt vorbeiwirbelte. Für einen Mann seiner Größe war Manitas ausgesprochen leichtfüßig. Carlotta sah wunderschön aus mit ihrem dunklen Haar, das sie hochgesteckt unter einem mit Rubinen besetzten Haarnetz trug. Eine Halskrause aus weißer Spitze rahmte ihr Gesicht und betonte die klaren Linien ihres Kinns sowie ihre makellose olivfarbene Haut. Das Gold der Neuen Welt schimmerte an ihren Ohren und ihrem Hals, und die grobe, barbarische Machart der Schmuckstücke passte perfekt zu Carlottas ungezähmter Persönlichkeit.

Juanita aber war nicht etwa neidisch, sondern eher stolz auf Carlottas Aussehen. Zum ersten Mal seit vielen Wochen trug ihre Freundin ein Kleid, mit dem sie zahlreiche bewundernde Blicke auf sich zog. Einer der Männer, die sie beobachteten, war Julio. Als Juanita seinen Gesichtsausdruck sah, lief es ihr eiskalt den Rücken herunter. Irgendetwas an diesem Mann machte ihr Angst. Sie war sicher, dass er Carlotta alles andere als wohlgesinnt war. Einer wie er vergaß eine Demütigung nie.

Sie musste Carlotta unbedingt vor ihm warnen.

«Was ist denn, meine Liebste?», fragte Stow. «Ist dir kalt? Ich lege dir besser meinen Umhang um die Schultern.»

Juanita vergaß Julio auf der Stelle. Stows Berührung löste in ihr einen freudigen Schauder aus, und der Punsch ließ sie ein wenig übermütig werden.

«Fällt dir keine andere Möglichkeit ein, mich zu wärmen, mein Gatte?», flüsterte sie und freute sich, als sich seine Augen vor Verlangen verdunkelten.

«Mir fallen sogar viele Möglichkeiten ein. Warte nur, bis wir heute Nacht die Bettvorhänge zugezogen haben und die anderen in ihren Häusern verschwunden sind.»

Dann beugte er sich zu ihr hinab und küsste sie auf die Brust. Sein Haar kitzelte auf ihrer Haut, und sie atmete seinen Geruch ein. Er hatte gebadet und sich mit einem holzig duftenden Parfüm eingerieben, unter dem das Aroma seiner einzigartigen Männlichkeit zu erahnen war.

«Ich kann es kaum erwarten», erwiderte Juanita mit vor Leidenschaft bebender Stimme. «Können wir nicht jetzt gleich in unser Haus gehen? Ich sterbe fast vor Sehnsucht nach dir.»

Stow zeigte grinsend seine ebenmäßigen weißen Zähne und schüttelte den Kopf. Er nahm ihre Hand und drehte sie um. Dann drückte er die Lippen auf ihre Handfläche und faltete ihre Finger über dem Kuss.

«Wir können unseren Gästen nicht die Zeremonie des Zu-Bett-Bringens vorenthalten. Das ist Tradition, und sie erwarten es von uns. Aber behalte diesen Kuss bis später. Ich werde ihn zurückfordern – und noch viele andere mehr.»

Bezaubert von dieser Geste und schier sprachlos vor Liebe zu ihm, sank sie ihm in die Arme. Wie war es möglich, dass sie in der rauen Hülle eines Freibeuters einen so vollkommenen, sensiblen Liebhaber gefunden hatte? Sie wünschte sich, dass die Nacht bald zu Ende ginge, und verzehrte sich vor Sehnsucht, sich mit ihm zu vereinigen.

Jungfrau oder nicht – sie jedenfalls würde kein noch so kleines bisschen Schweinefett brauchen, um Stow in sich aufzunehmen.

Ihre Brustwarzen waren jetzt schon harte Beeren und drückten fast schmerzhaft gegen die flache, beinverstärkte Vorderseite ihres Korsetts, während sie zwischen den Schenkeln eine sehnsuchtsvolle Schwere spürte. Bei jeder Bewegung auf der Bank fühlte sie ihre angeschwollene Vulva und die glitschige Feuchtigkeit, die ihre prallen Schamlippen benetzte.

Das betrunkene Gegröle und Getanze erreichte einen weiteren Höhepunkt, als der Mond aufging. Immer schneller wirbelten die Tänzer im Schein der roten Flammen, die von den Freudenfeuern ausgingen, herum. Leuchtend gelbe Funken flogen in die ebenholzschwarze Dunkelheit und tanzten wie Glühwürmchen, als sie von der leichten Brise, die vom Meer herüberwehte, davongetragen wurden.

Nach einer Weile stand Manitas auf. Schon leicht schwankend, schlug er auf einen Tisch, um die Aufmerksamkeit seiner Männer einzufordern.

«Höchste Zeit, die Liebenden ins Bett zu bringen, was meint ihr?»

Bevor Juanita überhaupt reagieren konnte, stürmte auch schon eine ganze Meute auf sie zu. Sie und Stow wurden hochgehoben und zu ihrem Haus getragen. Die Tür stand offen, und ihre Gäste drängten sich in den einzigen Raum, wo sie Braut und Bräutigam neben dem Himmelbett absetzten.

Flackernde Kerzen warfen ihr gelbes Licht auf die Feiernden und ließen Schatten die Wände hochklettern. Es roch nach Bohnerwachs, frischer Bettwäsche und dem kräftigeren Aroma, das vom hölzernen Mobiliar ausging.

Die Frauen versammelten sich um Juanita und nestelten an Schnürbändern, Verschlüssen und Nadeln herum. Sie nahmen ihr die Kopfbedeckung ab, und jemand begann, ihr das Haar zu lösen, während andere ihr die Ärmel, das Mieder und die Röcke auszogen. Die Männer entkleideten derweil Stow. Unter zahlreichen ordinären Witzen über seine Qualitäten als Liebhaber wurde er von sämtlichen Kleidern befreit und in ein Nachthemd gesteckt.

Juanita verschränkte die Hände vor den Brüsten und errötete tief, als man sie bis auf die Strümpfe auszog. Die Frauen kicherten, flüsterten ihr aufmunternde Worte zu und schlugen ihr klatschend auf die Hinterbacken. Hin und wieder quetschte sich auch ein Mann zwischen den Frauen hindurch, indem er sie zwickte, bis sie ihm Platz machten. Nach

Wein riechender Atem schlug Juanita ins Gesicht, während ihr Küsse auf den Mund gedrückt wurden.

«Eine Braut zu küssen bringt Glück!», riefen sie.

Juanita ließ alles geduldig über sich ergehen. Sie hatte schon zahlreiche derartige Zeremonien des Zu-Bett-Bringens erlebt. Dabei ging es immer hoch her, und man erwartete von Braut und Bräutigam, dass sie sich einiges gefallen ließen. Als sie aber eine raue Männerhand zwischen ihren Schenkeln spürte, trat sie zu.

«Pfoten weg, du Schwein!», rief sie, während ihr großer Zeh sich in einen weichen Bauch bohrte.

Jemand stöhnte und zog sich zurück.

«Die hat ganz schön Temperament, was?», wieherte ein anderer Mann mit dünner, kratziger Stimme.

Sie war sicher, dass es Julio war. Beim Gedanken an seine Hände auf ihrer Haut oder seinen gemeinen kleinen Mund auf dem ihren wurde ihr übel. Sie suchte nach seinem Gesicht, konnte ihn aber in der Dunkelheit nicht erkennen. Sie versuchte, sich hinter der schützenden Gestalt der am nächsten bei ihr stehenden Frau zu verbergen.

Als jemand sie umarmte, geriet sie einen Augenblick lang in Panik, bevor sie merkte, dass es Carlotta war.

«Gott sei Dank», stöhnte sie und ließ sich erleichtert gegen sie sinken. «Ich konnte dich in der Menge gar nicht mehr sehen.»

«Es dauert nicht mehr lange, Señora Stow», meinte Carlotta grinsend. «Du musst nur noch ein Weilchen durchhalten. Denk einfach an die lange Nacht, die vor euch liegt.»

Zähneknirschend rang Juanita sich ein Lächeln ab, als jemand ihr die Strümpfe auszog und in die Luft warf. Ein Mann fing sie auf und wedelte mit seiner Trophäe herum. Juanita versuchte verzweifelt, ihre Nacktheit zu verbergen, und hatte das Gefühl, am ganzen Körper zu erröten.

«Genug jetzt!», erklärte Stow mit fester, aber ruhiger Stimme. «Ich brauche jetzt meine Braut für mich. Verschwindet, und zwar alle, damit ein Mann an die Arbeit gehen kann!»

Das Lachen und Scherzen wurde noch ein letztes Mal lauter, als Juanita spürte, wie Carlotta ihr das Nachthemd überwarf. Es war verdreht und hing ihr um die Schultern, während der untere Teil ihres Körpers weiterhin neugierigen Blicken ausgesetzt war. Der Lärm sowie der Geruch nach Schweiß, abgestandenem Bier und Parfüm versetzten sie fast in Panik, und die Hände, die nach ihr griffen, wurden immer dreister. Jemand langte nach ihrer Brust, und eine Männerstimme klang ihr laut im Ohr.

Sie zuckte zusammen, als harte Finger ihre eine Brustwarze quetschten, und schrie vor Schmerz auf.

«Na komm, stell dich nicht so an. Man wird doch noch fühlen dürfen!»

«Lass sie in Ruhe, du Schwein!», zischte Carlotta und schlug die aufdringliche Hand weg.

«Wieso denn, das ist doch nur ein Scherz!»

«Dir gebe ich gleich einen Scherz! Verschwinde, wenn du nicht willst, dass ich dir die Ohren abschneide!», warnte Carlotta den Mann mit einem finsteren Blick, und er zog leise murmelnd von dannen.

Juanita dankte Gott für Carlotta und nutzte die kurze Auseinandersetzung, um die Arme in das Nachthemd zu stecken und sich von den Feiernden zurückzuziehen. Nur wenige Augenblicke später lag sie im Bett unter den nach Zitrusfrüchten duftenden Laken. Sie glitt in die kühle Sicherheit der Leinentücher und zog sie bis ans Kinn hoch. Als Stow neben ihr ins Bett stieg, stieß sie einen erstickten Schluchzer der Erleichterung aus, bevor sie ihm in die Arme fiel.

Die Hochzeitsgäste standen noch eine Weile um ihr Bett herum, doch das machte Juanita jetzt nichts mehr aus. Mit Stows starken Armen um sich und ihrer Wange an seiner breiten Brust war alles andere nebensächlich. Unter seinen harten Muskeln spürte sie das gleichmäßige, beruhigende Schlagen seines Herzens.

«Küss deine Braut, Stow!», rief jemand.

Unter allgemeinem enttäuschtem Stöhnen drückte er Juanita einen keuschen Kuss auf die Stirn. Juanita schloss die Augen und wünschte sich ganz fest, dass alle endlich gehen mochten. Es schien, als würden ihre Gebete erhört. Als das Brautpaar nicht mehr auf ihre Neckereien reagierte, begannen die Gäste bald gelangweilt abzuziehen, ohne dass Carlotta allzu viel nachhelfen musste.

Sie warfen noch ein paar Blumen aus den zerrissenen Girlanden sowie Glücksbringer aufs Bett, bevor sie sich wieder ins Freie begaben, um bis in die Morgendämmerung hinein zu trinken und zu tanzen. Carlotta begleitete den Letzten persönlich hinaus, warf Juanita eine Kusshand zu und schloss dann endlich die Tür hinter sich.

Stow sprang aus dem Bett. Mit einem Satz war er an der Tür und schob den Riegel vor.

«Gott sei Dank. Ich dachte schon, sie gehen nie», sagte er erleichtert.

Juanita setzte sich auf und schob die Betttücher nach unten, wo sie in einem wirren Knäuel um ihre Taille zu liegen kamen. Sie war schrecklich aufgeregt und konnte kaum glauben, dass der große Augenblick endlich gekommen war. Sie waren allein und hatten eine lange Liebesnacht vor sich. Sie blickte ihren Mann voller Hingabe an, und Stow erwiderte ihren Blick, den Rücken gegen die Tür gepresst. Seine blauen Augen wirkten im Kerzenlicht dunkel und durchdringend.

Hatte sie wirklich an seiner Potenz gezweifelt? Das Begehren in seinem Gesicht war so sehr auf ihre Person gerichtet, dass sie sogar ein wenig Angst bekam.

«So, Frau Stow, jetzt ist es an der Zeit, dass du deinem Gatten gehorchst», sagte er mit belegter Stimme. «Denn du bist doch eine gehorsame Ehefrau, oder etwa nicht?»

Sie nickte. «Was … was soll ich tun?»

«Zieh dein Nachthemd aus, damit ich dich ganz sehen kann.»

Ihre Finger zitterten so sehr, dass sie lange an der Verschnürung ihres Ausschnitts herumnestelte, bis es ihr endlich gelang, sie zu öffnen. Unter ständigem Blickkontakt zu Stow hob sie den Saum ihres Nachthemds und zog es aus. Ihr offenes Haar fiel ihr wie ein Fächer über die nackten Schultern und verhinderte, dass er ihren Busen sehen konnte. Sie streckte den Rücken durch und schob stolz ihre Brüste vor, sodass die aufgestellten braunrosa Brustwarzen durch das Haar lugten.

Vor Überwältigung entfuhr Stow ein leiser Fluch, dann trat er langsam auf sie zu. «Mein Gott, bist du schön», stieß er mit rauer Stimme hervor.

Er nahm sie in die Arme und küsste ihre Schulter, ihren Hals und ihre Brust. Seine starken, warmen Finger hinterließen dort, wo sie ihre Haut berührten, eine glühende Spur der Empfindung. Sie beugte sich zu ihm vor und zog ihm das Nachthemd über den Kopf.

«Ich will dich auch sehen», murmelte sie.

Stow warf das Nachthemd auf die Bettdecke, bevor er diese wegzog und Juanita von der Taille abwärts entblößte.

«Komm her», flüsterte er gegen ihren Mund und zog sie auf das verknitterte Nachthemd neben sich.

Verblüfft lag Juanita auf dem Bett, in voller Länge an seinen starken nackten Körper gepresst. Sein hartes Glied drückte gegen ihre Schenkel. Sie hatte nicht gedacht, dass es so sein würde. Lag Stows Zurückhaltung bis zu diesem Zeitpunkt vielleicht nur daran, dass sie noch Jungfrau war? Seine Liebkosungen waren immer zärtlich und vorsichtig gewesen. In ihrer Phantasie hatte sie sich vorgestellt, wie sie, gemeinsam unter den Laken liegend, einander sanft, ja beinahe schüchtern streichelten, bevor Stow sie zärtlich küsste, ihre Beine auseinanderdrückte und in sie eindrang.

Die Hochzeit aber schien in ihm eine Veränderung bewirkt zu haben. Er war kühner und fordernder, als sie erwartet hatte, und sie empfand es als weitaus aufregender, tatsächlich nackt neben ihm zu liegen, während er sie anschaute und seine Augen dem Pfad folgten, auf dem seine Hände ihren Körper erkundeten. Tief aus ihrer Kehle drang ein Laut, als er eine ihrer Brüste umkreiste und sie nach oben drückte. Gierig schloss sich sein Mund über der Brustwarze, und ihre Hüften gerieten in Bewegung, als sich das angenehm ziehende Gefühl bis in ihren Unterleib ausbreitete.

Stows einer Arm lag um ihre Taille und drückte sie gegen seinen festen, flachen Bauch. Sie spürte, wie sein Penis sich fordernd gegen ihre geschlossenen Schenkel bewegte, hart und brennend heiß. Sie presste sich gegen sein Glied und legte dann die Finger um seinen Schaft.

Stow stöhnte leise, und dieser Ausdruck seiner Lust erregte sie. Sie drückte und streichelte ihn, um ihm Freude zu schenken, fürchtete aber, dafür zu unerfahren zu sein. Würde es ihm auch wirklich gefallen, wenn sie dies oder jenes tat? Stows Reaktionen aber ermunterten sie weiterzumachen, und so schob sie die straffe Vorhaut zurück und rieb mit dem Daumen in einem kleinen Kreis über die freigelegte Eichel.

Sein Glied war dick und kräftig und wies an der Spitze einen breiten Wulst auf. Sie befühlte es ehrfurchtsvoll, indem sie die Fingerspitzen über sämtliche Einzelheiten gleiten ließ. Welch ein Wunder dieser Freudenspender doch war, mit seinem harten Kern und seinem seidenweichen Überzug. Plötzlich war ihre Hand feucht, als Stows Glied vor Freude über ihre Berührung eine Träne vergoss.

Sein Mund bedeckte den ihren, und sie wand sich unter den vereinten Wonnen so vieler Empfindungen. Er schmeckte nach Rum und Tabak und nach seinem eigenen sauberen Körper. Ihr fiel es schwer zu denken mit seinen Fingern auf ihren Brüsten, seiner Zunge in ihrem Mund und seinem Glied in der Hand. Dann spürte sie, wie er seine Hand auf die ihre legte, um seine Männlichkeit aus ihrem Griff zu befreien.

«Genug, Liebste, sonst kann ich dir zu nichts mehr nütze sein.»

Er setzte sich auf und bat sie, sich aufs Bett zu legen. Dann musterte er ihren Körper mit vor Liebe und Begierde dunklen Augen und strich mit einer Hand über die leichte Wölbung ihres Bauches. Sie erbebte unter ihm, als seine Finger durch die weichen Locken auf ihrem Venushügel fuhren.

Dann glitten seine Finger zwischen ihre Schenkel, und sie spreizte ihre Beine noch etwas weiter, um ihm Einlass zu gewähren. Ah, jetzt bereitete er den Weg für sein Glied. Sie konnte kaum erwarten, dass er ihr die Jungfräulichkeit nahm. Es musste jeden Augenblick so weit sein. Stow aber schien es nicht sonderlich eilig zu haben.

Sie errötete, als er ihre Schamlippen öffnete und liebkosend die feuchten Falten erkundete, während er ihren Gesichtsausdruck beobachtete. Auch damit hatte sie nicht gerechnet. Warum drang er nicht einfach in sie ein? Es war fast schon … unschicklich, mit welcher Inbrunst er ihre Vulva streichelte. Er schien fasziniert von ihr und unendlich neugierig.

Dann erst begriff sie, dass das sanfte, aber entschlossene

Streicheln nicht ihm, sondern *ihr* Lust verschaffen sollte. Er wollte offenbar, dass es auch ihr gefiel, wollte sehen, wie seine frischangetraute Frau eine freudige Erregung empfand. Aber sollte es nicht eigentlich so sein, dass sich der Mann nach Lust und Laune mit seiner duldsamen Frau vergnügte und deren ganze Freude darin bestand, ihrem Gatten Befriedigung verschafft zu haben?

Sie war verwirrt und wusste nicht, wie sie sich verhalten sollte. Seine suchenden Finger wurden immer vorwitziger. Am liebsten hätte sie ihr Gesicht an seiner Schulter verborgen, um ihr unziemliches, pures Verlangen vor ihm zu verstecken, doch Stow bestand darauf, dass sie sich wie eine Dirne benahm.

«Gefällt dir das, Liebste?», fragte er. «Und das? Sag mir, was ich tun soll.»

Sie stieß einen unverständlichen, kehligen Laut aus, in dem sich Begehren und Widerspruch zu vermischen schienen. Er glaubte doch wohl nicht, dass sie es über sich brachte, ihm Anweisungen zu erteilen? Doch Stow genügte es offenbar zu sehen, welche Wonne sie empfand. Er lächelte zufrieden, offenbar hoch erfreut über die Macht, die er über sie besaß.

Sie beschloss, ihn gewähren zu lassen, wenn er denn meinte, auf ihr spielen zu müssen wie auf einem Spinett. Als fügsame Ehefrau durfte sie sich dem Willen ihres Mannes schließlich nicht widersetzen. Aber was machte er da bloß? Es fühlte sich wunderbar an.

Als er in einer gekonnten ziehenden Bewegung über das schlüpfrige Fleisch ihrer Vulva strich, spürte sie, wie sie sich dem Höhepunkt näherte. O nein, sie konnte sich jetzt nicht gehen lassen, nicht solange er ihr Gesicht beobachtete.

Ahnte er, dass sie diese Wonne schon häufiger empfunden hatte, ausgelöst von eigener Hand?

Doch sie konnte sich nicht länger beherrschen. Von seinen kundigen Fingern schienen Ranken äußerster Erregung auszugehen, und ihre harte kleine Knospe konzentrierten Gefühls bebte und pulsierte immer heftiger. Stow drückte fest auf diese Knospe und rieb dann sanft mit einer Art klopfender Bewegung.

«Bitte … ich halte das nicht mehr aus …», winselte sie, doch ihr Körper strafte ihre Worte Lügen.

Sie ließ sich mit gespreizten Beinen auf seine Hände sinken, ohne sich noch daran zu stören, dass sie keuchte und die Augen fest geschlossen hatte. Ihre Hüften bewegten sich im Rhythmus ihrer Lust, als sie die Kontrolle verlor.

Dann kam sie. Sie warf den Kopf in den Nacken und stöhnte hemmungslos, während Wellen purer Wonne über sie schwappten und ihr Tränen der Scham aus den Augen quollen. Wie schrecklich es doch war, sich unter dem Druck seiner Finger derart zu winden. Er musste jetzt denken, dass sie nicht besser war als eine gemeine Hure. Sie wandte sich von ihm ab und bedeckte das Gesicht mit den Händen.

Dann begann sie zu schluchzen. Sie hasste das, wozu er sie gezwungen hatte. Das war so verderbt, so unendlich verderbt.

«Nein, Liebste, du sollst dich nie vor mir verstecken», sagte Stow sanft. «Es macht mich doch stolz zu sehen, wie du in meinen Armen dahinschmilzt.»

Sie linste durch ihre verschränkten Finger und drehte sich wieder zu ihm.

«Ehrlich? Du bist mir nicht böse? Findest du mich nicht liederlich und sündig?»

Er lachte. «Die einzige Sünde wäre es, mich unbefriedigt zu lassen. Sieh doch, in welchem Zustand ich bin!»

Er zeigte auf sein Glied, das dunkelrot angelaufen war und bebte, als wolle es jeden Augenblick platzen. Juanita lachte erleichtert auf und streckte die Arme nach ihm aus. Womit nur hatte sie einen so schönen und liebevollen Mann verdient? Sie spreizte die Beine und hob ihm die Hüften entgegen.

Stow drückte sein Glied auf ihre Öffnung, um dann ein wenig zu warten, damit sie sich an das Gefühl gewöhnen konnte, während er sie leidenschaftlich küsste. Inmitten des Kusses glitt er mit einer einzigen fließenden Bewegung in sie hinein. Selbst überrascht darüber, dass sie so gut wie keinen Schmerz verspürte, riss sie die Augen auf.

Sie legte die Handflächen auf Stows schlanke Hüften und begann, sich im Rhythmus seiner Stöße zu bewegen. Es war herrlich, von ihm erfüllt zu sein. Er war stark und sanft zugleich. Mein Gott – das köstliche Gefühl, das sie empfand, als sein heißes, hartes Fleisch in sie stieß, war mit Worten nicht zu beschreiben.

Dann hörte sie auf zu denken, als Stows Glied eine tiefe, verborgene Nische in ihrem Innersten erreichte und sie zu einem geistlosen Bündel summender Nervenstränge machte, während er sie auf eine weitere Ebene der Sinnenlust führte.

Kapitel dreizehn

Die Morgendämmerung brach eben herein, als Carlotta, Manitas und ein paar weitere Männer die umfriedete Siedlung verließen.

Am Himmel zeigten sich pfirsichfarbene Streifen, und am Horizont markierte eine silbrige Linie die Grenze zwischen Wasser und Luft. Die Häuser der Siedlung lagen noch in tiefster Dunkelheit und wirkten mit ihren geschlossenen Fensterläden wie blinde Gesichter, die sich dem Morgen präsentierten.

Lächelnd ging Carlotta an Juanitas Haus vorbei, fest überzeugt davon, dass sie in Stows Armen schlief, restlos erschöpft nach einer langen Liebesnacht. Aber das spielte keine Rolle. Juanita hatte zweifellos vergessen, dass an diesem Tag die Piraten losziehen mussten, um ein weiteres spanisches Schiff abzufangen.

Ob Carlotta mit ihnen gehen durfte, war unter den Männern längst kein Thema mehr. Sie hatten alle erkannt, dass sie im Kampf ihren Mann stehen konnte. Der Abstieg zum Meer ging rasch vonstatten, und so erreichten sie bald die geschützte Bucht, wo die *Esmeralda* und die spanische Galeone *Ave de Rapiña*, Raubvogel, vor Anker lagen.

Manitas grüßte die Männer, die Wache standen.

«Ist alles bereit? Wir segeln mit der Flut.»

«Alles bereit. Nur ein letzter Befehl bleibt noch auszuführen.»

Der Mann stieß einen durchdringenden Pfiff aus, und als auf dem Deck der *Ave de Rapiña* eine Gestalt erschien, gab er ihr mit dem Arm ein zuvor verabredetes Signal.

Unter Carlottas Augen wurde auf dem Schiff eine Flagge gehisst. Großer Jubel brach aus, als sich das Banner im Wind entfaltete. Die Freibeuter warfen ihre Mützen in die Luft und riefen wie mit einer Stimme:

«Es lebe die *Rote Korsarin*. Es lebe Carlotta!»

Die schwarzen Brauen fragend hochgezogen, drehte Carlotta sich zu Manitas um.

«Was soll das heißen?», fragte sie.

Er lachte laut auf und schlug ihr so kräftig auf die Schultern, dass sie fast ins Wanken geriet.

«Erkennst du die Flagge nicht?», rief er mit dröhnender Stimme in die morgendliche Stille. «Das ist dein roter Unterrock! Wir haben die Galeone dir zu Ehren umbenannt. Von jetzt an heißt sie *Rote Korsarin*. Die Männer haben dich in ihr Herz geschlossen, meine Liebe, und das ist eben ihre Art, es zu zeigen.»

Carlotta war sprachlos und – wie sie entsetzt feststellen musste – vor Rührung den Tränen nahe. Es dauerte ein Weilchen, bis sie ein paar Worte herausbrachte.

«So, dann bin ich also die Rote Korsarin? Na ja, man hat mich schon weit Schlimmeres geheißen. Oh, Manitas, ich fühle mich wirklich sehr geehrt. Was soll ich nur dazu sagen?»

Er lachte. «Am besten sagst du gar nichts; es reicht, wenn du den Leuten zuwinkst und lächelst. Und dann gehen wir an Bord. Deine Mannschaft wartet auf dein Kommando, und außerdem haben wir da draußen eine Verabredung.»

Der Kapitän des spanischen Handelsschiffs wusste nicht, wie ihm geschah, als die Piraten über ihn herfielen. Getäuscht vom harmlosen Anblick einer nahenden spanischen Galeone, wurde er erst argwöhnisch, als er ihre Flagge sah. Ihm blieb gerade noch die Zeit, eine einzige Breitseite abfeuern zu lassen, bevor die Enterhaken über die Reling flogen und die Freibeuter an Bord drängten.

Carlotta war unter den ersten, die das Handelsschiff betraten. Sofort begann sie, sich auf dem überfüllten Deck ihren Weg zu bahnen. Die spanischen Seeleute wichen ihr aus; der Anblick einer Frau mit einem Säbel in der Hand war für viele ein Schock, den sie erst einmal verkraften mussten. Als Carlotta den Kapitän des Schiffes erblickte, ließ sie die kämpfenden Männer auf dem Unterdeck zurück und sprang aufs Achterdeck.

Manitas folgte ihr, wobei er links wie rechts mehrere Spanier niederstreckte. Carlotta machte den ersten Offizier, der sich ihr entgegenstellte, kampfunfähig und stand wenige Augenblicke später vor dem Kapitän, während Manitas die anderen Offiziere in Schach hielt.

«Was in Gottes Namen geht hier vor? Wer hat eine Frau auf mein Schiff gelassen?», rief der Kapitän mit heiserer Stimme.

Bevor der Mann sich's versah, hatte Carlotta ihn auch schon gefangen genommen.

«Gebt den Befehl zur Kapitulation, und ich lasse Euch am Leben», erklärte sie, während sie ihm die Spitze ihres Säbels an die Halsschlagader drückte.

Er bedachte sie zunächst mit einem verächtlichen Blick, doch als er ihre entschlossene Miene sah, händigte er ihr unverzüglich seine Waffen aus und tat, was sie gefordert hatte. Nachdem seine Besatzung gefesselt worden war, untersuchten Manitas und Carlotta den Frachtraum. Er war bis oben hin beladen mit Wolle, Farbstoffen, seltenen Gewürzen und zahllosen Luxusgütern.

Carlotta öffnete Truhe um Truhe und holte eine Hand voll Smaragde, Perlen und Topase nach der anderen heraus. Sie stieß auf Vasen und Spiegel aus poliertem Obsidian und reichlich Silberschmuck. Insgesamt waren die Schätze nicht so wertvoll wie die aus der Galeone, aber dennoch würde sich ihr Verlust in Don Felipes Finanzen schmerzhaft bemerkbar machen.

«Wo ist Euer Erster Offizier?», fragte sie den Kapitän.

Um seine eigene Haut zu retten, führte dieser sie in einen Raum, in dem ein Mann mittleren Alters an einem Schreibtisch saß. Er schrieb so ruhig in einem Buch, als läge das Schiff vor Anker.

Carlotta bewunderte, mit welcher Fassung der Mann ihr Eindringen hinnahm. Er war schlank und trug dunkle Kleider mit einer kunstvollen, aber dezenten Musterung. Sein kurzgeschorenes Haar und sein Bart waren stahlgrau, und eine große, markante Nase beherrschte sein schmales Gesicht, was ihm einen Ausdruck natürlicher Arroganz verlieh.

Er stand auf, als sie den Raum betraten, und seine blassgrauen Augen verengten sich, während er sich spöttisch verbeugte.

«Ah, die schwarzhaarige Hexe des Meeres und der riesenhafte Pirat. Ich fühle mich geehrt, Euch kennenzulernen, wenngleich die Umstände, was meine Person betrifft, eher unglücklich zu nennen sind. Darf ich mich vorstellen: Pedro Las Casas. Ich gehe davon aus, dass Ihr mir kein Leid zufügen werdet. Mein Schutzherr Don Felipe Escada wird –»

«Eine beträchtliche Summe bezahlen, wenn Ihr unbeschadet nach Spanien zurückkehrt, ich weiß», unterbrach Carlotta ihn. «Aber seid beruhigt, Euer Leben ist nicht in

Gefahr», fügte sie lächelnd hinzu. Irgendwie gefiel ihr dieser Mann mit seiner trockenen Art.

Pedro kniff die Augen zusammen, als er abwechselnd Carlotta und Manitas in Augenschein nahm. «Ich vermute, Ihr sprecht für Euch beide. Aber was habt Ihr mit mir vor? Ich nehme an, dass Ihr mich nicht zusammen mit der übrigen Mannschaft in die Rettungsboote stecken wollt, denn sonst hättet Ihr mich wohl kaum persönlich aufgesucht.»

Carlotta bedachte ihn mit einem schmallippigen Lächeln. «Das seht Ihr vollkommen richtig, Señor. Ich habe eine Aufgabe für Euch. Ich möchte, dass Ihr für mich eine Nachricht nach Spanien bringt.»

«Darf ich fragen, an wen?»

«An Don Felipe. Er und ich, wir sind … alte Bekannte. Er schuldet mir etwas, und ich werde dafür sorgen, dass er seine Schulden vollständig begleicht.»

Pedros funkelnden Augen war anzusehen, wie sehr ihn das alles interessierte, während er sich mit einer seiner langen, schlanken Hände übers Kinn strich.

«Und hat diese … Nachricht einen bestimmten Inhalt?»

Sie nickte, verärgert über den kalten, abschätzigen Blick, mit dem er sie musterte. Plötzlich verspürte sie das Verlangen, ihn aus der Fassung zu bringen. Er gab sich ein wenig zu selbstsicher und überheblich für einen Mann, dessen Schiff bald seiner gesamten Ladung beraubt sein würde.

«Kommt zu mir», befahl sie.

Das überraschte ihn, und ein Anflug von Unbehagen legte sich über sein asketisches Gesicht. Langsam stand Pedro auf. Er war sehr groß und so dünn wie ein Priester, der Abstinenz gelobt hatte.

«Kniet vor mir nieder», befahl Carlotta.

Pedro warf Manitas einen verunsicherten Blick zu, doch der grinste nur.

«Tut besser, was sie sagt, Señor. Sie kann äußerst reizbar sein.»

Pedro sank langsam auf die Knie. Abgesehen von je einem roten Fleck ganz oben auf beiden Wangen war er aschfahl.

«Was … was wollt Ihr von mir?», fragte er schließlich.

«Ich will, dass Ihr den Brief an Felipe persönlich schreibt. Erzählt ihm in allen Einzelheiten von unserer Begegnung und lasst nichts, aber auch gar nichts aus. Ich möchte sicherstellen, dass er weiß, dass kein Irrtum vorliegt. Felipe hat mich … intim gesehen und wird Euch ganz spezifische Fragen stellen. Deshalb werdet Ihr mich jetzt entkleiden, über meine Haut streichen und mich schmecken, falls Ihr das wünscht, um anschließend Eure Eindrücke zu Papier zu bringen.»

Pedro riss schockiert die Augen auf. Erneut wandte er sich Manitas zu.

«Aber … was ist mit diesem Mann, Eurem Geliebten? Er wird mich doch umbringen, wenn ich Hand an Euch lege. Ist das eine List, um mich zu demütigen?»

«Das ist keine List, Señor. Manitas wird gar nichts tun, das versichere ich Euch. Es wird ihm sogar ein Vergnügen sein zuzusehen, wie ein anderer Mann mir aufs Wort gehorcht. Habe ich nicht recht, mein Geliebter?»

Manitas lachte stillvergnügt in sich hinein. «Tu, was immer dich glücklich macht. Aber dieser spindeldürre Kerl ist ganz schön langsam von Begriff. Begreift er denn nicht, welche Ehre du ihm erweist? Vielleicht ist es ihm ja lieber, wenn wir ihn kielholen? Bin schon gespannt, was die Entenmuscheln von seinem kostbaren Wams übrig lassen. Oder sollte ich ihn besser gleich über Bord werfen?»

«Nein!», brach es aus Pedro hervor. «Ich vertrage keinen Schmerz, und schwimmen kann ich auch nicht. Bitte. Ich … ich werde es tun.»

Carlotta stand breitbeinig da, die Hände in die Hüften gestemmt, während Pedro auf den Knien auf sie zurutschte. Er begann, ihr Wams aufzuschnüren. Seine Hände zitterten stark, als er an der Verschnürung herumnestelte, doch schließlich fiel das Kleidungsstück zu Boden. Als nächstes folgte ihr weites Batisthemd. Darunter trug sie ein Korsett in der Form eines ärmellosen Mieders, das die Brust flach drückte und an der Taille spitz zulief.

Pedro kroch um sie herum und öffnete von hinten die Bänder, die ihre Taille einschnürten. Der hintere Teil des Korsetts öffnete sich, und Carlotta hielt die Arme über der Brust verschränkt und das gelockerte Korsett dicht an sich gedrückt.

Pedro schien enttäuscht darüber, dass sie das Korsett festhielt. Sein Blick schien auf die oberen Rundungen ihrer Brüste fixiert und auf den tiefen, im Schatten liegenden Spalt zwischen ihnen.

«Und jetzt Stiefel und Hose», befahl Carlotta.

Pedro atmete schwer, und von seiner ursprünglichen Gefasstheit war nichts mehr übrig. Als Carlotta sich an den Schreibtisch lehnte, griff er nach ihrem Stiefel. Die eine Hand hatte er an ihrem Knöchel, mit der anderen zog er an ihrem Fuß. Seine Finger streichelten das Leder über ihrem hohen Rist. Es dauerte ziemlich lange, und Carlotta seufzte schon ungeduldig.

Mit einem Mal stieß Pedro blitzschnell mit dem Kopf vor und presste seine Lippen auf das Leder. Sie war derart überrascht, dass sie ihn nur mit offenem Mund anstarrte. Das bloße Berühren und Küssen ihres Stiefels schien ihn sexuell zu erregen. Fasziniert schaute sie zu, wie er die Stiefelspitze in den Mund nahm und begann, sie abzulecken. Kurz danach drückte er die Nase ans Leder und sog tief dessen Duft ein.

Carlotta warf Manitas einen fragenden Blick zu, doch der

zuckte nur grinsend mit den Schultern. Sie entzog Pedro ihren Fuß und befahl: «Schluss jetzt. Wie ich sehe, genießt du das viel zu sehr. Zieh mir die Stiefel aus. Dazu stehst du am besten auf.»

Mit einem enttäuschten Seufzer stand Pedro auf und drehte ihr den Rücken zu. Er nahm einen Fuß in die Hände, während Carlotta den anderen gegen seinen knochigen Hintern stemmte. So zog er ihr nacheinander beide Stiefel aus und stellte sie fein säuberlich nebeneinander. Er betrachtete sie mit einem schmachtenden Blick, seufzte noch einmal bedauernd und wandte sich dann Carlottas lederner Kniehose zu.

Sie hob das Hinterteil vom Schreibtisch, damit er die Hose herunterziehen konnte. Pedro schien fast der Schlag zu treffen, als er sah, dass sie nichts darunter trug. Er konnte den Blick nicht von ihren runden Schenkeln und dem dreieckigen Gewirr von Locken auf ihrer Scham wenden. Bis auf ihr Korsett war Carlotta nackt.

Mit einem triumphierenden Grinsen nahm sie ihr letztes Kleidungsstück vom Körper und warf Pedro das Korsett ins Gesicht. Er fing es auf und presste es an sich, inhalierte ihren Duft und sank leise stöhnend auf die Knie. Dann drückte er den mit Fischbein verstärkten Stoff an seine Brust und rieb das von ihrem Körper noch immer warme, gerundete Oberteil über seine Wangen.

Carlotta ahnte, was Pedro wollte. Es belustigte sie, ihm seinen Wunsch zu erfüllen. Wie sehr sie sich doch wünschte, heimlich mit anhören zu können, wenn Pedro die Ereignisse dieses Tages in allen Einzelheiten Don Felipe erzählte!

«Leck mich ab», herrschte sie ihn an. «Und zwar jeden Teil meines Körpers vom Hals bis zu den Zehen. Achte dabei besonders auf meine Brüste und meine Vulva, aber die Füße sparst du dir auf bis zuletzt.»

Pedros Lippen bewegten sich, aber er brachte kein Wort heraus. Schweißperlen standen ihm auf Stirn und Oberlippe. Von der Tür her hörte Carlotta Manitas leise lachen.

«Du bist wirklich eine Hexe der Meere. Kennst du die Geschichte von den Sirenen, die Seeleute in den Wahnsinn treiben? Die könnten von dir noch ein paar Finessen lernen!»

Carlotta brach in ihr klangvolles Lachen aus, warf den Kopf in den Nacken und reckte sich genüsslich. Pedro indes schien in der Tat wie verhext, so als habe er Manitas' Gegenwart völlig vergessen. Er wirkte wie in einer eigenen Welt gefangen. Carlotta schloss die Augen, als er näher kam und sich mit gekrümmtem Rücken über sie beugte.

Seinem Haupt entströmte ein trockener, staubiger, mit Lavendelöl vermischter und keineswegs unangenehmer Geruch. Zitternd wollte er nach ihr greifen, doch sie hielt ihn davon ab.

«Keine Hände!»

Er murmelte eine Entschuldigung und reckte den Hals. Schon die erste Berührung seiner Zunge bewirkte, dass ihr im Unterleib schlagartig heiß wurde. Es war weitaus angenehmer, als sie erwartet hatte. Pedro nahm sich seiner Aufgabe mit großer Hingabe an und ließ die Zunge lüstern über ihre Brüste gleiten.

Er leckte die Unterseite einer jeden Brust und nahm so viel von den prallen Kugeln in den Mund, dass sie leicht zu beben begannen. Carlotta blickte auf seinen grauen Kopf hinab, als er sich auf ihre Brustwarzen konzentrierte, sie mit seinem Speichel polierte und die ausgestreckte Oberseite seiner Zunge auf ihre kirschroten Spitzen drückte. Als er dann von ihnen abließ und die Nase in den Spalt zwischen ihren Brüsten presste, strich die Luft derart über die angespannten, feuchten, nicht mehr beachteten Leckerbissen, dass es sie fast in den Wahnsinn trieb.

Nur mit größter Mühe konnte sie sich davon abhalten, selbst Hand an ihre Brüste zu legen und ihre sensibilisierten Brustwarzen zu kneifen. Dann aber sah sie Manitas' Miene an, dass ihr noch genügend fleischliche Genüsse bevorstanden, wenn Pedro seine Aufgabe erfüllt hatte.

Leise stöhnend begann Pedro nun, ihren Bauch zu lecken. Beginnend bei ihren Rippen, arbeitete er sich weiter nach unten bis zu ihrem Nabel vor. Für eine Weile ließ er die Zungenspitze in die winzige, fleischige Vertiefung schnellen. Carlotta krallte sich am hölzernen Schreibtisch fest und wartete auf den köstlichen Augenblick, in dem er den Kopf zwischen ihre Schenkel stecken würde.

Pedro schien nicht sonderlich in Eile, und sie konnte sich ein bewunderndes Lächeln nicht verkneifen. Der verdammte Kerl wusste ganz genau, dass sie dieses Spiel ebenso genoss wie er. Auch Manitas hatte kein Wort gesprochen, seit Pedro mit seinen Diensten begonnen hatte. Er lehnte an der Tür, die eine Hand an der Taille, sodass die Finger dieser Hand auf die unübersehbare Ausbuchtung in seiner Hose deuteten. Carlottas Puls beschleunigte sich, als sie an das noch im Halbschlaf befindliche Glied dachte, das aber mit jeder Sekunde wacher wurde.

Sie hatte das Bild seiner Männlichkeit vor Augen, während Pedros Zunge über ihre Haut glitt. Manitas' gewaltiger, fleischiger Schwanz, wie er immer praller und länger wurde, bis er sich zu seiner eindrucksvollen, harten Pracht versteift hatte. Köstlich. Als spürte er, dass sie sich nicht mehr auf ihn konzentrierte, kniff ihr Pedro spielerisch in den Nabel. Sofort schlug sie ihm mit der flachen Hand auf den Kopf, und das nicht allzu sanft.

«Nur mit Zunge und Lippen», befahl sie, auch wenn sie sich ein Lächeln kaum verkneifen konnte.

Unter anderen Umständen hätte sie Pedro in gewisser

Hinsicht durchaus liebenswert gefunden, doch als Felipes Freund konnte er niemals auch ihr Freund sein.

Pedros heiße Zunge glitt zur Rundung ihres Bauches hinab. Die kitzelnde Nässe breitete sich über ihre Haut aus, als er mit lockeren, entspannten Lippen über sie fuhr. Nun kauerte er vor ihr und machte sich auf den Weg zwischen ihre Beine. Carlotta hielt den Atem an, als seine glattrasierten Wangen die Innenseiten ihrer Schenkel berührten. Der Kontrast zwischen dem heißen Mund und den kühlen Wangen, die vom frischen Bartwuchs nur ein ganz klein wenig rau waren, wirkte betörend auf sie.

Sie spreizte die Beine und hörte seinen Atem, als er ihren weiblichen Moschusduft in sich aufsog. Dann begann er hingebungsvoll zu lecken und zu saugen. Seine Zunge suchte nach ihren feuchten, intimen Falten und den zarten, gekräuselten Rändern ihrer inneren Lippen. Sie seufzte auf, als er ihre pulsierende Perle, diesen Quell konzentrierten Gefühls, gefunden hatte und sanft mit den Lippen bearbeitete.

Allmählich begannen ihre Hüften, sich zu bewegen, und sie presste den Unterleib gegen seinen Mund, als er mit der Zungenspitze die kleine fleischige Haube nach oben zu ihrem Bauch hin schob, um den höchst sensiblen Leckerbissen freizulegen. Sie war so sehr erregt, dass es ihr Unbehagen bereitete, und so zog sie sich von ihm zurück. Auch er wich ein Stückchen zurück, und sie spürte, wie sein Atem über ihre entblößte Lustknospe strich. Das allein genügte nun, um sie zum Höhepunkt zu bringen.

Sie spreizte die Beine, schloss die Augen und konzentrierte sich auf das allmählich abflauende Pulsieren in ihrem Unterleib. Pedro blickte grinsend und nicht ohne Stolz zu ihr auf.

Er schien sich aufrichtig zu freuen, ihr eine solche Befriediging verschafft zu haben, und sie brachte es einfach nicht übers Herz, ihm den Lohn seiner Mühen vorzuenthalten.

«Bring deine Arbeit zu Ende», sagte sie mit sanfter, fast schon zärtlicher Stimme.

Er zögerte nicht einen Augenblick, leckte sich an den Innenseiten ihrer cremeweißen Schenkel hinab und küsste ihre Knie. Und obwohl ihre Klimax vorüber war, blieb ihre Haut äußerst sensibel, und die Berührung durch seine Zunge war mehr als nur angenehm. Jetzt arbeitete er sich ihre Waden hinunter und veränderte seine Position, bis er ausgestreckt auf dem Fußboden lag.

Sie spürte seine wachsende Erregung, als sein Mund sich auf ihre Füße zubewegte. Selbst als er ihre Vulva geleckt hatte, war er zurückhaltend, ja fast ein wenig abwesend geblieben, doch nun verlor er völlig die Fassung, als er mit den Lippen nacheinander über ihre beiden Füße fuhr. Sanft umkreiste er die Knöchel und leckte und saugte dabei mit einer seltsamen Ehrfurcht.

Seine Zunge strich über beide Füße und schmeckte und erkundete jede noch so leichte Erhöhung und jede hervortretende Ader. Als er die erste Zehe in den Mund nahm und zu saugen begann, drang aus den Tiefen seiner Kehle ein merkwürdiges, kaum hörbares Geräusch, ähnlich wie bei einem Säugling an der Mutterbrust. Pedros plötzliche, vollständige Hingabe faszinierte Carlotta.

Als er nacheinander an allen ihren Zehen saugte, die Zwischenräume beleckte und alles mit entspannten Lippen liebkoste, begann er plötzlich, sich mit ruckartigen Bewegungen unter ihr zu winden. Mein Gott, der ist jeden Augenblick so weit, dachte sie. Unglaublich – ihre Füße hatten ihn derart erregt, dass er zum Orgasmus kam!

Pedro stieß ein ersticktes Stöhnen aus und versteifte sich, den Mund fest um zwei ihrer Zehen geschlossen. Seine

Lippen arbeiteten unablässig, als er ihren Geschmack in sich aufnahm, bevor er sich auf der Seite zu einer Kugel zusammenrollte, das Gesicht vor lustvollem Schmerz verzerrt. Nach wenigen Augenblicken hatte er sich erholt und kniete sich hin, um in der Tasche seines Wamses nach einem Tuch zu wühlen. Er wischte sich Stirn und Mund ab und stand auf. Nun wieder gefasst wirkend, strich er sich mit einer Hand über sein kurzgeschorenes graues Haar.

Carlotta kümmerte sich nicht darum, ihre Blöße zu bedecken. Sie musterte ihn kühl aus ihrer sitzenden Position.

«Also, Señor Las Casas, wisst Ihr nun, welche Botschaft Ihr Felipe zu überbringen habt?»

Er nickte. «Ihr wünscht, dass ich über alles berichte, was hier vorgefallen ist?»

«Über alles. Und zwar in allen Einzelheiten.»

Aus Pedros Miene sprachen Respekt und Furcht zugleich. «Heilige Mutter Gottes. Das ist nicht die erste derartige Botschaft, nicht wahr? Ihr müsst Felipe wirklich sehr hassen. Wollt Ihr den armen Mann in den Wahnsinn treiben?»

Carlotta lächelte vieldeutig.

«Ich will ihn vor allem in den Ruin treiben. Aber Wahnsinn wäre für den Anfang auch nicht schlecht, Señor.»

Pedro atmete tief ein, und seine hellgrauen Augen wirkten plötzlich eiskalt.

«Ich weiß nicht, was ich von Euch halten soll, Señora. Ihr seid anders als jede Frau, die ich je gekannt habe. Entweder Ihr seid ein Racheengel oder die Verführerin des Satans.»

Carlotta lachte ihm ins Gesicht.

«Weder das eine noch das andere. Ich bin schlicht und einfach so, wie Gott mich geschaffen hat! Eine selbständige Frau, die sich nicht dem Willen eines Mannes unterwirft. Ist es vielleicht das, was Ihr so merkwürdig findet? Felipe hat versucht, mich nach seinem Willen zu formen, aber das konnte ich natürlich nicht zulassen. Erklärt ihm, dass ich mich nicht verändert habe und noch lange nicht mit ihm fertig bin.»

Pedro verneigte sich, eine Hand unterwürfig ans Herz haltend.

«Ich werde Eure Botschaft überbringen, Señora. Und ich danke unserem Herrn Jesus Christus dafür, dass Ihr nicht meine Feindin seid.»

Felipe stand vor dem Eingang der Kathedrale von Santiago de Compostela.

Der Fußmarsch war lang und mühsam gewesen, aber er bereute nichts. Er war müde und brauchte dringend ein Bad und etwas zu essen, doch er wollte weder ruhen noch speisen, bevor er seine Pilgerfahrt vollendet hatte. Der raue wollene Umhang kratzte an seinen nackten Beinen, und der Straßenstaub scheuerte zwischen seinen Zehen. Um die Füße, die voller Blasen waren, hatte er Lumpen gewickelt, und beim Gehen zog er ein Bein nach.

Um ihn herum drängten – meist in abgerissenen, staubigen Gewändern – die anderen Pilger zum Kirchenportal, alle ausgezehrt und blass, mit hohlen, von religiösem Eifer funkelnden Augen. Sah er auch so aus? Viele Pilger warfen sich zu Boden, küssten die Steinplatten und vergossen Tränen der Glückseligkeit darüber, endlich ihr Ziel erreicht zu haben.

Felipe stand ein paar Schritte von den anderen Pilgern entfernt, als wolle er auf Distanz zu sich selbst gehen. Ihre Stimmen erhoben sich nun zum Gebet, und ihm war, als verdichte sich die Luft unter dem Eindruck ihrer Frömmigkeit. Er betete, auch er möge von seinen Seelenqualen erlöst werden.

Als er in das kühle steinerne Innere trat, spürte er, wie

eine Art Frieden über ihn kam. Die weitläufige Kathedrale war ein Werk menschlicher Liebe und Ehrfurcht, und all die Schönheit um ihn herum würde bestimmt heilend auf ihn wirken. Hier würde er sich von Carlotta reinigen und ihr Bild an irgendeinen kalten, dunklen Ort verbannen, weit außerhalb der Reichweite seiner Sinne.

Er durchschritt den Pórtico de la Gloria und verbeugte sich vor den drei Rundbögen, die Meister Mateo im zwölften Jahrhundert geschaffen hatte. Wie Tausende Pilger vor ihm streckte auch er die Hand aus nach den lächelnden, lebensecht wirkenden Figuren, die aus dem Stein gehauen waren. Einige der Gestalten waren schon ganz glatt an den Stellen, wo die andächtigen Hände der Gläubigen die Oberfläche poliert hatten.

Plötzlich lief ihm ein Schauder über den Rücken. Ihm war, als habe er bei einer der Figuren Carlottas Gesicht gesehen. Unmöglich! Er schüttelte den Kopf, um sich von der Vision zu befreien, und sah, dass er sich geirrt hatte. Offenbar war er so schwach und hungrig, dass er schon Sinnestäuschungen anheimfiel.

Er ging weiter durch Haupt- und Querschiff, wo die Gegenwart Gottes jeden Stein zu durchdringen schien, jede Falte der kunstvollen Wandbehänge und jede der in leuchtenden Farben bemalten Scheiben der Kirchenfenster. Das Murmeln der Gebete erfüllte die Luft. Er hob den Blick zum Kapitelhaus und zu den oberen Galerien mit ihren kostbaren, mit seidenen und goldenen Fäden durchwirkten Wandteppichen.

Fast jede Oberfläche um den Hochaltar war mit goldenen und silbernen Gegenständen ausgeschmückt. Und dann war da noch der große silberne Schrein mit den reichverzierten Statuen der Heiligen.

Felipe brachte nacheinander den Heiligen Jakob, Theodor

und Athanasius seine Spenden dar. Die Pilger defilierten am Altar vorbei, ließen die Perlen ihrer Rosenkränze durch die Finger gleiten und nahmen den Segen der Priester entgegen. Mit gebeugtem Haupt murmelte Felipe seine Gebete, nippte am Wein und ließ die Hostie auf der Zunge zergehen, bis sie sich aufgelöst hatte. Dann zog er von dannen, entzündete eine dünne Wachskerze und hielt diese an den Docht einer kostbaren Bienenwachskerze.

Als er die Augen schloss, sah er durch die geschlossenen Lider noch immer das flackernde gelbe Licht der zahlreichen Kerzen. Die Kälte des Steinbodens drang durch seinen Umhang und kroch in seine Knie. Er drückte die Augen noch fester zu und versuchte, sich zu konzentrieren.

Doch sosehr er sich auch bemühte, es gelang ihm nicht, sich vollständig im rituellen Ablauf zu verlieren. Eine leise Stimme in seinem Kopf erinnerte ihn immer wieder an den eigentlichen Grund für seine Pilgerfahrt.

Carlotta mit ihrer teuflischen Schönheit und ihrer befleckten Fleischlichkeit, die ihn in ihrem Bann hielt. Konnte ihre Hexerei so mächtig sein, dass sie selbst der Kirche widerstand? Er stöhnte laut auf.

Würde er ihr Gesicht denn nie vergessen können?

Selbst hier, an diesem heiligen Ort, peinigte sie ihn. Er war verzweifelt. Konnte er überhaupt irgendwo Erlösung finden?

Er trat von dem Schrein zurück und machte sich auf den Rückweg durch die Kathedrale. Die Pracht des Altars und des Schreins lag hinter ihm, und in der Kathedrale gingen zahlreiche einfache Leute ihren täglichen Verrichtungen nach. Anstelle des Majestätischen und der Aura von Heiligkeit drängte sich ihm jetzt nur noch die weltliche Natur menschlichen Strebens auf.

An einer neuen Seitenkapelle waren Arbeiten im Gange,

und das Klopfen von Hämmern auf Stein hallte im Kirchenschiff wider. Die Gesichter der schwitzenden Arbeiter leuchteten bronzefarben im Kerzenlicht. Zwei von ihnen scherzten miteinander, und ihr Gelächter übertönte das Murmeln der Betenden und die hohe Stimme eines Chorknaben.

Seine sorgenschweren Gedanken verdüsterten Felipes gesamte Wahrnehmung. Zahlreiche finstere, in Lumpen gehüllte Gestalten drückten sich mit Stab und Bündel vor den Wänden herum – Pilger, die sich keine Unterkunft leisten konnten. Ihr Gestank wurde nur notdürftig überdeckt vom Weihrauchduft aus den über dem Querschiff aufgehängten Fässern.

Felipe presste missbilligend die Lippen zusammen. Statt sich über seine menschliche Schwäche zu erheben, wie er es von seiner Pilgerfahrt zum Schrein der Heiligen erhofft hatte, wurde er nun von allen Seiten an seinen Zustand erinnert. All diese Männer und Frauen waren Sünder, und er war schwächer als alle zusammen, ohne jede Hoffnung auf Erlösung. Wenn er hier fortging, würde er wieder mit sich allein sein, ohne sich verändert zu haben. Was hatte er eigentlich erwartet? Dass das göttliche Feuer seine Sünden ausbrannte?

Er seufzte. Vielleicht würde er den Widerspruch zwischen Geist und Fleisch nie auflösen können, auch wenn die Kathedrale ihm ein gewisses Maß an Trost gespendet hatte – ebenso wie der Priester, den er dafür bezahlt hatte, an allen Namenstagen der Heiligen für ihn zu beten und an seiner statt eine Kerze zu entzünden.

Insgesamt aber war seine Pilgerfahrt vergebens gewesen, denn nun hatte er die schreckliche Gewissheit, dass der Fehler in ihm selbst lag. Er war schlicht unfähig, die Hand nach Gottes Trost auszustrecken. Auf seiner Seele lag ein dunkler Schatten, und an genau dieser Stelle konnte Carlotta ihn erreichen.

Es war wie eine Offenbarung. In gewisser Weise empfand er es als Befreiung zu erkennen, dass er auch weiterhin in sich selbst nach einer Lösung suchen musste. Auf einmal war ihm klar, was er zu tun hatte. Die Kasteiung des Fleisches war der einzig wahre Weg zur Bekämpfung seiner sündigen Wollust. Doch dazu benötigte er Hilfe. Seine eigenen Methoden waren einfach nicht wirksam genug. Er musste die Dienste von Experten in Anspruch nehmen.

Zum Glück war eine solche Hilfe nicht weit.

Es war allgemein bekannt, dass die Nonnen des Konvents, in dem er die Nacht verbringen wollte, in der Kunst der Züchtigung sehr bewandert waren. Gegen eine großzügige Spende für die Armenhilfe konnte er ihre Dienste in Anspruch nehmen. Er hatte herausgefunden, dass die Äbtissin im Ruf stand, mehr als willig zu sein, Sündern wie ihm beizustehen. Sie galt als willensstarke Frau, die überhaupt nicht reagierte, wenn einer um Gnade flehte.

Als er die Kathedrale verließ, schob sich eine Wolke vor die Sonne, und ihm lief ein Schauder über den Rücken – ohne dass er hätte sagen können, ob das von der Kälte kam oder von der Vorfreude auf das, was ihn erwartete.

Kapitel vierzehn

Die Klosterzelle, die man Felipe für die Nacht zugewiesen hatte, war klein und trostlos. Das Mobiliar bestand lediglich aus einer hölzernen Bank mit einem Strohsack. Auf dem Sack lag zusammengefaltet eine dünne Wolldecke, und an der Wand war ein hölzerner Haken befestigt, an dem er sein Gepäck aufhängen konnte.

Abgesehen von seinem schlichten Gewand und seinem schweren Umhang trug er nur Sandalen und einen breitkrempigen Hut. Im Kloster war es aber Vorschrift, barfuß zu gehen, und so hängte Felipe Hut und Sandalen zu seinem Bündel. Da seine Füße von der langen Reise noch wundgescheuert waren, ließ er die Lumpen an, die er um sie gewickelt hatte.

Im Refektorium nahm er gemeinsam mit den anderen Pilgern, die die Nacht im Konvent verbrachten, das Nachtmahl ein. Die Nonnen, die sie bedienten, wirkten allesamt jung und frisch, und ihr Haar steckte unter einem makellos weißen Tuch. Schweigend bewegten sie sich durch den Raum; lediglich ihre schwarze Ordenstracht machte leise Geräusche, wenn sie über den Steinboden schleifte. Ihre Anmut faszinierte Felipe. Sie schienen nicht zu gehen, sondern zu schweben.

Die Mahlzeit war schlicht – eine Holzschüssel voll Suppe und ein Stück Schwarzbrot. Dazu gab es mit Wasser verdünnten Wein.

Felipe war noch immer hungrig, als er in seine Zelle zurückging, doch sein Unterleib brannte vor Erregung, und so war es wohl besser, nicht zu viel zu essen.

Er faltete die Wolldecke so zusammen, dass sie ihm als Kissen diente, legte sich auf den Strohsack und verschränkte die Hände vor der Brust. Bis zum Abendgebet, nach dem man ihn holen wollte, dauerte es noch eine Stunde. Er schloss die Augen und versuchte, sich auszuruhen. Hinter den Lidern juckte es ihn, als sei der Staub der Straße sogar dorthin gelangt. Das Stroh seiner primitiven Matratze stach ihm in die Haut, und er hieß diese kleine Unannehmlichkeit als Vorboten dessen willkommen, was ihn noch erwartete.

Seine Versuche der Selbstkasteiung waren zweifellos nichts gegen das, was die Äbtissin ihm antun würde. Er zitterte geradezu vor ohnmächtiger Vorfreude. So würde er nie einschlafen können.

Er erwachte dadurch, dass ihn jemand schüttelte. Er konnte es kaum glauben: Er hatte volle zwei Stunden geschlafen. Er rieb sich die Augen und setzte sich auf.

«Kommt mit», forderte ihn die Nonne streng auf.

Felipe stand sofort auf und folgte ihr. Er wollte die Frau nach ihrem Namen fragen, wusste aber, dass sie ihm nicht antworten würde. Sie hielt den Kopf gesenkt, sodass er ihr Alter nicht abschätzen konnte. Geschmeidig bewegte sie sich durch die dunklen, mit Steinplatten ausgelegten Gänge, eine Gestalt im wehenden schwarzen Habit und makellos weißen Schleier.

Nach einer Weile blieb sie vor einem niedrigen steinernen Türbogen stehen und bedeutete ihm mit einer Geste einzutreten. Zu beiden Seiten der Tür steckten in eisernen

Wandleuchtern flackernde Lichter, doch im Raum selbst herrschte absolute Dunkelheit und Stille. Felipe wurde ein wenig mulmig zumute. Sollte er hier etwa eingesperrt werden? Vielleicht würde die Äbtissin ja anordnen, dass man ihn in Ketten legte und allein ließ.

Dann sah er, wie in der purpurnen Schwärze des Raumes eine Kerze entzündet wurde und dann noch eine. Als er eintrat, musste er sich bücken, um nicht mit dem Kopf an den Türbogen zu stoßen. Im Innern angekommen, erkannte er, dass die Wände des Raumes leicht gekrümmt und uneben waren und die Decke nach oben in der Dunkelheit verschwand. Das ist eine Art Keller, dachte er, und zwar ein ziemlich alter.

Er war nicht allein im Raum. Zwei schwache Kerzen erleuchteten je ein weibliches Gesicht. Eine der beiden Frauen trug wie alle Nonnen die dunkle Tracht mit dem weißen Kopftuch. Sie war nicht gerade attraktiv mit ihrem eckigen Kinn und den festen, rosigen Lippen.

Die andere trug ein dunkles Kopftuch mit einem steifen Band aus weißem Leinen darüber. Ihr Gesicht war ein vollkommenes Oval, ihre Züge scharf geschnitten, aber durchaus ebenmäßig. Ein Kruzifix aus getriebenem Gold hob sich von ihrem schwarzen Habit ab. Schon an ihrer Körperhaltung erkannte Felipe, dass sie die Äbtissin sein musste. Ihr strenges, attraktives Gesicht löste gemischte Gefühle in ihm aus.

Mit einer Geste ihrer schlanken weißen Hand bat die Äbtissin ihn herein.

«Tretet ein, Don Felipe. Seid willkommen. Wir sind äußerst dankbar für die großzügige Gabe, mit der Ihr unseren Orden bedacht habt, und werden sie einem guten Zweck zuführen.»

Felipe durchquerte den Raum und fiel vor ihr auf die

Knie. Er nahm die Hand, die sie ihm hinhielt, und drückte die Lippen auf den silbernen Ring, den sie am Mittelfinger trug.

«Ehrwürdige Mutter», flüsterte er.

Sie antwortete mit einem feinen Lächeln, das ihr Gesicht belebte und sie in seinen Augen beinahe schön erscheinen ließ. Umso besser, dachte er. So würde es ihm leichter fallen, sich ihr auszuliefern.

Die Nonne, die geschickt worden war, um ihn zu holen, kam in den Raum und stellte sich an seine Seite. Sie warf einen Blick auf seine Füße, die noch immer von staubigen Lumpen umhüllt waren, und sah die Äbtissin fragend an. Diese zog die Augenbrauen hoch und nickte.

«Wenn Ihr Euch bitte setzen wollt, Don Felipe, Schwester Maria-Theresa wird Eure Wunden behandeln, bevor wir anfangen. In der Zwischenzeit wird Schwester Concepta alles Übrige vorbereiten.»

Felipe ließ sich auf die hölzerne Bank sinken, die neben ein paar dunklen Gegenständen in den vom Licht kaum erhellten Ecken des Raumes das einzige Möbelstück zu sein schien. Schwester Maria-Theresas Hände fühlten sich kühl an auf seiner Haut, als sie seine Füße badete und mit einer nach Kräutern duftenden Salbe einrieb.

Während sie noch damit beschäftigt war, entzündete Schwester Concepta weitere Kerzen und verteilte sie im Raum. Die dunklen Umrisse der übrigen Möbel wurden als Tisch und Stühle erkennbar. Einer der Stühle erregte seine besondere Aufmerksamkeit. Er war aus massivem, mit Schnitzereien verziertem Holz und hatte Armlehnen und eine hohe Rückenlehne. Ein ähnliches Stück – einen Bischofsstuhl – hatte er zuvor schon in der Kathedrale gesehen. Dieser Stuhl aber fiel durch eine merkwürdige Besonderheit auf: In der Mitte der hölzernen Sitzfläche wies er ein großes, kreisrundes Loch auf. Felipe war selbst nicht klar, warum sich beim Anblick des Stuhls sein Pulsschlag beschleunigte.

«Ist alles vorbereitet?», fragte die Äbtissin. «Dann dürft Ihr Euch jetzt entkleiden, Don Felipe.»

Felipe stand von der Bank auf. Wie es schien, sollte er sich vor den drei Nonnen ausziehen, da es im Raum weder einen Paravent noch einen Kleiderschrank gab. Schwester Maria-Theresa streckte die Hände nach seinem Umhang aus. Er lächelte zittrig, als er ihn ihr überreichte, und sah zum ersten Mal ihr Gesicht. Sie war die Jüngste von den dreien und hatte ein Antlitz wie ein Engel.

Ihre ausdruckslosen, unschuldigen Züge wirkten beinahe kindlich in ihrer Reinheit. Sie erwiderte sein Lächeln nicht, und ihre Augen blieben blass und kalt, während ihre aufeinandergepressten Lippen eine einzige Linie bildeten. Felipe hatte das Gefühl, dass die junge Nonne ihn verabscheute, und sein Verdacht erhärtete sich, als Schwester Maria-Theresa seine Nacktheit mit einem einzigen abschätzigen Blick bedachte und angewidert die Lippen verzog, als sein Glied zuckend zum Leben erwachte. O Gott – wie schrecklich es doch war, nackt vor den dreien zu stehen und wie demütigend, den eigenen Körper nicht unter Kontrolle zu haben.

«Ihr braucht wirklich dringend unseren Beistand», erklärte die Äbtissin unterkühlt und klopfte mit der Spitze eines ihrer schlanken weißen Finger auf seinen sich verhärtenden Schaft.

Felipe nickte, zitternd vor Angst und Erwartung. Hatte die Äbtissin gemerkt, dass sich bereits bei dieser leichten Berührung die Lust in seinem Unterleib regte?

«Das Fleisch ist schwach, das war schon immer so», erklärte die Äbtissin mit distanzierter, ausdrucksloser Stimme. «Vieles wird uns geschickt, um unseren Glauben auf die Probe zu stellen. Aber habt keine Angst, Don Felipe. Wir werden alle wollüstigen Gedanken aus Eurem Kopf vertreiben und die fauligen, teuflischen Säfte aus Eurem Körper. Ihr werdet Euch vollständig entleeren, das verspreche ich Euch. Ich bin bestens geschult in solchen Dingen und werde Euch nicht im Stich lassen.»

«Danke. Gott segne Euch, Ehrwürdige Mutter», murmelte er. Von diesem Augenblick an war er sich absolut sicher, dass er von diesen drei Frauen keine Gnade zu erwarten hatte.

Wie viele Sünder hatten sie wohl schon bestraft? Er versuchte, sich all die Männer und Frauen vorzustellen, die bereits nackt und zitternd in dem feuchten Keller gestanden hatten. Perverserweise empfand er den bloßen Gedanken daran bereits als erregend und spürte, wie seine Erektion weiter wuchs und das Blut in seinem Unterleib pulsierte. Er beugte sich vor und versuchte, sich mit den Händen zu bedecken, konnte aber die äußeren Anzeichen seiner Erregung nicht verbergen. Sie mussten ihn für ein verderbtes Ungeheuer halten, und er schämte sich so sehr, dass ihm die Wangen brannten.

Falls die Äbtissin seinen Zustand bemerkt hatte, ließ sie es sich nicht anmerken. Sie befahl ihm, zu dem mit Schnitzereien verzierten Stuhl zu gehen. Als er ihrer Anweisung Folge leistete, bemerkte er etwas, das ihm zuvor entgangen war. Auf dem Tisch befand sich eine Art hölzerner Ablegekasten mit mehreren Fächern. In jedem davon lag ein Werkzeug zur Bestrafung. Die Ansammlung kunstvoll gearbeiteter Peitschen und Ruten aller Art verschlug ihm den Atem.

In einem Fach entdeckte er eine Reihe kleinerer, aus Holz geschnitzter Gegenstände, die er nicht erkennen konnte. Außerdem fiel ihm in diesem Fach der Glanz von Metall auf. Wozu dienten nur all diese merkwürdigen Gerätschaften?

«Anbinden», befahl die Äbtissin. «Für den Anfang erste Position.»

Felipe erschauderte ein wenig, als die beiden Nonnen Hand an ihn legten. Er ließ sich von ihnen auf die Sitzfläche des Stuhls drücken und erlaubte ihnen, seine Handgelenke an die Armlehnen zu fesseln. Sie zogen ihm die Beine auseinander und banden seine Fußknöchel an Eisenringen fest, die an den vorderen Stuhlbeinen angebracht waren.

Nun war er ihnen wehrlos ausgeliefert. Gefesselt zu sein machte ihm Angst; noch beunruhigender aber war, wie sein Hinterteil und seine Hoden durch das Loch in der Sitzfläche herabhingen. Allein seine weit gespreizten Schenkel verhinderten, dass sein Unterleib durch das Loch rutschte. Wozu mochte ein solcher Stuhl wohl gut sein? Er musste seine Beinmuskulatur anspannen, wenn er eine aufrechte Sitzposition beibehalten wollte. Dass er sich gegen die Rückenlehne stemmte, half ihm, das Gleichgewicht zu halten, doch dann stellte Schwester Concepta die – offenbar mit einem Scharnier versehene – Rückenlehne weiter zurück, und er stöhnte entsetzt auf.

Nun musste er sich aus der Taille vorbeugen und seinen gesamten Oberkörper steif halten. Seine Muskeln brannten jetzt schon vor Anstrengung, doch trotz des Schmerzes drückte sein aufgerichteter Penis weiterhin gegen seinen angespannten Bauch. Er war so sehr darauf konzentriert, aufrecht zu sitzen, dass ihn der erste Schlag völlig unerwartet traf.

Er atmete zischend aus, als er spürte, wie die Peitsche sich um seine Schultern wand. Derweil holte Schwester Maria-Theresa mit ihrem hübschen, wenn auch kalten und ausdruckslosen Gesicht zu einem weiteren Schlag aus. Sie hatte den Ärmel ihres schwarzen Habits hochgekrempelt, und ihre schmalen weißen Handgelenke und kleinen Hände waren im Kerzenlicht deutlich zu erkennen.

Felipe konnte den Blick nicht von ihren Händen lassen.

Sie waren so zierlich wie die eines Kindes und krümmten sich fast schon zärtlich um den Griff der ledernen Peitsche. Jedes Mal, wenn die Peitsche auf ihn niedersauste, zog sich eine schmale, brennende Linie über seine Haut. Doch er war eine derartige Bestrafung gewohnt. Er schrie nicht auf, obgleich ihm der Schweiß aus allen Poren quoll.

Schwester Maria-Theresa konzentrierte sich auf seinen Rücken und seine Schultern. Die alten Narben und die verdickte Haut an diesen Stellen boten ihm einen gewissen Schutz, und er atmete kaum heftiger, als sie aufhörte. Er seufzte erleichtert auf in dem Glauben, sie sei bereits fertig, doch sie hatte nur eine kurze Pause eingelegt, um etwas aus der Schatulle auf dem Tisch zu holen.

Ihre kühlen Hände strichen über seine Brust, und die Berührung durch ihre seidenweiche Haut ließ ihn fast aufschreien. Zärtlichkeit war das Letzte, was er von ihr erwartet hätte, und so wiegte er sich vorübergehend in einer trügerischen Sicherheit. Dann aber durchzuckte ihn ein doppelter, stechender Schmerz, als sie zwei hölzerne Klammern auf seine Brustwarzen steckte. Einen Augenblick lang blieb ihm der Atem weg, und er schloss die Augen, um sich zu sammeln.

Das kneifende Gefühl wich einem brennenden, pulsierenden Schmerz. Ihm blieb kaum Zeit, sich an diese neue Qual zu gewöhnen, denn schon steckte sie zwei weitere Klammern auf seine schmerzenden Brustwarzen und dann noch zwei. Er wiegte den Kopf hin und her und nagte an seiner Unterlippe.

«Habt Ihr Schwester Maria-Theresa nichts zu sagen?», fragte die Äbtissin.

«Danke, Schwester», antwortete Felipe, verwundert über seine ruhige Stimme.

Schwester Maria-Theresa schenkte ihm ein kaltes Lächeln. Ihre Lippen waren blass wie eine Muschelschale, und ihre Haut schimmerte wie eine Perle im Kerzenlicht.

«Ich bin froh, Gottes Werk tun zu dürfen», sagte sie fromm und trat zurück, um ihn an Schwester Concepta zu übergeben.

Schwester Concepta nahm eine Peitsche und stellte sich neben Felipe. Ihr derbes, breites Gesicht war gerötet, der Mund zu einem sardonischen Grinsen verzogen. Anders als Schwester Maria-Theresa schien die ältere Nonne ihre Arbeit zu genießen, und sie brachte ein paar Sekunden damit zu, ihm die losen Lederriemen über Brust und Rücken gleiten zu lassen und seine Haut sanft zu streicheln.

Zu spüren, wie das geölte Leder über seine eingeklemmten Brustwarzen fuhr, war ein so köstliches Gefühl, dass sein Glied zuckte und die Eichel anschwoll, bis sie sich halb aus der fest anliegenden Vorhaut geschoben hatte. Schwester Concepta blickte auf sein pralles Glied hinab und ließ die Peitsche darübergleiten, wobei ihr die Zungenspitze aus den geöffneten Lippen ragte.

Felipe schloss die Augen und genoss die sanfte, fast seidige Liebkosung auf seinem Schaft. Seine Erregung wuchs, und er spürte, wie ein wenig Flüssigkeit aus der Mündung seines Gliedes trat. Die Lederriemen streichelten seine Eichel und nahmen den klaren Tropfen mit.

Als dann der erste Schlag kam, war der Schock nach der vorher so sanften Behandlung umso größer. Schon nach diesem einen harten Hieb auf sein Glied zuckte er zusammen und krümmte sich vor Schmerz. Es fühlte sich an, als drängten unzählige Nadeln des Schmerzes durch seine Hoden und seinen Unterleib. Schwester Concepta peitschte seinen Schaft abwechselnd von unten und von oben, immer auf und ab.

Als sein Penis zu einer brennenden Säule gequälten Fleisches geworden war, hielt sie einen Augenblick inne, um ihn mit ihren kühlen Fingern zu umfassen. Keuchend schob Felipe seine Männlichkeit in ihre Hand. O Gott, lass sie so weitermachen. Er spürte, wie sich der Samen in seinen härter werdenden Hoden sammelte, und stand kurz vor dem Ausbruch. Bald, o ja, bald war es so weit. Doch dann ließ sie abrupt von ihm ab und begann erneut, ihn auszupeitschen.

Sie schlug ihm auf die Seiten und platzierte jeden Schlag ein wenig über dem vorherigen. Dann konzentrierte sie sich auf die zarte Haut unter den Achseln. Felipe wand sich und stöhnte leise, konnte aber den vielen brennenden Striemen nicht entgehen. Sie war gründlich und gnadenlos, und er dankte ihr murmelnd, während sie ihm ihren schmerzhaften Segen gab.

Die Äbtissin nickte zustimmend, als Schwester Concepta begann, die Peitsche über seinen Bauch zu ziehen. Felipe zerrte an seinen Fesseln und biss sich in die Unterlippe. Sein ganzer Rücken, seine Brust und sein Bauch brannten wie Höllenfeuer. Jeder neue Peitschenhieb war eine einzige Marter. Sicherlich würde sie nun bald aufhören, denn all seine Sinne waren bereits zu einem brennenden, pulsierenden Schmerz verdichtet.

Als er spürte, dass er nun entweder um Gnade winseln oder laut losschreien musste, hörten die Schläge auf. Die Äbtissin hatte ein Zeichen gegeben, das ihm entgangen war.

«Jetzt die Salbe bitte, Schwester Maria-Theresa», sagte die Äbtissin. «Gönnen wir ihm eine kleine Unterbrechung, bevor wir von vorne anfangen. Don Felipe?»

«Danke, Ehrwürdige Mutter», flüsterte er, ließ sich nach vorn fallen und atmete mehrmals tief durch.

Er wusste nicht, wie viel er noch zu ertragen imstande war. Was wäre wohl passiert, wenn er um Gnade gefleht hätte? Die Schläge hatten aufgehört, weil die Äbtissin es so angeordnet hatte. Entsetzt erkannte er, dass das Ritual auf seine Wünsche keine Rücksicht nahm. Jede Bitte um Gnade war aussichtslos. Schon beim bloßen Gedanken daran verspürte er eine tiefe Erregung in sich.

Konnte es sein, dass er sich für alle Zeiten damit zufriedengeben musste, ein armer Sünder zu sein und sich dafür bestrafen zu lassen? Sicherlich nicht. Die Vorstellung war einfach zu schrecklich.

Schwester Maria-Theresas kühle weiße Hände glitten über ihn, während sie seine schmerzende Haut mit der nach Kräutern duftenden Salbe einrieb. Der stechende Schmerz ließ fast augenblicklich nach und wich einer angenehmen Wärme. Nachdem die Nonne ihn eingesalbt hatte, machte sie mit respektvoll gebeugtem Haupt der Äbtissin Platz.

Felipe wich dem durchdringenden Blick der Äbtissin aus. Ihre Augen wirkten, als könnte sie durch Fleisch und Knochen mitten in seine Seele blicken. Von den drei Frauen fürchtete er die Äbtissin am meisten, und zugleich ersehnte er am heftigsten ihre strafende Berührung. Er hatte keine Ahnung, was sie mit ihm vorhatte, vermutete aber, dass es keine gewöhnliche Auspeitschung sein würde.

Trotz seiner Vorahnung riss er verwirrt die Augen auf, als sie ihm einen breiten Ledergürtel um die Taille schlang. Dann packte sie mit einem effizienten, leidenschaftslosen Griff sein Glied und seine Hoden. Ohne auf seinen angehaltenen Atem zu achten, wickelte sie einen Lederriemen fest um die lockere Haut über seinem Hodensack und band dann sein Glied nach oben. Dann zog sie das ganze Paket zu seinem Bauch hoch und befestigte Penis und Hoden an einem Metallring an der Vorderseite des Gürtels.

Zu schockiert, um etwas anderes tun zu können, als die Handlungen der Äbtissin zu verfolgen, beugte Felipe den Kopf. Sein fest eingewickeltes Glied pulsierte unerträglich, seine gefangenen Hoden schmerzten. Wozu sollte diese

Bestrafung wohl dienen? War dies etwa ein Weg, seine Wollust gewissermaßen zu versiegeln?

Dann begriff er, dass die Äbtissin die empfindlichsten Teile seines Körpers nur vor dem schützen wollte, was nun auf ihn zukam. Das pure Entsetzen ließ seine Hoden prickeln und anschwellen.

Die Äbtissin nahm einen flachen ledernen Waschbleuel in die Hand und ging an einer Seite des Stuhls in Stellung. Schwester Maria-Theresa und Schwester Concepta griffen derweil an jeweils einen von zwei Hebeln, die Felipe bis dahin noch gar nicht aufgefallen waren, und stellten den Stuhl höher, bis die Sitzfläche sich oberhalb ihrer Taillen befand. So konnte die Äbtissin Felipes nacktes Hinterteil erreichen, ohne sich bücken zu müssen.

«Das genügt», erklärte sie. «Und nun, Don Felipe, zum letzten Teil Eurer Bestrafung. Jetzt treiben wir Eurem Körper die schlechten Säfte aus, damit der Dämon Wollust keine Macht mehr über Euch hat. Ich erwarte, dass Ihr Euch vollständig in meine Hände begebt. Ich verlange prompten Gehorsam. Nur auf diese Weise werdet Ihr den vollen Nutzen haben. Habt Ihr mich verstanden?»

Felipe nickte nur. Jesus Christus, was hatte sie jetzt noch vor?

Laut knallend traf der Waschbleuel auf seine Hinterbacken. Felipe schrie auf. Er konnte nichts dagegen tun. Die Haut an seinem Hinterteil war von Peitschenhieben bislang verschont geblieben und entsprechend zart. Und so, wie er im Loch in der Sitzfläche eingespannt war, blieb ihm nichts erspart. Die Äbtissin hatte ihr Ziel gut gewählt.

Die Tränen traten ihm in die Augen, als sie ihn mit dem Waschbleuel malträtierte, und liefen ihm in Strömen über die Wangen. Er zerrte an seinen Fesseln und versuchte, sich loszureißen, doch die ledernen Bänder hielten. Wieder und wieder krachte der Bleuel auf sein Hinterteil – ein höchst befriedigendes Geräusch in seinen Ohren, denn es war beängstigender als das aller Arten von Peitschen, Geißeln und Knuten zusammen.

Außer dem Schmerz existierte nichts mehr für ihn. Felipe konnte nur noch nach innen schauen. Er wimmerte, als er im innersten Zentrum seines Schmerzes Carlottas Gesicht sah, ihren weißen Körper, ihren roten Mund. Nein! Das konnte doch nicht alles vergebens gewesen sein! Sie hätte längst verschwunden sein müssen. Er verlor die Beherrschung. Schluchzend und zitternd flehte er die Äbtissin an aufzuhören.

«Sie ist da und verspottet mich! Bitte … hört auf …» Speichel befleckte seine Lippen, und er verdrehte die Augen.

Gnädiger Gott, diese Hexe von Frau war ein Teil von ihm. Wie konnte sie aus seiner Seele gerissen werden, wenn er sie gar nicht hergeben wollte? Unmöglich. Er war ohne jeden Zweifel verdammt.

«Ah, jetzt höre ich die Stimme Eures Dämons», frohlockte die Äbtissin mit eifernder Stimme. «Wir machen ganz hervorragende Fortschritte. Lasst die Stimme Eures sündhaften Begehrens heraus. Ich werde sie unterwerfen und in die Leere treiben!»

«Aufhören! Ich bitte Euch, hört auf!», keuchte Felipe, dessen Hinterbacken brannten wie Feuer. «Ich will sie nicht verlieren.»

Sie aber missachtete sein Flehen. Wieder und wieder schlug der Waschbleuel gegen sein Fleisch. Er wand sich, erreichte damit aber nur, dass nun auch der obere Teil seiner Schenkel ihren gnadenlosen Händen ausgesetzt war. Dann ließ er sich wieder in das Loch sinken, um dies zu verhindern, doch nun klafften seine Hinterbacken auseinander, und der nächste Schlag traf genau dazwischen.

«Habt Gnade», stöhnte er, nun fest im Holz eingeklemmt, während sie ihm auf den Anus schlug, bis auch dieser ein einziger heißer Quell des Leidens war.

Felipes anhaltendes Flehen erfüllte den Raum. Er bettelte, fluchte, bot Bestechungsgeld an, doch was er auch versuchte – die Bestrafung ging weiter. Die Äbtissin war ebenso geübt wie gnadenlos in ihrer Art, mit Sündern umzugehen. Und bei alledem, obwohl seine ganze Welt sich auf einen schwarzen Schlund der Qual verengt zu haben schien, dachte er die ganze Zeit über nur an Carlotta.

Wäre nur sie diejenige gewesen, die ihn bestraft, ihm die Dämonen ausgetrieben und ihn die Erhabenheit des Schmerzes gelehrt hätte!

Fast hätte er gar nicht gemerkt, dass die Äbtissin ihn nicht mehr schlug. Sanfte Hände rieben sein Hinterteil mit Salbe ein, während er nicht einmal mehr die Kraft besaß, im Augenblick der Berührung seines misshandelten Fleisches zusammenzuzucken.

Er schloss die Augen. Das war es wohl gewesen. Ein schlimmeres Leiden konnte es nicht mehr geben. Doch die Äbtissin beugte sich zu ihm herab und erklärte kühl: «Jetzt werdet Ihr Eure Dämonen aus Eurem wollüstigen Fleisch vertreiben. Bald werdet Ihr sie ausscheiden, und dann sind Eure Qualen überstanden.»

Er verstand kein Wort und wandte sich mit fragend hochgezogenen Brauen zu ihr. Dann rang er nach Luft, als Schwester Maria-Theresas schlanke, kalte Finger in seinen Anus drangen, um die Salbe tief in ihm zu verreiben. Die Schmerzen ließen ihn zusammenzucken, als ihre Finger den engen Schließmuskel öffneten und weicher machten.

Auch Schwester Concepta war nun an seiner Seite, um einen kalten Gegenstand in seine gelockerte Öffnung einzuführen. Sie begann zu schieben, und er spürte, wie sein

Fleisch nachgab und die Invasion zuließ. Das schreckliche Gefühl, durchstoßen zu werden, wollte einfach nicht nachlassen. Der Gegenstand, worum auch immer es sich handeln mochte, war aus Metall und so geformt, dass er genau in ihn hineinpasste.

«Nein … o nein …», stieß er hervor und wand sich vergeblich, während der kalte Gegenstand immer tiefer in ihn drang. «Aufhören. Oh … nein …»

Er hatte das Gefühl, geschändet zu werden. Fühlte sich so eine Frau, wenn ein Mann sie unter Zwang gefügig machte? Ihm blieb keine Zeit, länger darüber nachzudenken, denn nun spürte er, wie sich Flüssigkeit in seinen Körper ergoss. Sie war eiskalt, und er biss angesichts dieser neuerlichen Demütigung die Zähne zusammen.

«Ihr solltet besser versuchen, keinen Widerstand zu leisten», riet die Äbtissin, nun mit beinahe gütiger Stimme. «Eure Dämonen werden sich mit aller Macht wehren und ihre Wut durch Eure Stimme äußern. Aber dies hier ist eine äußerst effiziente Behandlung mit großer Wirkung. Haltet nur noch ein wenig länger aus.»

Felipes Eingeweide waren wie aufgewühlt, als die Flüssigkeit in ihn gepumpt wurde. Er presste die Hinterbacken zusammen und versuchte, dem Drang zu widerstehen, sich nach unten zu stemmen, doch es war unmöglich. Was er empfand, war so merkwürdig, so schrecklich erregend. Unglaublich – sein in Leder gewickeltes Glied regte sich an seinem Bauch, und Wellen der Lust wogten durch seinen Schaft und konzentrierten sich in der eingeschlossenen Eichel.

Als die Röhre langsam herausgezogen wurde, verkrampfte sich sein Anus, und er kämpfte mit aller Macht gegen seine Erregung an. Gnädiger Gott. Nichts von dem, was er sich in seiner Privatkapelle von der Hure hatte zufügen lassen, war damit zu vergleichen. Das hier war nicht zu übertreffen, war die ultimative Verbindung aus Lust und Schmerz. Nun wurde ihm endgültig klar, dass er zum Leiden geboren war.

Er warf den Kopf zurück, als sein Orgasmus kam, und riss an seinen Fesseln. Sein Körper krümmte sich, und jeder einzelne Nerv bebte und litt. Er wurde kaum der Stimme der Äbtissin gewahr oder der zufriedenen Rufe der anderen beiden Nonnen, als sein Samen in heißen, stechenden Strahlen aus seinem eingesperrten Glied schoss.

Und dann – so unmittelbar nach dieser ersten Eruption, dass es wie ein Teil davon schien – gab sein Körper dem Bedürfnis nach, sich zu entleeren. Bebend vor Scham und Lust zugleich, presste Felipe den Abfall seines Körpers heraus auf den steinernen Fußboden des Kellers.

Die Rückreise nach Kastilien trat Felipe in schwermütiger Stimmung an. Er hatte sich entschlossen zu reiten, denn obwohl sein ganzer Körper Spuren seiner Bestrafung aufwies, schmerzten ihn am meisten die Füße. Sie waren geschwollen und voller Blasen, und bei jeder Rast rieb er sie mit Kräutersalbe ein.

Innerlich fühlte er sich ruhig und zum ersten Mal seit Monaten klar im Kopf. Die Behandlung durch die Nonnen hatte ihn ebenso vollständig geläutert, wie die Kathedrale ihn ungerührt gelassen hatte. Ihm war nun klar, dass er nicht länger gegen Carlotta ankämpfen konnte. Er war ihr mit Haut und Haar verfallen, und so blieb ihm nichts weiter übrig, als diese Tatsache zu akzeptieren.

Ihm war egal, was sie war – Werkzeug des Teufels, Lilith oder ein Dämon, der geschickt worden war, um ihn vor Wollust in den Wahnsinn zu treiben. Sie war ebenso ein Teil von ihm wie sein Atem oder sein Blut.

Zurück in seinem Haus, fand er einen Brief von Pedro Las Casas vor. Er erbrach das Siegel und überflog das Schreiben. Beim Lesen konnte er sich ein Lächeln nicht verkneifen. Pedro fiel es schwer, sich zu beherrschen; seine Schrift war schwungvoll und kritzelig, und die Worte, mit denen er Carlottas Vorzüge beschrieb – er verglich sie mit einer Sirene und nannte sie «auf gefährliche Weise faszinierend» –, entlockten Felipe ein wissendes Lächeln.

Carlotta hatte doch tatsächlich den armen Teufel gezwungen, sie von Kopf bis Fuß abzulecken und ihr dann zu versprechen, über jede Einzelheit Bericht zu erstatten. Früher hätte ihn die Schilderung von Carlottas Lüsternheit unendlich wütend gemacht; nun aber war er nur noch froh darüber, dass sie ihm diese Botschaft geschickt hatte, denn schließlich bewies das Schreiben schwarz auf weiß, dass auch sie spürte, welch enge Verbindung zwischen ihnen beiden bestand.

Hatte sie mit ihrem Verhalten nicht deutlich gemacht, dass sie ihn einfach nicht vergessen konnte? Ihre Überfälle auf seine Schiffe, die Anschläge auf seine Finanzen, die Art und Weise, in der sie seine Geschäftspartner erniedrigte, die Briefe – all das war letztlich nur ihre Art, dafür zu sorgen, dass er sie nicht vergaß. Sie hatte Pedro erklärt, dass sie mit ihrem Treiben nicht aufhören werde, bis sie Felipe ruiniert und sich so an ihm gerächt hatte.

Und wozu das alles? Weil sie von ihm ebenso besessen war wie er von ihr. Sie beide waren unzertrennlich, im Hass wie in der Wollust.

Die Zeit, die seit dem Tag in seinem Schlafgemach vergangen war, als sie ihn mit ihrer Nacktheit verhöhnt hatte, kam ihm wie eine Ewigkeit vor. Das Gemälde hing noch immer in seiner Privatkapelle – eine ständige Erinnerung an ihre Schönheit und mit seinen leuchtenden Farben und ihrer schockierenden Pose ein Beweis für ihr lüsternes Wesen. Carlotta war stärker als jeder Krieger, ihre Waffen des Fleisches mächtiger und gefährlicher als ein ganzes Arsenal.

Beim unsterblichen Gott, *sie* war seine Erlösung. Warum hatte er das nicht schon vorher erkannt? Allzu lange hatte er versucht, seinem Schicksal zu entgehen, doch das war nun vorbei.

Niemand außer Carlotta selbst konnte ihm die Absolution erteilen.

In seiner Phantasie sah er, wie er vor ihr stand und dann auf die Knie fiel und den Saum ihres Kleides küsste. Falls er sie bat, ihm zu vergeben, würde sie ihn dann erhören? Oder würde sie sich eine besonders demütigende, beschämende und entwürdigende Bestrafung ausdenken?

Pedro war gezwungen worden, sie zu lecken, und Antonio Alva hatte sie mit dem Mund befriedigen und dann die Sünde des Onan begehen müssen, während sie zusah und ihm mit der flachen Seite ihres Säbels auf den Hintern schlug. Auch Felipe wollte all diese Dinge tun und noch viel mehr.

O ja, und wie er das wollte. Er würde alles tun, was sie von ihm verlangte. Er wollte unter ihren Händen leiden, um ihr zu zeigen, dass er alles, was er getan hatte, bereute. Und das war nicht etwa nur eine vorübergehende Schwäche seinerseits; er konnte gar nicht anders, als dem Quell ihrer Weiblichkeit zu huldigen, um nicht dem Wahnsinn anheimzufallen.

Doch was war mit diesem riesenhaften Piraten, mit dem sie sich eingelassen hatte? Der war in jedem Fall angsteinflößend. Stand nicht zu befürchten, dass er Carlotta zu beeindrucken suchte, indem er ihn, Felipe, aus dem Weg räumte? Er zitterte beim bloßen Gedanken daran, aber trotz allem war dieser Mann nicht das eigentliche Problem.

Das alles war eine Angelegenheit zwischen ihm und Carlotta, die geklärt werden musste. Keiner von ihnen würde Ruhe finden, bevor das nicht erledigt war. Und so wie er sie kannte, würde sie niemals zulassen, dass ein Mann die

Schlacht an ihrer Stelle schlug. Somit war klar, was er zu tun hatte.

Felipe stand einen Augenblick lang reglos da und strich sich über sein langes Kinn, bevor er den Raum durchquerte und eine kleine Truhe öffnete, die auf einem Tisch unter dem Fenster mit dem Mittelpfosten stand. Er nahm den Stapel mit Listen und Seekarten heraus und glitt mit dem Finger über eine Seite, bis er gefunden hatte, wonach er suchte. Genau, das war es. In drei Monaten sollte eine seiner Galeonen aus Puerto Caballos zurückkehren, beladen mit Silber, Seide und Leinen.

Carlotta und ihre Piratenfreunde würden der Versuchung, das Schiff zu kapern, nicht widerstehen können. Aber diesmal sollte der Schock ihres Lebens auf sie warten.

Leichten Herzens legte er die Seekarte in die Truhe zurück. Ihm blieb vor seiner Abreise nur noch wenig Zeit für die nötigen Vorbereitungen. Am besten machte er sich gleich an die Arbeit.

Kapitel fünfzehn

Carlotta stand im Bug der Pinasse auf und winkte Juanita und Stow zu, die am Ufer warteten. Die anderen Frauen aus der Siedlung versammelten sich ebenfalls am Strand, um ihre Männer zu Hause willkommen zu heißen.

Als das Beiboot gegen die Brandung ankämpfte, sprang Carlotta ins flache Wasser und half mit, das Boot über die Flutlinie zu ziehen. Die grünen bewaldeten Hänge weiter landeinwärts waren noch immer in dichten Nebel gehüllt. Das Sonnenlicht drang durch die Meertraubenbäume hinter dem Strand und vergoldete die flachen Wellen.

Carlottas Stimmung hob sich, als sie die Schönheit der Natur um sich betrachtete. Dies war ihre Insel, ein Zufluchtsort vor all dem, was die Welt ihnen angetan hatte. Jeder der Freibeuter und auch die meisten Frauen hier waren Opfer irgendeiner Ungerechtigkeit geworden, und so war es nur natürlich, dass sie sich ihren eigenen Ort der Sicherheit geschaffen hatten.

Stow trat vor, um seine Freunde zu begrüßen.

«Na los, Mann, hilf uns!», rief Manitas. «Sofern du noch die Kraft dazu hast nach deinen nächtlichen Ausschweifungen!»

Die anderen grölten und schlugen Stow auf die Schultern. Er begann, das Boot zu entladen, und ertrug ihre anzüglichen Kommentare mit einem gutmütigen Lachen.

Juanita nahm Carlotta stürmisch in die Arme, und Carlotta erwiderte ihre Umarmung, gerührt von dieser freimütigen Bekundung von Zuneigung. Es war so ungewohnt, dass sie ihre Gefühle vor aller Öffentlichkeit zeigte.

«Wie ich sehe, bist du eine glückliche Ehefrau.»

Juanita nickte und errötete. «Vielleicht solltest du es ja auch einmal versuchen.»

Carlotta schnitt eine Grimasse. «Das habe ich bereits, hast du das schon vergessen?»

Juanita lächelte wissend. «Vielleicht hast du damals nicht den Richtigen geheiratet. Vielleicht wäre ja Manitas –» Sie hielt inne, als sie das warnende Funkeln in Carlottas Blick sah, und wechselte schnell das Thema. «War es ein guter Fang? Aber die Frage kann ich mir wohl sparen, nach deinem Gesichtsausdruck zu urteilen.»

Carlotta stieß ein raues Lachen aus. «Wir können uns nicht beklagen. Silber und Edelsteine im Überfluss, auch Spiegel. Ab jetzt muss kein Haus in der Siedlung mehr ohne Spiegel auskommen. Wir haben genug, um Nahrung und sonstige Vorräte für ein ganzes Jahr zu kaufen. Aber meine größte Genugtuung war, Don Felipe eine Nachricht zukommen zu lassen. Sein Geschäftspartner, Pedro Las Casas, war an Bord der Galeone, und ich habe ihm eine Lektion erteilt, die er so schnell nicht vergessen wird.»

«Wie das?»

«Das erzähle ich dir gleich auf dem Rückweg.»

Arm in Arm schlenderten Juanita und Carlotta den Strand hinauf. Als Carlotta ihre Geschichte in allen Einzelheiten schilderte, hielt Juanita schockiert die Hand vor den Mund, bevor sie in lautes Gelächter ausbrach.

«O Carlotta, du bist ja furchtbar! Der arme Mann. Hast du ihn wirklich gezwungen, dich … da unten zu lecken? Und er ist zum Höhepunkt gekommen, als er an deinen … Zehen gesaugt hat?»

«Du wirkst nicht annähernd so schockiert wie sonst», scherzte Carlotta. «Aber du hast ja jetzt deine eigenen Erfahrungen gemacht, Señora Stow!»

Julio war gerade damit beschäftigt, die Beute auf einen Karren zu laden. Er hielt kurz inne und richtete sich auf, als Carlotta an ihm vorbeiging.

«Putana!», zischte er leise.

Carlotta war für ihn lediglich eine Piratenhure, aus seiner Sicht legte sie ein ausgesprochen anmaßendes Verhalten an den Tag. Julio bewunderte den Mann, von dem sie augenscheinlich so besessen war, wer auch immer dieser Don Felipe sein mochte. Auf jeden Fall musste er einen starken Charakter besitzen, wenn sie ihn so sehr hasste.

Nach Julios Auffassung brauchte Carlotta jemanden, der sie seinem Willen unterwarf. Die anderen Männer betrachteten sie wie eine Art Madonna des Meeres und verehrten sie dafür, dass sie alle so reich machte. Merkten sie denn nicht, dass sie die Männer lediglich für ihre Zwecke missbrauchte? Und jetzt hatten sie auch noch die gekaperte spanische Galeone nach ihr benannt.

Die *Rote Korsarin* – ungeheuerlich! Hatte man je von einem Piratenschiff gehört mit einem roten Unterrock als Flagge? Er hatte sich als Einziger dagegen ausgesprochen, aber niemand hatte auf ihn gehört.

In ihm brannte die nackte Wut. Es war höchste Zeit, Carlotta eine Lektion zu erteilen. Zumal kein anderer den Mumm dazu hatte. Die hatten entweder Angst vor Manitas, oder sie waren selber ein wenig in diese schwarzhaarige

Hexe verliebt. Es war, als habe sie alle mit einem seidenen Netz umgarnt. Selbst die armen Teufel, die sie an Bord der gekaperten Schiffe folterte, beteten sie an.

Aber er, Julio, war ihrem Charme nicht erlegen. Er spuckte in den Sand. Sein Hass auf sie war grenzenlos.

Als er aus dem Beiboot einen Sack Silber auslud, begann er, seine Rache zu planen. In der kommenden Nacht sollte eine Feier stattfinden, bei der reichlich Wein und Rum fließen würde. Dort würde er sicher seine Chance bekommen, um dann im Durcheinander nach der Tat das Weite zu suchen.

Er hatte die Nase voll von Manitas und all den anderen. Mit seinem Anteil an der Beute wollte er zu einer der größeren Inseln fahren, sich ein paar eingeborene Frauen kaufen und sich als Bauer niederlassen, während die Frauen für ihn die Arbeit verrichteten.

Aber zuvor wollte er Carlotta haben. Er wollte wissen, warum sie eine solche Macht über Manitas besaß. Der arme Kerl hatte sich noch nie von einer Frau derart verhexen lassen. Vielleicht war sie ja anders gebaut als andere Frauen. Hexen, so hieß es, hätten – oft in ihrer Vulva verborgen – zusätzliche Brustwarzen, an denen sie ihre Vertrauten säugten.

Sein Atem ging schneller, als er sich vorstellte, wie er seine Finger in sie stecken und ihre heiße weibliche Öffnung nach unnatürlichen Ausbuchtungen durchsuchen würde. Noch mehr erregte ihn die Aussicht, ihre Brüste zu streicheln und jede intime Falte auf Anzeichen von Hexerei zu untersuchen. Hexen hatten Bereiche an ihrem Körper, an denen sie gegen Schmerz unempfindlich waren. Er würde ihr die Spitze seines Messers ins Fleisch drücken und zusehen, wie sich ihre Augen vor Angst weiteten. Sie würde nicht bluten und nichts spüren.

Dann würde sie begreifen, dass er ihr auf die Schliche gekommen war, und ihn anflehen, ihr Geheimnis niemandem zu verraten. Sie würde ihm anbieten, ihn auf die unterschiedlichsten Weisen zu befriedigen, und er würde sie in dem Glauben lassen, sie zu verschonen. Und dann, nachdem er seine Lust gestillt hatte, würde er sie töten.

«He, Julio», rief einer der Männer, «wozu die Eile? Du schuftest ja, als ob sämtliche Höllenhunde hinter dir her wären!»

Julio warf grinsend einen Blick über die Schulter. Wenn der wüsste.

Carlotta klatschte im Rhythmus der Trommel in die Hände. Die Palisade war vom Licht zahlreicher Feuer erhellt, und das Tanzen und Singen dauerte nun schon mehrere Stunden.

Zur Feier ihrer sicheren Rückkehr und ihrer fetten Beute trug sie ein Kleid aus smaragdgrünem Samt, besetzt mit silberner Spitze. Das wunderschöne Stück passte gut zu ihrem dunklen Teint, aber sie hatte schon so lange kein Korsett mehr getragen, dass ihre eingeengte Taille ihr das Gefühl vermittelte, kaum mehr Luft zu bekommen.

Bei der nächsten Tanzpause wollte sie in ihr Haus gehen, um einen einfachen Rock und eine Bluse anzuziehen.

Manitas hob sie hoch und trug sie mitten ins Tanzgetümmel. Sie tanzten eine Quadrille, und Carlotta wunderte sich, wie leicht ihr die Schritte noch fielen. So wirbelte sie um den Platz, verschränkte die Arme mit den anderen Tänzern und tauschte die Partner.

Als sie schließlich an der Reihe war, in der Mitte der Formation zu tanzen, hob sie ihre schweren Röcke und zeigte ihre schlanken, mit bestickten Strümpfen bekleideten Knöchel. Ihre Schuhe waren aus Brokat und hatten Absätze aus Rotholz. Als sie in der Positur der spanischen Tänzer ihrer kastilischen Heimat mit den Absätzen aufstampfte und den

Rücken durchstreckte, nahmen die anderen Tanzenden den Rhythmus auf und klatschten beifällig.

Jeder der Männer drückte ihr einen Kuss auf die Wange, als sie sich auf den Rückweg zu Manitas machte und die nächste Frau befreite, damit diese ihren Platz in der Mitte einnehmen konnte. Als Juanita sie sah, lächelte sie ihr überglücklich zu. Carlotta lächelte zurück, ein wenig benommen vom Wein, aber ansonsten sehr zufrieden.

Manitas ergriff ihren Arm und flüsterte ihr ins Ohr: «Du siehst heute besonders reizend aus, Liebste. Tanze, mit wem du willst, und küsse, wen du willst, denn zwischen den Bettlaken bist du mein.»

Sie funkelte ihn an. «Das vergesse ich nie», erwiderte sie und küsste ihn leidenschaftlich. «Genau da bin ich am liebsten.»

Manitas legte ihr den Arm um die Taille, und sie lehnte sich an seine breite Brust. Der köstliche Geruch nach gebratenem Schwein lag in der Luft, und ihr wurde schon der Mund wässrig. Sie ging zum Bratloch hinüber und säbelte ein großes, saftiges Stück Fleisch ab, das sie anschließend auf dem Tisch in Scheiben schnitt. Dann fütterten sie und Manitas einander abwechselnd mit Stücken von der Spitze seines Messers.

Der Schweiß lief ihr den Rücken hinab, und ihre Wangen wurden schon ganz heiß. Wenn sie noch ein wenig tanzen wollte, musste sie unbedingt einige der unerträglich warmen Schichten von Unterröcken ausziehen. Sie ließ Manitas zurück, der ganz zufrieden damit schien, auf der Bank zu sitzen, Wein zu trinken und sich mit seinem Nebenmann zu unterhalten.

«Ich muss mich umziehen», erklärte sie. «Ich komme gleich wieder. Die Nacht ist einfach zu warm für ein so schweres Kleid.»

Er hob seinen Weinpokal und grinste sie über den Rand an.

«Soll ich dir beim Öffnen der Verschnürungen helfen?»

«Nein, das schaffe ich schon. Außerdem würde die Art von Hilfe, die ich von dir zu erwarten hätte, meine Rückkehr nur verzögern!»

Sein Gelächter folgte ihr, bis sie den Rand des beleuchteten Platzes erreichte. Außerhalb des Scheins der Fackeln und der Kochfeuer war es stockfinster. Sie hielt einen Moment inne, um ihre Augen an die Dunkelheit zu gewöhnen. Dann tastete sie sich an bekannten Gegenständen und Gebäuden vorbei zu ihrem Haus.

Wie dumm von ihr, kein Licht mitgenommen zu haben. Für den Rückweg würde sie sich eines holen. Die Tür ihres Hauses war unverschlossen. Keiner der Piraten bestahl seinesgleichen – was ohnehin nicht nötig war, nachdem sie alle jetzt so viel besaßen.

Sie ließ die Haustür offen, suchte nach einer Zunderbüchse und hielt eine dünne Wachskerze an eine Öllampe. Kurz darauf erhellte ein weiches gelbliches Licht den Raum. Sie stellte die Lampe auf einen Tisch, doch als sie sich umdrehte, um die Tür zu schließen, spürte sie plötzlich eine Hand knapp oberhalb ihrer Taille. Sie schrie laut auf, als jemand ihr einen harten Stoß versetzte und sie auf das Bett fiel.

Carlotta hörte, wie die Tür geschlossen und der Riegel vorgeschoben wurde. Sie fuhr herum und strich sich die zerzausten Locken aus den Augen. Doch bevor sie sich aufsetzen konnte, hatte Julio auch schon den Raum durchquert und sich über sie gestellt. Seine schmalen Lippen verzogen sich zu einem diabolischen Grinsen, und das Licht spiegelte sich in dem Abhäutemesser, das er ihr entgegenstreckte.

«Da bist du ja endlich, du Miststück», zischte er. «Jetzt ist dein letztes Stündlein gekommen, Teufelsweib.»

Carlotta hatte das Gefühl, als greife eine eisige Hand nach ihrem Herzen. Ihr war vollkommen klar, dass er die Absicht hatte, sie zu töten. Ihre Kehle wurde staubtrocken. Selbst wenn es ihr gelang, nach Hilfe zu rufen, würde sie im Lärm der Feier niemand hören. Sie war ganz allein mit einem Wahnsinnigen.

Julio zeigte lächelnd seine geschwärzten Zähne. Er war sich seiner Macht über sie absolut sicher.

«Ist das nicht lauschig? Du und ich ganz allein. Und diesmal hast du nicht diesen Sauspieß von einem Säbel dabei. Was machen wir denn jetzt?»

Sie kämpfte gegen die aufsteigende Panik an. Der Wein, der ihr Gehirn vernebelte, schien schlagartig verdunstet zu sein. Mit einem Mal war sie vollkommen nüchtern. Denk nach, sagte sie sich. Sie musste etwas tun. Hätte sie nur Kniehose und Hemd getragen, dann hätte sie gegen ihn eine Chance gehabt, doch der schwere Faltenwurf ihres Kleides und die reichverzierten, wattierten Ärmel schränkten ihre Bewegungsfreiheit ein. Ihre einzige Hoffnung war, dass der dicke Stoff die Klinge ablenken würde.

Dann sah sie, wie Julios niederträchtige Äuglein zu dem tiefen, rechteckigen Ausschnitt ihres Kleides wanderten. Aus seinem Gesichtsausdruck sprach die pure Geilheit. Er wollte sie also nicht sofort töten. Sie senkte den Blick, damit er das hoffnungsvolle Funkeln in ihren Augen nicht sehen konnte.

Sie bewegte sich nicht, als Julio sich über sie beugte, obgleich ihr vom Gestank aus seinem Mund ganz übel wurde.

«Dreh dich um», befahl er. «Ich will nicht, dass deine Hexenaugen mich ansehen. Von dir lasse ich mich nicht verzaubern.»

Langsam tat sie, was er verlangt hatte. Sie musste sich sehr zusammennehmen, um nicht zurückzuzucken, als er ihr Haar zur Seite strich und ihr mit den Fingern über den

Nacken fuhr. Sie versteifte sich, als er um sie herumgriff und eine Hand in ihr Mieder schob.

Als sich seine Finger in ihr Fleisch bohrten, versuchte sie, Abstand zu ihrem Körper zu gewinnen. Was auch immer er mit ihr anstellen mochte – sie war fest entschlossen, sich davon nicht beeinflussen zu lassen. Julio schien eine Reaktion von ihr erzwingen zu wollen. Er zog ihre Brüste aus dem Kleid und drückte so grob auf ihnen herum, dass er auf der zarten Haut Schrammen hinterließ.

«Zu wohlerzogen, um vor Freude aufzuschreien, was? Ich wette, du bist nicht annähernd so kalt, wenn du unter Manitas liegst! Wollen wir doch mal sehen, was ihn so an dir fasziniert.»

Sie versuchte, den Schmerz in ihren Brüsten zu ignorieren, und atmete tief ein, um sich für den Augenblick zu wappnen, wenn er sich eine Blöße geben würde. Dann hörte sie, wie die Verschnürung aufgeschnitten wurde, und spürte, wie sich ihr Mieder am Rücken löste.

Julio wollte ihr offenbar die Kleider vom Rücken schneiden.

Der Gedanke, ihm nackt und wehrlos ausgeliefert zu sein, erschreckte sie so sehr, dass sie versuchte, sich ihm zu entwinden. Sie griff nach dem Laken, um sich daran hochzuziehen, und sah aus dem Augenwinkel den Haken an der Wand, an dem ihre Männerkleider hingen.

Unter dem Wams hing ihr Säbelgürtel. Wenn sie es nur schaffte, Julio lange genug abzulenken, um nach ihm greifen zu können!

«Nein, das wirst du nicht tun! Komm her!», knurrte Julio, sprang aufs Bett und kam rittlings auf ihr zu sitzen.

Er griff mit einer Hand in ihr loses Haar und drückte ihr Gesicht in die Bettdecke. Sie wand sich und rang nach Luft, während er sie niederhielt und seine freie Hand dazu nutzte, die Bänder an ihrem Mieder, ihren Ärmeln und ihrem Korsett zu zerschneiden. Obwohl er kleiner war als sie, schien er geradezu übernatürliche Kräfte zu besitzen.

Sie spürte die warme Luft auf ihrer Haut, als der aufgeschlitzte Stoff sich öffnete. Keuchend legte Julio eine Pause ein.

«Ich lasse dich jetzt los. Aber keine Mätzchen, verstanden?»

Sie nickte und leckte vorsichtig über ihre Lippen. Der bestickte Samt, in den sie gedrückt worden war, hatte sie aufgescheuert.

«Wenn du versuchst zu entkommen, steche ich dich ab, kapiert? Dann bist du nicht mehr so hübsch. Und jetzt zieh dich aus und leg dich auf den Rücken.»

Langsam zog sie die Beine unter sich und kniete sich aufs Bett. Ihr Kopf wurde klarer, und sie hatte den Ansatz einer Idee. Mit einem zittrigen Lächeln wandte sie sich zu Julio um und zog einen der zerfetzten Ärmel aus. Julio beobachtete sie, die schmalen Lippen in ständiger Bewegung.

«Ich weiß, was du willst», erklärte sie mit immer fester werdender Stimme. «Du möchtest, dass ich bei dir meine Hurenkniffe anwende, so wie ich es bei Manitas mache. Habe ich nicht recht?»

Er blickte sie misstrauisch an. «Du gibst also zu, dass du eine Hexe bist?»

Sie zwang sich zu lachen. «Aber natürlich. Wie sollte ich ihn denn sonst an mich binden? Der Teufel hat mir ganz spezielle Kräfte verliehen. Ich kann Männer so befriedigen, wie sie es sich nicht einmal in ihren wildesten Träumen vorstellen können. Ich habe eine salzige Brustwarze, an der ich meine Liebhaber saugen lasse. Wenn du mich am Leben lässt, zeige ich sie dir.»

Julio fielen beinahe die Augen aus dem Kopf. Stammelnd

und mit vor Wollust schlaffem Mund versprach er, sie zu verschonen. Jetzt habe ich dir genau das gesagt, was du glauben wolltest, dachte sie. Ohne sich ihre Verachtung für ihn anmerken zu lassen, zog sie sich weiter aus, langsam, Stück für Stück. Julio ließ sich auf dem Bett zurücksinken und lehnte sich an eine der gedrechselten Säulen.

Einen Augenblick später legte er das Messer weg und begann, seinen Gürtel zu öffnen. Inzwischen splitternackt, saß Carlotta ihm gegenüber. Sie zog den Bauch ein und streckte die Brüste heraus. Julio schluckte, während sein Blick über ihre Gliedmaßen glitt und an ihrer Scham haften blieb.

Langsam veränderte sie ihre Position und setzte sich mit angezogenen Knien hin, die Füße flach auf dem Bett. Julio schob seine Hose nach unten, stand auf und trat auf sie zu. Carlotta rang sich ein einladendes Lächeln ab und öffnete die Knie gerade lange genug, um ihm einen kurzen Blick zwischen ihre Beine zu gestatten.

«Ist es das, was du willst? Komm schon, sieh sie dir an, die Wunde der Weiblichkeit. Das ist der Altar, den alle Männer verehren.»

Julio stöhnte gequält.

«Der Herr erlöse mich. Ich bin verhext. Los, zeig's mir. Mach all diese gottlosen Sachen mit mir.»

«Aber natürlich. Komm näher», forderte sie ihn mit honigsüßer Stimme auf. «Zeig mir deinen Adamsstab.»

Innerlich zitterte sie vor Angst und Anspannung. Nur noch einen Augenblick. Lass ihn nur noch ein wenig näher kommen. Mit aufragendem Glied und gekrümmtem Rücken stand Julio über ihr, bereit, sie zu besteigen. Der Augenblick war gekommen. Eine weitere Chance würde sich ihr nicht bieten.

Carlotta zog die Knie ganz bis an die Brust und trat mit aller Macht zu. Ihre Füße trafen Julio mit einer derartigen

Wucht in den Brustkorb, dass er vom Bett auf den Boden geschleudert wurde, wo er wie benommen liegen blieb. Sie hatte nur wenige Sekunden Zeit, bis er sich von dem Stoß erholt haben würde.

Carlotta sprang aus dem Bett und griff nach dem Kleiderhaken. Sie schob das Wams beiseite und suchte nach dem Gürtel mit dem Säbel.

Schluchzend vor Erleichterung spürte sie, wie ihre Hand sich um das Heft ihres Säbels schloss. Das Geräusch des aus der ledernen Scheide gleitenden Metalls war deutlich zu hören. Sie richtete sich auf und trat Julio in der Kampfhaltung gegenüber, die mittlerweile zu ihrer zweiten Natur geworden war.

«Nenne mir einen guten Grund, warum ich dich nicht auf kürzestem Weg in die Hölle schicken sollte», sagte sie mit eiskalter Stimme.

Julio richtete sich langsam auf. Er war aschfahl im Gesicht.

«Ich wollte nicht … das war doch nur ein Spaß …», stammelte er mit dem Rücken zur Tür.

«Keine Bewegung», herrschte sie ihn an. «Diesmal kommst du mir nicht davon. Ich hätte dich schon damals an Bord der *Esmeralda* erledigen sollen, du kleiner Giftzwerg. Leute von deiner Sorte können wir hier nicht brauchen.»

«Was … was hast du mit mir vor?», fragte er.

«Ich bringe dich nach draußen, damit deine Piratenfreunde über dich urteilen können. Die sollen ja ziemlich klare Vorstellungen von Gerechtigkeit haben. Manitas kann das Urteil über dich sprechen.»

Julios Augen funkelten vor Bösartigkeit.

«Dann steht dein Wort gegen meines. Mal sehen, wem da geglaubt wird.»

«Und ob wir das sehen werden», entgegnete sie und wies

ihn zu seinem größten Entsetzen an, die Tür zu öffnen und hinauszutreten.

Julio war noch zu benommen, um zu protestieren, als sie splitternackt durch die Palisade marschierte, die Spitze ihres Säbels immer auf seinem Rücken.

Manitas strich Carlotta mit seinen riesigen Pranken zärtlich durchs Haar, während er sie an sich drückte.

Sie lagen dicht aneinandergeschmiegt im Bett, nachdem sie sich geliebt hatten. Die Vorstellung, sie um ein Haar verloren zu haben, erschreckte ihn. Von diesem Augenblick an wollte er ihr gemeinsames Glück niemals mehr als selbstverständlich erachten.

«Ich muss wohl blind gewesen sein, um nicht zu merken, was da vor sich gegangen ist», erklärte er reumütig. «Julio war wahnsinnig vor Neid und Wut. Dabei hatte er doch alles, was er sich erträumen konnte. Was bringt einen Mann nur dazu, so etwas zu tun?»

Carlotta zuckte schläfrig mit den Achseln. Sie war zu glücklich, um zu antworten. Als er daran dachte, wie schön sie gewesen war, als er sie genommen hatte, wie sich ihre Augen vor Leidenschaft geweitet hatten und wie sanft ihre Finger über seine Hüften geglitten waren, lächelte er.

Sie hatten sich einfach nur leidenschaftlich miteinander vereinigt, ohne irgendwelche Spielchen oder besondere Raffinessen, und Carlotta war ebenso begierig darauf gewesen wie er. Der Raum roch nach Sex – eine Mischung aus Parfüm, Schweiß und ihrem ganz speziellen, subtilen Moschusduft.

Mein Gott, wie sehr er diese Frau liebte – diese mutige, verstörende Frau.

Er küsste sie auf die Wange und flüsterte: «Schlaf, Liebste. Ich verspreche dir, dass Julio keinem Menschen hier je wieder ein Leid zufügen wird.»

Sie waren weit aufs Meer hinausgefahren und hatten ihn dann in einem Beiboot ausgesetzt. Er hatte Wasser für ein paar Tage, aber sonst nichts. Es war möglich, wenn auch nicht sehr wahrscheinlich, dass er auf einem der kleinen bewohnbaren Felsen angespült wurde, von denen es in der Gegend sehr viele gab. Julio hatte keine Reue gezeigt; damit hatte er seine Wahl getroffen und musste nun mit den Konsequenzen leben.

Manitas zog die Bettdecke über seine breiten Schultern. Carlottas Miene war im Schlaf so friedlich wie die eines Kindes. Er lachte leise in sich hinein, als er daran denken musste, wie sie mitten in das Fest hineingeplatzt war. Was für einen herrlichen Anblick sie doch geboten hatte, nackt wie am Tag ihrer Geburt und so stolz, selbstbewusst und ohne jede Scham wie eine Kriegerin aus dem alten Griechenland.

Es gab keinen unter den Freibeutern, der ihn nicht um sie beneidet hätte.

Manitas war sehr zufrieden. Nun fehlte nur noch eines zu seinem Glück: dass Carlotta ihren Rachefeldzug gegen Don Felipe Escada endlich aufgab. Doch diese Hoffnung war, wie er wusste, vergeblich.

Kapitel sechzehn

Carlotta stand in der Tür und sah Manitas beim Holzhacken zu.

Er trug lediglich eine kurze lederne Hose und kniehohe Stiefel. Seine Muskeln spielten, und die Haut spannte über seinen massigen Schultern, als er die Axt auf ein Stück Baumstamm herabschnellen ließ. Das Holz spaltete sich mit einem dumpfen Krachen, und die beiden Hälften rollten auseinander.

Manitas blickte lächelnd auf und wischte sich mit dem Handrücken den Schweiß von der Stirn. Sie erwiderte sein Lächeln; mit dem enganliegenden Leder um seine schmalen Hüften und seine langen Beine sah er einfach umwerfend aus. Gesicht und Körper waren von der Sonne gebräunt und wirkten kerngesund, und sein frischgewaschenes dunkles Haar glänzte.

In den letzten beiden Monaten hatten sie zufrieden vor sich hin gelebt. Trotz ihres Reichtums hatten sie ihre tägliche Arbeit zu verrichten: sich um das Vieh kümmern, Essen zubereiten oder, wie jetzt, Holz hacken. Manitas erledigte eine Aufgabe am liebsten selbst, statt einen anderen darum zu bitten, was auf sein einsames Leben als Freibeuter auf Hispaniola zurückzuführen war.

Carlotta hatte festgestellt, dass sie gewisse häusliche Arbeiten durchaus gerne verrichtete. Für sie kam das einer kleinen Offenbarung gleich, da sie von Geburt an von Bediensteten umgeben gewesen war und vor ihrer Abreise aus Kastilien niemals auch nur einen Finger gerührt hatte, um sich anzukleiden. Nun aber musste Juanita sich um ihren Mann kümmern, und so kam sie weniger oft zu Carlotta.

Carlotta erschien das ganz natürlich, da Juanita für sie mehr eine Freundin als eine Dienerin war.

Obwohl es für Carlotta schon eine ganz besondere Herausforderung war, in ihrer aus einem einzigen Raum bestehenden Behausung alles sauber zu halten, freute sie sich auf ihr neues, größeres Haus.

Manitas hatte ihr die Pläne gezeigt, an denen er arbeitete. Das zweistöckige Haus sollte aus Stein erbaut werden und eine breite Treppe haben, die in den zweiten Stock hinaufführte. Die Räumlichkeiten sollten ausgesprochen großzügig bemessen und der Haupteingang von weißen Säulen flankiert sein. Zudem sollte das Haus verschiedene Balkone mit schmiedeeisernen Geländern bekommen.

Sie lächelte innerlich, als sie sich den Mehlstaub von den Händen wischte und ihre baumwollene Schürze sowie ihr Hemd ausschüttelte. Ihr war klar, dass sie schnell wieder die Rolle der Hausherrin einnehmen würde, denn um einen solchen Haushalt zu führen, waren Bedienstete unerlässlich.

Manitas trug einen Arm voll Holzscheite ums Haus und stapelte sie zusammen mit den anderen auf. Carlotta tauchte eine Kelle in einen zugedeckten Topf mit frischem Quellwasser und reichte sie ihm.

Er nahm einen tiefen Schluck und wischte ihr das Mehl von der Wange.

«Bist du glücklich, meine Schöne?», fragte er und küsste sie auf den Mund.

Sie erwiderte seinen Kuss und spürte, wie sich die Sehnsucht nach ihm, die immer knapp unter der Oberfläche schlummerte, in ihr regte.

«Ja, das bin ich», murmelte sie. «Habe ich nicht alles, was man sich wünschen kann?»

Er schien zufrieden mit ihrer Antwort und zog sie an sich. Er küsste ihre Nasenspitze und ihr Kinn und überhäufte dann ihren Nacken mit weiteren Küssen. Seine Hände glitten hinab auf ihre Hinterbacken, und sie drückte sich gegen ihn und spürte, wie sein Glied an ihrem Schenkel steif wurde.

«Vielleicht könnte ich mir ja doch noch etwas wünschen», sagte sie mit einem koketten Augenaufschlag. «Warum verschiebst du die Holzhackerei nicht einfach auf später und kommst erst einmal ins Haus?»

Manitas spielte den Schockierten. «Könnte es sein, dass du dich an meinem Körper vergreifen willst, du lüsternes Weibsstück?»

Sie lachte ihr raues Lachen, denn in seinen Augen lag schon wieder jener Ausdruck, der ihr Blut in Wallung brachte. Sie wusste, was er vorhatte. Sie mochte es sehr, wenn Manitas sie ohne jedes Vorspiel nahm, indem er sie über den Tisch legte und ihr die Röcke über die Taille zog. Das Gefühl seiner Stärke, konzentriert in seiner Leidenschaft für sie, war Teil dessen, was ihn für sie so anziehend machte.

Manchmal wollte sie einfach nur von ihm genommen werden, ohne zärtliche Worte oder langes Küssen, wollte einfach nur spüren, wie sein harter, flacher Bauch gegen ihre Hinterbacken schlug und sein Glied tief in sie eindrang. Ihre Vulva wurde bereits weicher und schwoll an, und ihre Lustknospe begann zu pulsieren, als wolle sie die Berührung durch kundige Finger vorwegnehmen.

Dann sah sie über Manitas' Schulter hinweg Bartholomew Stow näher kommen. Mit einem enttäuschten Seufzer fand sie sich damit ab, dass ihr Liebesspiel wohl noch warten musste.

«Ich glaube, du wirst gebraucht», sagte sie und deutete auf Stow.

Manitas fluchte leise vor sich hin und gab ihr zum Abschied einen Klaps auf den Hintern.

«Ich sehe mal nach, wo das Problem liegt. Warum gehst du nicht schon mal ins Haus und wartest auf mich? Es wird bestimmt nicht lange dauern.»

«Na schön, dann kümmere ich mich eben wieder ums Backen», erwiderte sie mit einem schiefen Lächeln und einem boshaften Funkeln in den Augen. «Und wenn du zurückkommst, wartet ein heißer Apfelkuchen auf dich.»

Er brach in schallendes Gelächter aus. «So hat das noch keine formuliert!»

Sie musste ebenfalls lachen. Seine Schlagfertigkeit gehörte auch zu den Dingen, die sie an ihm mochte.

«Du bist für mich ein wahres Wunder, Liebste», rief Manitas über die Schulter und warf ihr einen Kuss zu. «Vor dir habe ich noch nie eine Frau getroffen, die mit dem Kochtopf ebenso gut umgehen kann wie mit dem Säbel!»

Er ging zu Stow und wechselte mit ihm ein paar Worte, bevor sie loszogen. Carlotta blickte den beiden gedankenverloren nach, bis sie außer Sichtweite waren, und zog sich dann ins Haus zurück. Hinter Manitas' Lächeln und seiner lässigen Art schien sich eine gewisse Anspannung zu verbergen. Irgendetwas bereitete ihm Sorgen.

Sie hatte in letzter Zeit öfter gemerkt, wie er sie stirnrunzelnd beobachtete, wenn er meinte, dass sie es nicht sah. Und sie glaubte zu wissen, warum. Er machte sich immer noch Sorgen, sie könnte nach Spanien zurückkehren, um

Felipe ihr Haus und ihre Ländereien wieder abzunehmen, und dann beschließen, in Kastilien zu bleiben.

In Wahrheit hatte sie seit einiger Zeit das Gefühl, dass es sinnlos war, ihren Hass auf Felipe um jeden Preis aufrechtzuerhalten. Sie beendete das besser, bevor dieser Hass ihre Seele vergiftete. In wenigen Tagen schon wollten sie ein weiteres spanisches Schiff abfangen, das aus Puerto Caballas an der Küste Nicaraguas kam und Silber, Seide und Leinen geladen hatte.

Dies sollte der letzte Racheakt gegen Felipe sein. Sie konnte sich nicht vorstellen, dass er drei so schwere Schläge gegen seine Finanzen verkraften würde. Er wäre dann ruiniert und ihre Aufgabe erledigt.

Ihre Sehnsucht, nach Kastilien zurückzukehren, war längst nicht mehr so stark wie einst. Das Haus und die Ländereien, die sie einmal besessen hatte, waren befleckt durch Felipes Anwesenheit. Sie war sich nicht einmal mehr sicher, ob sie ihr Eigentum überhaupt zurückhaben wollte, selbst wenn dies möglich sein sollte.

Und was war mit Manitas? Sie verdankte ihm so viel. Er liebte sie einfach so, wie sie war. Alle ihre früheren Geliebten hatten ihre Offenheit, ihre Unabhängigkeit, ihren Mangel an Unterwürfigkeit und ihre persönlichen Moralvorstellungen zutiefst missbilligt. Nur Manitas hatte nie erwartet, dass sie sich änderte, um seinem Bild von einer vollkommenen Frau zu entsprechen. Sie wusste, dass er zu ihr stehen würde, was immer sie auch tat.

In Manitas hatte sie den perfekten Partner gefunden, und auf ihrer Insel war sie zufriedener, als sie es je erwartet hätte. Vielleicht hatte das die Veränderung in ihr ausgelöst, denn Zufriedenheit und Rachegelüste passten schlecht zueinander.

Sie musste unwillkürlich lächeln. «Carlotta Mendoza»,

sagte sie laut, «kann es sein, dass du allmählich verweichlichst?»

Der rote Unterrock auf dem Hauptmast der *Roten Korsarin* flatterte in der steifen Brise, als das Schiff auf die spanische Galeone zusegelte.

Als Carlotta sich über die Reling beugte, stach ihr die salzige Gischt ins Gesicht und hinterließ auf ihrem zu einem Zopf geflochtenen Haar einen feinen silbrigen Nebel. Das Meer war eine aufgewühlte Masse grauer, mit weißem Schaum gekrönter Wellenberge. Der Anblick wirkte berauschend; wie immer verfehlte die wilde Schönheit von Wind und Wellen nicht ihre Wirkung auf sie.

Carlotta liebte diese Art von Jagd und insbesondere die letzten Augenblicke, bevor sie das andere Schiff enterten. Es war, als ergaben Angst, Aufregung und die Vorfreude auf den Kampf das Elixir, das in solchen Momenten durch ihre Adern strömte.

Ihre Hand ging zu ihrem Gürtel und kam auf dem Heft ihres Säbels zu liegen, als die *Rote Korsarin* längsseits des spanischen Schiffes segelte. Wie beim vorherigen Mal blieb der Galeone keine Zeit, ihre Kanonen abzufeuern, denn zu spät erkannten die Seeleute, dass sie in Gefahr waren.

Carlotta konnte die verblüfften Gesichter der spanischen Matrosen sehen. Viele bekreuzigten sich, während andere fluchend mit ihren Messern drohten. Dann flogen die Enterhaken durch die Luft, und die beiden Schiffe stießen so heftig aneinander, dass ihre Balken knarrten und knirschten. Schon kletterten die ersten Seeleute die Takelage hoch und versuchten, sich gegen die Piraten zur Wehr zu setzen. Bald wimmelte es auf dem Deck von Männern, die um ihr Leben kämpften.

«Auf geht's», sagte Manitas an ihrer Seite.

Sein wettergegerbtes Gesicht strahlte Vorfreude auf den Kampf aus, und sie lächelte ihm zu, wohlwissend, dass ihre entschlossene Miene der seinen ähnelte. Gemeinsam sprangen sie auf das Deck der Galeone. Mit einem markerschütternden Schrei stürzte sich Carlotta in den Nahkampf mit einem Matrosen, bevor sie und Manitas sich zum Achterdeck durchkämpften, wo sich die Offiziere aufhielten.

Sie brauchten nur wenige Sekunden, um die Offiziere zu entwaffnen und den Kapitän in die Enge zu treiben. Wieder einmal hatte ihnen das Überraschungsmoment zum Sieg verholfen.

«Das war ja fast schon zu einfach!», rief sie Manitas zu.

Der Kapitän bekreuzigte sich hastig. Sein Gesicht war aschfahl, und seine Lippen bewegten sich laulos betend, als erwarte er, jeden Augenblick getötet zu werden. Er fiel auf die Knie und flehte um Gnade.

«Steh auf, Mann, und spar dir dein Gejammer», unterbrach Carlotta ihn. «Bring uns zum Orlopdeck, und wir tun dir nichts. Komm schon, wir wollen die Ladung sehen.»

Dem Kapitän quollen fast die Augen aus dem Kopf. Dass er von einer Frau überwältigt worden war, schien ihn ebenso zu verwirren wie die Tatsache, dass diese Frau sich offenbar bestens mit Schiffen auskannte. Er war ein gutgebauter, attraktiver Mann mittleren Alters. Als er allmählich die Fassung wiedergewann und sie mit bewunderndem Blick musterte, rang er sich ein zittriges Grinsen ab.

«Ihr müsst mir nicht den Säbel an die Brust halten, Señora. Ich werde Euch keinen Grund geben, mich zu töten. Was hätte es auch für einen Sinn, Wasser aus einem sinkenden Schiff zu schöpfen? Ich weiß, wenn ein Kampf verloren ist. Wollt Ihr nicht besser Euren Säbel wegstecken, bevor Ihr Euch noch in den hübschen Finger schneidet?»

«Wie klug, dass Ihr Euch ergebt», erklärte Carlotta

trocken. «Trotzdem behalte ich den Säbel in der Hand und vertraue auf mein Können.»

Der Kapitän warf einen Blick über die Schulter, während er die Leiter zum Orlopdeck hinabstieg.

«Können? Sollte eine Frau nicht besser auf Gott vertrauen?»

«Gott ist nicht hier, sondern in den Köpfen der Menschen. Aber ich bin hier», konterte Carlotta und genoss seine entsetzte Miene. «Ich schlage deshalb vor, Ihr vertraut auf *mein* Wort und spart Euch Eure Frömmigkeit für Euren Beichtvater auf.»

«Heilige Mutter Gottes, erlöse mich. Ich bin von Gottlosen entführt worden!», stöhnte der Kapitän. «Ihr müsst diese Hexe der Meere sein, die in aller Munde ist.»

Hinter ihr hörte sie Manitas' tiefes Gelächter. Diese Wortwechsel machten ihm Spaß, und mit dem größten Vergnügen verfolgte er, wie seinen Geschlechtsgenossen die Zornesröte ins Gesicht stieg, wenn sie Carlottas Männerkleider sahen und ihre ungeheuerlichen Worte hörten. Für diese stolzen und gottesfürchtigen Kerle gab es nichts Schlimmeres, als sich von einer Frau herumkommandieren zu lassen.

«Habt Ihr Passagiere an Bord?», fragte Carlotta den Kapitän. «Spart Euch die Mühe zu lügen, denn ich finde es ohnehin heraus, aber dann kommt Ihr nicht mehr so glimpflich davon.»

Der Kapitän, halbwegs erholt vom ersten Schreck, nickte. «Einen. Den Eigentümer des Schiffes. Er benutzt für die Überfahrt meine Kabine. Ihr werdet ihm doch nichts tun?»

Carlotta erstarrte. Hatte sie richtig gehört? Ihr Herz begann zu pochen, und sie ignorierte die Frage des Kapitäns.

«Bringt mich zu Eurer Kabine, und zwar sofort», befahl sie.

«Aber … wolltet Ihr nicht die Ladung sehen?»

«Ja, ja, später. Aber zuerst will ich mit diesem Passagier sprechen.»

«Stimmt etwas nicht, Carlotta?», fragte Manitas.

Sie warf ihm ein beruhigendes Lächeln zu. Sie musste unbedingt verhindern, dass Manitas in die Kabine des Kapitäns stürmte und den Mann, den er dort vorfand, tötete.

«Don Felipe Escada ist an Bord. Ich kann mir zwar nicht vorstellen, warum, aber das finde ich noch heraus. Ich habe lange genug auf diesen Moment warten müssen.»

Manitas nickte. «Ich weiß. Tu, was du tun musst», erwiderte er ruhig. «Ich werde mich nicht einmischen, außer du bittest mich um Hilfe.»

«Danke», entgegnete sie sanft. «Ich weiß schon, wie ich mit ihm fertig werde.»

Der Kapitän blickte mit hochgezogenen Augenbrauen vom einen zum anderen. «Ihr kennt den Mann in meiner Kabine?», fragte er mit einem spöttischen Lachen. «Na, dann wünsche ich Euch viel Vergnügen mit ihm!»

«Was soll das heißen? Antwortet mir», befahl sie mit eisiger Stimme. «Der Mann *ist* doch Don Felipe Escada, oder etwa nicht?»

«Das ist er», erklärte der Kapitän achselzuckend. «Aber ich fürchte, er hat den Verstand verloren. Aus dem bekommt Ihr kein vernünftiges Wort heraus. Seit er in Nicaragua an Bord gegangen ist, kurz nachdem die Maultierkarawane aus den Silberminen angekommen war, lässt er sich murmelnd über das Schicksal aus und erzählt wirre Dinge über eine Spanierin, die ihn angeblich verhext hat. Er ist überzeugt, sie habe ihn zu einem Leben der Selbstbefleckung und der sündhaften Gelüste verdammt. Die ganze Mannschaft lacht schon über ihn und hält ihn für einen Verrückten.»

Carlotta spürte, wie ihr das Blut aus dem Gesicht wich. Es war tatsächlich Felipe. Hatte er diese Reise arrangiert, um sie zu treffen? Unmöglich. Um so etwas zu planen, musste er wirklich verrückt sein. Sie konnte kaum glauben, dass sie endlich Gelegenheit bekommen sollte, von Angesicht zu Angesicht mit ihm zu reden. Es war fast ein Jahr her, seit sie Kastilien den Rücken gekehrt hatte. Ein Jahr, seit ihr Leben in tausend Scherben zersprungen war.

Sie musste feststellen, dass sie sich nicht einmal mehr genau an Felipes Gesicht erinnern konnte. Er hatte in ihrem Leben so große Bedeutung erlangt, dass er zu einem wahren Ungeheuer geworden war. So lange schon verfolgte er sie in ihren Träumen wie in ihren wachen Stunden, und kein Tag war vergangen, an dem sie nicht an ihn gedacht hatte.

Sie hatte einen galligen Geschmack im Mund und spürte, wie Wut und Hass in ihr hochstiegen, wenn sie an Felipes unerträgliche Arroganz dachte und an seine anmaßende Überzeugung, sie zähmen und seinem Willen unterwerfen zu können. Hatte sie tatsächlich geglaubt, keinerlei Rachegelüste mehr zu verspüren?

«Carlotta? Möchtest du allein mit Don Felipe sprechen?», fragte Manitas. Seine ruhige Stimme übte einen mäßigenden Einfluss auf sie aus.

Da sie wusste, dass Manitas Don Felipe zur Hölle wünschte, bewunderte sie seine Selbstbeherrschung umso mehr. In seinen dunklen Augen sah sie das Verlangen, Felipe zu töten, und nur seine Achtung ihr gegenüber brachte ihn dazu, ihr Gelegenheit zu geben, die Angelegenheit auf ihre Weise zu regeln.

«Ich möchte keine Geheimnisse vor dir haben», erklärte sie. «Legen wir den guten Kapitän hier in Fesseln und gehen wir gemeinsam in die Kabine.»

Felipe faltete die Hände zum Gebet. Über sich hörte er das Klirren von Metall und die Schreie der Verwundeten. Bald schon würden die Piraten unter Deck kommen und sämtliche Räume nach Schätzen durchwühlen.

Lass sie unter ihnen sein. Großer Gott, gib, dass sie mich findet und bestraft.

Und falls sie nicht unter den Piraten ist, dann lass mich unter den Händen ihrer blutrünstigen Freunde sterben, fügte er im Geiste hinzu. Er konnte sein erbärmliches Leben nicht länger ertragen. In seinen Augen rieb der Schlaf wie Sand, und die frischen Striemen, welche die Peitsche auf seiner Brust hinterlassen hatte, brannten wie Feuer. Er hatte bereits seit zwei Tagen nichts mehr gegessen, und seine Beine schmerzten vom vielen Niederknien.

Er fühlte sich wie ein hohles Behältnis – ganz so, als wäre im Verlauf des vergangenen Jahres seine gesamte Lebenskraft langsam aus ihm gesogen worden. Sie hatte ihn gebrandmarkt, indem sie dafür gesorgt hatte, das er sich Tag und Nacht vor Wollust nach ihr verzehrte. Welche Entbehrungen auch immer er seinem Körper auferlegte, sein Adamsstab blieb steif – ein geschwollenes, fleischgewordenes Zeugnis des Zaubers, den sie auf ihn ausübte.

Nichts war mehr wie vorher, seit er sie im Haus ihres Vaters zum ersten Mal gesehen hatte – ein zierliches, dreizehnjähriges Mädchen mit großen dunklen Augen und olivfarbener Haut. So unschuldig sie auch gewirkt hatte, war ihm doch schon damals der Anflug von Eigensinn in der geschwungenen Linie ihres knospenden Mundes aufgefallen und der – bei einer Frau so verstörende – Ausdruck einer weit überdurchschnittlichen Intelligenz auf ihrer glatten Stirn.

Als er sie dann Jahre später auf dem Landgut der Mendozas bei Fechtübungen in der Scheune überrascht hatte, war nicht verwunderlich, dass sie tatsächlich zu einer außergewöhnlichen Schönheit herangereift war. Verblüfft hatte ihn dagegen ihre Charakterstärke sowie die Mischung aus Belustigung und Verachtung, mit der sie auf die Moral- und Glaubensvorstellungen reagierte, nach denen er sein ganzes Leben über gelebt hatte.

Solche Frauen waren dazu geboren, Männer zu quälen und zu versklaven. Sie waren willige Werkzeuge des Teufels, dieses gehörnten Betrügers, der an Carlotta sicherlich großen Gefallen fand.

Felipe seufzte. Er hatte es aufgegeben, gegen sein Los anzukämpfen, und akzeptierte, dass er ein schwacher Sünder war, das willige Opfer einer Kreatur der Hölle. Seit selbst die Äbtissin und ihre heiligen Schwestern mit all ihren schmerzhaften Künsten, die sie an ihm praktiziert hatten, nicht in der Lage gewesen waren, ihm seinen persönlichen Dämon auszutreiben, war ihm klargeworden, dass er tatsächlich verdammt war. Die Braut des Teufels, seine Peinigerin, war die Einzige, die ihn erlösen konnte.

Ah, Schritte vor der Tür. Zwei Personen näherten sich. Noch immer kniend, schaute Felipe zur Tür. War sie tatsächlich hier? Sollten all die langen Monate des Wartens endlich belohnt werden?

Das Verlangen stieg in ihm auf, bis er es in der Brust zu spüren glaubte, wo es brannte wie ein glühendes Stück Kohle.

«Carlotta, befreie mich, stehe mir bei, erlöse mich», flüsterte er, und dann lauter: «Oh, Jesus Christus – Carlotta.»

Das Erste, was Carlotta hörte, als sie die Tür aufstieß, war, wie Felipe ihren Namen rief.

Ohne wirklich sagen zu können, warum, machte sie das wütend. Er hatte einfach nicht das Recht, ihren Namen mit einer derartigen Inbrunst auszusprechen, dass dieses einzelne

Wort fast wie ein Gebet klang. Aber offenbar glaubte er, ihm stehe etwas von ihr zu, wo doch das genaue Gegenteil der Fall war.

Ihr Zorn wütete in ihrem Bauch wie ein lebendes Wesen, und ein roter Schleier trübte ihren Blick. Sie musste die Augen zusammenkneifen, bevor sie die kniende Gestalt richtig scharf sah. Tatsächlich, er war es. Und obwohl sie vorbereitet war, traf sein Anblick sie doch wie ein Schock.

Das war er – der Mann, der ihr ganzes Leben verändert hatte. Sie überkam das merkwürdige Gefühl, dass der Raum sich um sie beide schloss und sie in Dunkelheit versinken ließ.

«Carlotta, Gott sei Dank. Gott sei Dank», flüsterte Felipe heiser. «Meine Gebete sind erhört worden.»

«Seid still!», befahl sie und war überrascht, als er sofort gehorchte. War er so demütig geworden?

Sie musterte ihn von Kopf bis Fuß. War das die Kreatur, die sie über so lange Zeit gehasst hatte? Er sah gar nicht so beängstigend aus. Auf seinem Gesicht lag ein glückseliger Ausdruck, wie sie ihn nur bei besonders eifernden Priestern gesehen hatte und bei denen, die von einer Vision heimgesucht worden waren. Er trug ein Wams und Kniehosen aus schwarzem Samt sowie eine schlichte weiße Halskrause.

Die Veränderung in seinem Äußeren verblüffte sie. Schlank war er schon immer gewesen, doch nun hatte er so viel Gewicht verloren, dass er vollkommen abgemagert wirkte. Sein hohlwangiges Gesicht machte einen abgezehrten Eindruck, und in den von schweren Lidern verschatteten Augen funkelte eine unnatürliche Leidenschaft. Das Einzige, was sich nicht verändert hatte, war sein Mund. Carlotta erinnerte sich wieder daran, wie fest und sinnlich er immer schon gewesen war.

Aber sein dunkles Haar, zuvor lediglich von wenigen

grauen Strähnen durchzogen, war nun hinter den Ohren fast durchgehend weiß, was einen frappierenden Kontrast zur Masse des schwarzen, von der Stirn nach hinten gekämmten Haupthaars ergab.

«Seht an, Don Felipe. Ich hätte nicht gedacht, Euch in diesem Leben noch einmal zu begegnen», erklärte sie unter-kühlt. «Sieht ganz so aus, als wärt Ihr um die halbe Welt gereist, um mich zu finden. Also, was habt Ihr mir zu sagen?»

Felipes Mund öffnete und schloss sich wieder. Ihr war bewusst, wie blendend sie in ihrem Wams aus wattiertem rotem Leder und ihrer schwarzen Kniehose aussah. Ihr Säbelgürtel hing ihr tief an der Hüfte. Die glänzenden schwarzen Stiefel reichten ihr bis zu den Oberschenkeln, und ihr Haar trug sie zu einem Zopf geflochten und fest an den Kopf gesteckt.

Sie erinnerte sich, wie schockiert Felipe von ihrer unkeuschen Aufmachung gewesen war an jenem Tag in der Scheune, als sie ihre Fechtstunde absolvierte, und daran, wie sie ihn provoziert hatte. Ihre Mundwinkel zuckten, als sie an Felipes Miene von damals dachte. Jetzt hatte er einen ähnlichen Gesichtsausdruck.

«Doña Carlotta», stammelte Felipe. «Ich … ich weiß nicht, wie ich anfangen soll. Ich habe Euch großes Unrecht zugefügt, indem ich Euch um Euren Besitz und Eure Ländereien gebracht habe. Ich habe lange und gründlich darüber nachgedacht … und möchte es nun wiedergutmachen …» Er hielt inne und warf einen Blick auf Manitas, der an ihrer Seite stand und sie beide überragte.

Carlotta sah, wie Felipes Augen funkelten vor Abneigung und … war da noch etwas anderes? Neid etwa? Also ist er doch nicht ganz so demütig, wie er sich gibt, dachte sie. Auf merkwürdige Weise war sie sogar froh darüber, denn es fiel ihr leichter, ihn zu hassen, wenn er Spuren seiner alten Arroganz zeigte.

«Müssen wir uns in Gegenwart Eures überdimensionierten Piraten-Liebhabers unterhalten?», fragte Felipe mit verächtlich gekräuselten Lippen. «Schickt den Mann doch bitte weg. Nach allem, was zwischen uns vorgefallen ist, wollt Ihr doch sicher auch, dass wir die Angelegenheit unter uns regeln.»

Seine hochnäsige Art ließ Carlotta kurz auflachen. Bildete Felipe sich etwa immer noch ein, er könne ihr Vorschriften machen?

«Manitas ist weitaus mehr als der gleichberechtigte Partner bei meinen Verbrechen», erklärte sie. «Er kennt meine innersten Gedanken und Gefühle. Er bleibt hier. Im Übrigen seid Ihr einer Selbsttäuschung erlegen: Zwischen uns ist nichts, Felipe, nicht das Geringste – abgesehen von der Tatsache, dass Ihr mich um meinen gesamten Besitz betrogen habt. Ihr seid für mich nur ein diebischer Schurke, und dafür hasse ich Euch. Vielleicht sollte ich Euch einfach in Stücke hacken und an die Haie verfüttern.»

Felipe erblasste. «Na schön. Wenn Ihr darauf besteht, dass Euer dressierter Riese hierbleibt, soll er eben Zeuge sein.»

Manitas gab ein wütendes Brummen von sich und trat einen Schritt auf Felipe zu, doch Carlotta hielt ihn zurück.

«Nein, Liebster, lass dich nicht provozieren. Er ist es nicht wert, von dir getötet zu werden. Hören wir uns an, was er zu sagen hat.»

Felipe bedachte Manitas mit einem Blick, aus dem äußerste Verachtung sprach, stand auf und ging durch den Raum. Dann holte er aus einer kleinen Schatulle ein Schriftstück, drehte sich um und hielt es Carlotta hin. Sie nahm das Dokument und las es gründlich durch. Wenige Augenblicke später schleuderte sie es verächtlich auf einen Tisch.

Einen Moment lang wirkte Felipe verblüfft.

«Habt Ihr denn gar nichts zu sagen? Ich habe Euch

Euer gesamtes Land und Euren sonstigen Besitz zurück-
überschrieben. Die Dokumente sind rechtskräftig bezeugt
und unterzeichnet. Ihr könnt nun wieder nach Hause und
müsst nicht mehr unter diesen Barbaren leben. Kommt nach
Hause, Carlotta. Ich verspreche Euch, dass Ihr es nicht bereuen werdet.»

Als Carlotta Manitas' Gesichtsausdruck sah, beeilte sie
sich mit der Antwort.

«Zu spät, Felipe. Ich will nichts von Euch, denn ich habe
bereits alles, was ich brauche. Mein Leben in Kastilien
kommt mir vor wie ein ferner Traum. Ich habe jetzt ein
neues Zuhause und eine Familie, und Juanita hat auch ihr
Glück gefunden.» Sie lachte. «Eure Schiffe haben mich reich
gemacht. Ist das nicht eine hübsche Ironie des Schicksals?
Früher hasste ich Euch und wünschte Euch den Tod. Ich
hätte alles dafür gegeben, mich an Euch zu rächen, aber jetzt,
da Ihr vor mir steht, merke ich, dass ich frei bin von Euch.»

«Aber … aber das ist unmöglich», stammelte Felipe. «Ihr
könnt doch mein Angebot nicht ausschlagen. Euch bleibt
gar nichts anderes übrig, als alles zurückzunehmen.»

In seiner Stimme schwang Verzweiflung mit. Sie musste
an das denken, was der Kapitän gesagt hatte. Felipe wirkte
tatsächlich irgendwie zerbrochen – wie einer, der am Rand
des Wahnsinns steht.

«Ihr *müsst* mir einfach vergeben und Euren Besitz zurück-
nehmen», wiederholte Felipe, einen verwirrten Ausdruck
auf seinem langen, blassen Gesicht. «Versteht Ihr nicht? Ich
finde keinen Frieden, solange *Ihr* ihn mir nicht gewährt. Wie
sonst soll ich alles vergessen, was zwischen uns ist?»

«Aber zwischen uns ist nie etwas gewesen», wiederholte
sie langsam und deutlich. «Das ist alles nur in Eurem Kopf
entstanden, aus Eurer verzerrten Wahrnehmung heraus. Ihr
konntet einfach nicht akzeptieren, dass Ihr mich begehrt

habt, so sehr, dass Ihr sogar bereit wart, mich zu heiraten – so sündhaft und verbesserungsbedürftig ich in Euren Augen auch war. Nein, das wäre zu einfach gewesen. Also habt Ihr mir die Schuld an Eurer eigenen Wollust gegeben, wie das bei schwachen Männern immer ist.»

Felipe schien zu neuem Leben zu erwachen. Er warf den Kopf in den Nacken, und seine Augen wurden zu funkelnden Schlitzen vor Bösartigkeit.

«Ihr lügt! Wollt Ihr etwa leugnen, dass Ihr mich verhext und mit Eurer teuflischen Schönheit verspottet habt, bis ich von unheiligen Gelüsten fast verzehrt wurde? Seit Ihr das Haus in Kastilien verlassen habt, war mir nicht ein einziger Augenblick des Friedens vergönnt. Mein Fleisch brennt für Euch Tag und Nacht, und mein Adamsstab ist steif vor Scham. Ihr *müsst* einfach zugeben, dass Ihr einen Schatten über meine Seele geworfen habt! Gott allein weiß, welchen Qualen ich seitdem ausgesetzt bin.»

«Ich habe keinen Schatten über Euch geworfen», erwiderte Carlotta ruhig. «Ihr habt Eure Dämonen selbst hervorgebracht. Haltet Ihr mich etwa für eine Priesterin, die Euch Absolution erteilen kann? Eure Überheblichkeit macht mich noch immer ganz krank. Wenn Ihr mir sonst nichts zu sagen habt, hättet Ihr Euch Eure Reise ebenso gut sparen und weiter in Spanien gegen Eure Schuldgefühle ankämpfen können. Ich will nichts mehr von Euch, Don Felipe. Weder Euer wirres Gerede noch Eure falsche Reue, noch Euren mit Selbstmitleid versetzten Stolz. Ihr bedeutet mir gar nichts. Weniger als nichts. Behaltet ruhig mein Land und meinen Besitz oder schenkt alles den Armen. Mir ist das egal.»

Sie wandte sich ab, und Felipe fiel stöhnend auf die Knie. Er streckte die Arme aus und zerrte am Saum ihres Wamses.

«Ihr könnt nicht einfach weggehen und mich in meiner

Pein alleinlassen. Verschmäht mich nicht. Bestraft mich für meine Sünden, ich bitte Euch darum. Tut mit mir, was Ihr mit Pedro und Antonio getan habt. Sie haben mir schriftlich berichtet, wie Ihr sie behandelt habt. Ich will doch nur Euer Sklave sein, Euch anbeten und tun, was Ihr befehlt.»

Carlotta musterte ihn angewidert. Sie durchschaute seine Maske der Unterwürfigkeit. Er wollte gar nicht, dass sie ihm verzieh; er begehrte sie nach wie vor, doch seine Wollust hatte sich nach innen gekehrt. Im vergangenen Jahr hatte er sich mit seinem unterdrückten, fanatischen Begehren selbst an den Rand des Wahnsinns gebracht, und jetzt wollte er ihr Sklave sein und seine unreinen Leidenschaften mit dem zu Kopfe steigenden Aroma der Unterwürfigkeit würzen.

Würde Felipe nie verstehen, dass er Verursacher *und* Herr seiner eigenen Gelüste war?

Sie fühlte sich plötzlich wie ausgelaugt. Vielleicht verdiente Felipe ja ihr Mitleid, denn ihre Wut auf ihn schien verraucht zu sein. Dennoch war es ihr unmöglich, ihm wohlgesinnt zu sein. Sie verspürte nur abgrundtiefe Verachtung. Er erwartete doch tatsächlich von ihr, ihn von seinen Sünden freizusprechen und den Bann, mit dem sie ihn angeblich belegt hatte, von ihm zu nehmen.

Es wäre einfach gewesen, ihm nachzugeben und sich durch Lügen von ihm zu befreien. Aber sie beschloss, ihm tatsächlich eine Lektion zu erteilen, die er nie vergessen würde – jedoch eine andere Art von Lektion als die, welche er im Sinn haben mochte.

«Mir ist nichts geblieben, weder Stolz noch Ehre, noch Selbstwertgefühl», fuhr Felipe fort, bevor Carlotta etwas sagen konnte. «In mir ist nur noch die Besessenheit, die Ihr mir eingepflanzt habt. Ich bin am Ende und nicht mehr zu retten. Warum habt Ihr nicht Mitleid mit mir? Macht mit mir, was immer Ihr wollt. Beschimpft mich, demütigt mich.

Spuckt mich an. Drückt mir den Fuß in den Nacken und mein Gesicht in Eure Ausscheidungen. Ich verdiene Euren Zorn.» Seine Stimme war kratzig und zitterte vor unterdrückter Erregung.

Carlotta warf einen Blick auf Manitas, der Felipe belustigt und ungläubig zugleich anstarrte.

«Was meinst du?», fragte sie ihn. «Soll ich diesem elenden Sünder eine Lektion erteilen?»

Manitas nickte grinsend. Er ahnte bereits, was sie im Sinn hatte. Felipe sah ihren Blickwechsel, und sie wusste, dass es ihn kränkte. Das freute sie.

«Zieht Euch aus», sagte sie zu Felipe.

Felipe schloss die Augen und erbebte vor Verzückung.

«Gott sei gedankt», murmelte er, während er mit zittrigen Fingern an den Haken und Verschnürungen seines Wamses herumnestelte.

Carlotta rang nach Luft, als er sein Batisthemd auszog und seinen Rumpf entblößte. Seine Haut war von Striemen entstellt – einige bereits alt und zu silbrigen Streifen verblasst, andere neu und noch kaum vernarbt. Als er vollkommen nackt vor ihr stand, musste sie feststellen, dass sein ganzer Körper auf diese Weise verunstaltet war. Auch auf seinen Hinterbacken waren die Stigmata seiner jüngsten Selbstgeißelung zu erkennen.

Im Kontrast zu seinen dünnen Gliedmaßen und seinem ausgemergelten Körper wirkte Felipes Erektion geradezu riesig. Sie ragte in dunklem Purpurrot von seinen Lenden empor und lag beinahe an seinem hohlen Bauch an, während sein Hodensack als straffer Beutel unter seinem Glied hing. Wie es schien, stand er kurz vor der Ejakulation.

Sie hatte also richtig vermutet: Felipe ließ sich gerne züchtigen. Wenn sie ihm nachgab und ihn wie Pedro und Antonio behandelte, würde sie nur das Feuer seiner niedrigsten Gelüste weiter anfachen. Er würde von ihr verlangen, ihn mehr und mehr leiden zu lassen, und sie war nicht bereit, ihm diesen Gefallen zu tun.

«Ihr habt Eure Leidenschaften mit Qualen gemästet und Euch in Euren unreinen Gelüsten gesuhlt, während Ihr gleichzeitig mich für Euer Leid verantwortlich gemacht habt», erklärte sie. «Und jetzt wollt Ihr, dass ich Euch noch mehr bestrafe. Diesen Wunsch kann ich Euch aber nicht erfüllen. Ich möchte, dass Ihr endlich begreift, dass ich *niemals* Hand an Euch legen und Euch nicht einmal beschimpfen werde. Für Euer Verhalten kann es keine Entschuldigung mehr geben. *Ihr selbst* müsst Euch Euren Dämonen stellen und sie auf Eure eigene Weise entweder akzeptieren oder besiegen. Ich bin für Euren Zustand nicht verantwortlich.»

Felipe ließ die Schultern hängen, und Tränen quollen ihm aus den Augenwinkeln. Er nahm sein Glied in beide Hände.

«Wie grausam Ihr doch seid», sagte er gebrochen. «Wie köstlich herzlos. Berührt mich. Schlagt mich. Habt Mitleid mit mir. Macht mit mir, was Ihr wollt. Aber berührt mich. Ich muss mich vor Euch erniedrigen. Ich muss es tun.»

«Ich habe Euch bereits erklärt, dass ich da nicht mitspiele», entgegnete sie. «Das habe ich nie getan. Das wart alles Ihr ganz allein, Felipe.»

Während Felipe ihr gierig nachstarrte, durchquerte sie den Raum und warf sich Manitas in die Arme. Mit einem Blick zurück über die Schulter auf Felipe fügte sie hinzu: «Und jetzt sollt Ihr einmal sehen, was es heißt, wenn ein Mann eine Frau liebt – etwas, das Eure Steifheit und Euer Stolz Euch verwehren. Glaubt mir endlich, Felipe. Ihr seid nicht verhext, sondern einfach nur fehlgeleitet. Blickt Euren Obsessionen ins Auge und lernt aus dem, was wir Euch jetzt zeigen.»

Felipe stieß einen Schrei höchster Verzweiflung aus. «Nein. Gebt Euch ihm nicht hin! Das halte ich nicht aus. Warum verweigert Ihr mir den Trost, um den ich Euch anflehe?»

Carlotta antwortete ihm nicht. Sie hatte nichts mehr zu sagen. Felipe musste schon selber zur Erlösung finden. Sie gab sich Manitas' Liebkosungen hin. Schon bei der ersten Berührung seiner Haut und seinem vertrauten Geruch erwachte ihre Leidenschaft.

«Ich wusste gar nicht, dass du so weise bist», flüsterte Manitas ihr zu.

«Ich habe eben immer noch Geheimnisse vor dir», erwiderte sie mit rauer Stimme, während sie ihm erlaubte, ihr Wams aufzuschnüren und über die Schultern zu schieben.

Als er ihre Brüste in seine riesigen Hände nahm und das Verlangen in ihr aufblühte, stöhnte sie leise. Nackt bis zur Taille, nahm sie Manitas bei der Hand und führte ihn durch den Raum an dem noch immer knienden Felipe vorbei. Felipe schien zu beten, während seine Hände sein Glied bearbeiteten.

Carlotta legte sich mit dem Bauch nach unten auf einen Tisch und ließ die Brüste am hinteren Ende herabhängen. Als Manitas ihr den Gürtel abnahm und die Hose auszog, hielt sie Blickkontakt zu Felipe. Sein Gesicht war weiß und schmerzverzerrt, seine tiefliegenden Augen Seen äußersten Leids.

Er hatte um Grausamkeit gebettelt, und nun bekam er sie. Die schlimmste Form von Grausamkeit war für ihn, nicht beachtet zu werden, während er dabei zusehen musste, wie das Objekt seiner Besessenheit sich mit dem Mann vergnügte, den es liebte.

Felipes Hände kneteten sein steifes Fleisch, während er stöhnte und schwitzte und seine Hinterbacken und Oberschenkel so angespannt waren, dass die einzelnen Muskelstränge hervortraten. Schweißperlen standen auf seiner Stirn und seiner Oberlippe. Seine Augen verharrten dabei die ganze Zeit auf ihrem Gesicht.

«So schön», murmelte er, «und so grausam.»

Carlotta seufzte, als Manitas sie mit seinem gewaltigen Körper bedeckte. Sein Glied drückte heiß und hart gegen ihre Haut. Gierig erwiderte sie seinen Druck, doch noch drang er nicht in sie ein. Stattdessen griff er nach ihren Brüsten und massierte die Brustwarzen zu harten Spitzen. Carlotta krümmte den Rücken und öffnete die Schenkel. Sie konnte es kaum erwarten, dass er in sie glitt.

Manitas drückte ihre Hinterbacken mit den Händen auseinander und zog sich ein Stück zurück, bevor er mit der Eichel ihre intimen Falten anstupste. Sie wusste, dass er zusah, wie ihre Vulva sein Glied umfing, und stellte sich vor, was er da sah – ihre rotbraunen Schamlippen, wie sie sich um die glänzende purpurrote Pflaume schlossen. Wie sie das Gefühl liebte, von ihm geöffnet zu werden, die Art, wie er den Widerstand ihres Fleisches überwand und in die schlüpfrige Wärme in ihrem Innern glitt.

Als er begann, in sie hineinzustoßen, stöhnte sie vor Wonne auf. Bald spürte sie, wie sich ihr Körper in einem uralten Rhythmus vor und zurück bewegte. Ihre Brüste hingen frei herab, und das Ziehen seiner Finger an ihren sensibilisierten Brustwarzen erhöhte noch ihren Genuss.

Sie war sich bewusst, dass Felipe die Veränderungen in ihrem Gesichtsausdruck verfolgte. Er schien jeden Seufzer und jedes Stöhnen in sich aufzunehmen, während er sich auf die Unterlippe biss. Während er an seinem Glied rieb, schluchzte er, und seine Tränen hinterließen silbrige Spuren auf seinen ausgezehrten Wangen.

«Carlotta», wimmerte er mit einer Stimme, aus der Trauer

und, wie sie hoffte, auch ein wenig Verständnis sprachen. «Oh, Carlotta.»

Nun bleibt Felipe gar nichts anderes mehr übrig, als zu begreifen, dass er nur Zuschauer ist, dachte sie. Keinem der beiden, die völlig darin versunken waren, einander Freude zu spenden, bedeutete er auch nur das Geringste.

Als Felipe sich dem Höhepunkt näherte, warf er den Kopf in den Nacken und kniff die Augen zu, während seine Hand energisch sein Glied bearbeitete. Seine freigelegte Eichel war geschwollen, die Haut gedehnt und glänzend. Ein Tropfen klarer Flüssigkeit zitterte an der Spitze.

Carlotta stieß ein hauchiges Stöhnen aus, als Manitas sich ein wenig aus ihrem Körper zurückzog und dann mehrmals in schneller Folge in sie hineinstieß. Das ziehende Gefühl an ihren Schamlippen übertrug sich auf ihre Lustknospe, und sie warf den Kopf in völliger Hingabe in den Nacken.

Das gab Felipe den Rest.

«Mein Gott», schrie er, und sein ganzer Körper zuckte, als sein Samen aus ihm herausspritzte und in cremigen Tröpfchen auf den Boden platschte.

Wenige Sekunden später kam auch Manitas mit einem lauten Schrei. Carlotta spürte, wie er ein letztes Mal in sie stieß und sein pulsierendes Glied an ihrem Uterus zum Stillstand kam, als er sich ergoss. Ihr Inneres krampfte sich um ihn, und die orgiastischen Wonnen breiteten sich bis in alle ihre Nervenenden aus.

In der Kabine wurde es still; nur noch das Atmen der Anwesenden war zu hören. Carlotta und Manitas blieben beieinander, ohne an Felipe zu denken, während sie sich küssten und Zärtlichkeiten austauschten.

Ihre Liebe zu diesem Riesen von einem Mann war grenzenlos. Er brauchte sich nicht zu beweisen und hatte es auch nicht nötig, sein Fleisch zu kasteien oder anderen die Schuld zu geben, weil ihm der Mut fehlte, sich den dunklen Seiten seiner eigenen Natur zu stellen. Nach einer Weile trennte sich Manitas von ihr und zog sich an.

«Wir gehen besser wieder zu den anderen, sonst schickt Stow noch einen Suchtrupp aus», meinte Manitas.

Carlotta nickte und durchquerte den Raum. Sie bückte sich, um ihr Wams aufzuheben. Auch Juanita würde wie immer besorgt auf sie warten, bis sie alle heil wieder zurück waren. Beim Gedanken an ihre Siedlung stiegen plötzlich Glücksgefühle in ihr hoch. Sie war jetzt wahrhaft zufrieden. Felipes Taten warfen keinen Schatten mehr über ihr Leben. Endlich war sie frei von Hass, und so konnte sie sich nun auch eine Spur von Mitleid erlauben.

Felipe kniete immer noch da, vornübergebeugt und mit gesenktem Haupt. Schauder liefen über seinen Körper. Er wirkte traurig, als wäre er aus einem Traum erwacht mit der Erkenntnis, etwas Kostbares verloren zu haben. Langsam hob er den Kopf, und ihre Blicke trafen sich. Er hatte Tränen in den Augen, machte aber zum ersten Mal, seit sie die Kabine betreten hatten, einen geistig gesunden Eindruck.

«Und was ist jetzt mit mir? Was soll ich denn jetzt machen?», fragte er leise.

«Ich schlage vor, Ihr kehrt nach Spanien zurück und beginnt endlich zu leben», antwortete sie. «Hier gibt es nichts für Euch, Felipe, und hat es nie etwas gegeben.»

Vielleicht würde er ihr diesmal glauben. Sie hoffte es, doch das war nicht mehr ihre Angelegenheit. Er musste seinen eigenen Weg finden. Manitas legte ihr den Arm um die Taille.

«Komm, Liebste, wir müssen noch den Laderaum besichtigen», erinnerte er sie grinsend. «Mal sehen, welche Schätze der Don hier der Roten Korsarin mitgebracht hat!»

Carlotta lächelte zu ihm hoch. An der Tür warf sie noch einen letzten Blick über die Schulter.

«Gott sei mit Euch, Don Felipe», sagte sie, selbst überrascht darüber, dass sie es auch so meinte.

Felipe sah zu, wie Carlotta und Manitas weggingen. Wie es schien, war er frei. Frei in jeder Beziehung.

Er zog sich langsam an, noch immer unter dem Eindruck dessen, was er soeben gesehen und gehört hatte.

Wie klug Carlotta doch war, eine äußerst geübte Hexe! Ihre Kniffe waren durchtrieben und raffiniert. Ganz offensichtlich hatte sie jetzt ihren Piraten-Liebhaber verhext, und deshalb hatte sie Felipe aus ihrem Bann entlassen.

Denn nun hatte sie keine Macht mehr über ihn, war nicht mehr ständig in ihm gegenwärtig. Er fühlte sich merkwürdig leer und mit sich im Reinen. Der Kummer, den die Leere mit sich gebracht hatte, war zwar noch so frisch, dass er brannte wie eine offene Wunde, doch das würde sich mit der Zeit legen. Er ging auf die andere Seite der Kabine und enthüllte den großen, rechteckigen Gegenstand, der an der Wand lehnte.

Das Gemälde, sein ständiger Begleiter seit vielen Monaten, erschien ihm jetzt irgendwie weniger großartig als zuvor. Es war nicht so gut, wie er geglaubt hatte. Der Künstler hatte Carlottas Züge eine Spur zu weich gemacht und ihre Lippen zu schmal. Felipe war mit dem Werk des Meisters vertraut. Er schuf nicht allzu viele Porträts und war in dieser Hinsicht nicht überragend. Berühmt war er eher für seine religiösen Gemälde.

Felipe begann, eine Truhe zu packen. Er würde das Gemälde in der Kabine zurücklassen, wenn er in Spanien an Land ging. Er hatte keinerlei Bedürfnis mehr, Carlottas Bild in sich zu bewahren.

Wenn er wieder nach Kastilien kam, würde gerade der Frühling beginnen. Auf dem Mendoza-Landgut gab es dann viel zu tun. Seine Finanzen hatten schwere Rückschläge erlitten. Bis er sich wirtschaftlich erholt hatte, würde eine Weile vergehen, und so stand ihm viel Zeit zum Nachdenken zur Verfügung.

Flüchtig dachte er noch einmal an Carlotta und ihren Piraten, wie sie in innigster Umarmung gelegen hatten. Sein Glied regte sich dabei an seinem Bein, als suche es die Wärme und den Trost einer weiblichen Öffnung.

Im Geiste sah er weiche weiße Arme, die nach ihm griffen, und eine volle, trostversprechende Brust vor sich. Zum ersten Mal seit vielen Monaten fragte er sich, wie es sich wohl anfühlen mochte, eine Frau im Arm zu halten und ihr Freude zu schenken, ihr über das seidige Haar zu streichen und ihre Haut zu riechen.

Vielleicht war es ja höchste Zeit, dass er sich nach einer solchen Frau umsah.

Ruth Fox
Die Schule des Gehorsams

Cassie erlebt im Zug eine aufregende Begegnung mit einem Fremden. Danach weiß sie, dass es Seiten an ihr gibt, die sie selbst nicht kennt – die sie aber ergründen möchte. Auf eine Anzeige melden sich zwei Menschen, von denen sie in die Welt der Dominanz und Unterwerfung eingewiesen wird: Becky und der geheimnisvolle Mr. King. rororo 24426

Gefährliches Verlangen

Deanna Ashford
Die Sklavin

Prinzessin Sirona und ihr Geliebter, der Krieger Taranis, werden getrennt und als Sklaven verkauft. Der attraktive Taranis muss seiner Herrin auch im Bett zu Diensten sein. Sirona schwelgt schon bald im Luxus der Villa von General Lucius und der dort gebotenen Sinnesfreuden. rororo 24508

Laura Hamilton
Die Schamlose

Keine noch so riskante Variante sexuellen Vergnügens ist der Businessfrau Nina fremd. Ihr einziges Problem dabei ist, dass sie ihre heißen Spiele bislang allein mit sich selbst treibt. Ihre Erlebnisse mit Männern sind eher ernüchternd – bis sie Andrew kennenlernt. rororo 24423

Weitere Informationen in der Rowohlt Revue *oder unter* www.rororo.de

Portia Da Costa
Der Club der Lust
Erotischer Roman
Die Journalistin Natalie fährt zu ihrer Halbschwester Patti. Schon im Zug hat die junge Frau ein besonderes Erlebnis: Sex mit einem Fremden. Sie ahnt nicht, dass sie ihn wieder treffen wird. Und auch nicht, dass Patti sie in einen geheimnisvollen Club der Lust einführen will ... rororo 24138

Erotische Literatur bei rororo
Nur Frauen wissen,
wovon Frauen wirklich träumen.

Juliet Hastings
Spiele im Harem
Erotischer Roman
1168: Die junge Melisende reist zu ihrem Bruder in das Heilige Land, um dort verheiratet zu werden. Sie kann es kaum abwarten, ihre Jungfräulichkeit loszuwerden. Aber das Schicksal schlägt zu: Sie verliebt sich, dann wird sie Opfer eines Überfalls. Sie findet sich als Gefangene wieder – im Harem. rororo 23965

Corinna Rückert
Lustschreie
Erotischer Roman
Eine Frau beim Blind Date: Plötzlich hat sie eine Binde vor den Augen und wird zart und doch fordernd von einem Unbekannten verführt. Ihre Erregung ist grenzenlos ...
Außergewöhnlich anregende und sinnliche Geschichten von der grenzenlosen Lust an der Lust. rororo 23962

Weitere Informationen in der Rowohlt Revue *oder unter* www.rororo.de

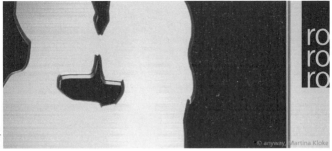